Littérature d'Amérique

Collection dirigée par
Isabelle Longpré

Du même auteur

LA SUITE HÔTELIÈRE
Port-Alfred Plaza, roman, Éditions Québec Amérique, 2007.
  • **Prix Abitibi-Consol**
Moscou Cosmos, roman, Éditions Québec Amérique, 2010.

Marcher le silence: carnets du Japon, (avec André Duhaime) Leméac, 2006.
  • **Prix Canada-Japon**
Chemin de traverse, VLB, 2000.
Zone portuaire, VLB, 1997.
Orchestra, VLB, 1994.
  • **Prix Littéraire du CRSBP du Saguenay – Lac-Saint-Jean**
Deux semaines en septembre, Les Quinze, 1991.
  • **Prix Robert-Cliche**
  • **Prix de la découverte littéraire, Salon du livre du Saguenay –
  Lac-Saint-Jean**

Tokyo Imperial

Catalogage avant publication de Bibliothèque et Archives
nationales du Québec et Bibliothèque et Archives Canada

Girard, André
Tokyo Imperial
(Collection Littérature d'Amérique)
Texte en français seulement.
ISBN 978-2-7644-2345-5
ISBN 978-2-7644-2532-9 (PDF)
ISBN 978-2-7644-2533-6 (ePub)
I. Titre. II. Collection : Collection Littérature d'Amérique.
PS8563.I665T64 2013   C843'.54   C2013-940450-3
PS9563.I665T64 2013

 **Conseil des Arts
du Canada**   **Canada Council
for the Arts**

Nous reconnaissons l'aide financière du gouvernement du Canada par
l'entremise du Fonds du livre du Canada pour nos activités d'édition.

Gouvernement du Québec – Programme de crédit d'impôt pour
l'édition de livres – Gestion SODEC.

Les Éditions Québec Amérique bénéficient du programme de subven-
tion globale du Conseil des Arts du Canada. Elles tiennent également
à remercier la SODEC pour son appui financier.

L'auteur remercie le Conseil des Arts et des lettres du Québec pour
son soutien dans la réalisation de ce projet.

Québec Amérique
329, rue de la Commune Ouest, 3ᵉ étage
Montréal (Québec) Canada H2Y 2E1
Téléphone : 514 499-3000, télécopieur : 514 499-3010

Dépôt légal : 2ᵉ trimestre 2013
Bibliothèque nationale du Québec
Bibliothèque nationale du Canada

Projet dirigé par Marie-Noëlle Gagnon
Mise en pages : André Vallée – Atelier typo Jane
Révision linguistique : Diane-Monique Daviau et Chantale Landry
Conception graphique originale : Isabelle Lépine
Adaptation de la grille graphique : Nathalie Caron
En couverture : © anzeletti / istockphoto.com

Imprimé au Canada

André Girard

Tokyo Imperial

roman

Québec Amérique

À

OBATA Yoshikazu
SATOMURA Kodai

Elle était contente.
C'était une vie amusante.
C'était comme si on eût joué à la vie.

Georges Simenon

1
SANGENJAYA

J'emprunte tous les matins la voie piétonne pour atteindre la station de métro. C'est automatique, je n'y peux rien, le croassement tenace des corbeaux me ramène à toi, me ramène aux corneilles que tu aimais tant alors que tous les détestent. *Rrrah, Rrrah, Rrrah.* Papa, tu n'y es plus, les corbeaux sont toujours là et puis moi, j'aimerai toujours l'enfer des petits matins. Ça gueule, ça jase, ça raconte : *Rrrah, Rrrah, Rrrah.*

J'aime baliser mon espace, à la ville, à la campagne et dans ma tête. Tu as toujours su, je suis géographique, je tiens ça de toi. Géographique, cartographique, topographique. Depuis toute petite, je veux savoir où je suis, je veux savoir où je vais. Sur la table de la cuisine, tu déployais la carte 1 : 50,000 en vert et bleu de ton territoire de pêche et puis moi, je m'obstinais à vouloir faire le compte des lacs, quitte à te tasser le coude. Tu souriais. Tu savais bien que je n'y arriverais jamais. Un jour, je suis partie étudier en Angleterre et tu venais *me rejoindre* en zoomant sur *Google Earth*. Alors viens, je t'emmène.

Tape *Tokyo* dans la fenêtre de recherche : la planète se met à tourner pour arrêter sa course sur la baie. Rapproche-toi maintenant de mon quartier en double-cliquant au centre du triangle Shibuya-Setagaya-Meguro. Stop ! Altitude de 1,5 kilomètre, on dirait une plantation de thé. C'est tout plein d'îlots d'habitations parcourus de venelles, comme autant de sentes donnant accès aux feuilles. Urbanisation à l'orientale, tissée serré. Aucun rapport avec Nottingham, aucun rapport avec New York ou Moscou.

Trente-huit millions d'habitants sur un territoire équivalant à la grande région montréalaise, chaque mètre prend ici de l'importance. Maintenant, zoome et zoome encore : vois cette venelle au niveau du sol. C'est là où je vis : Casa Aregle C, avec des lycées partout dans les alentours.

Quartier à haute densité, tu ne peux pas savoir comme je m'y plais, et c'est un peu grâce à toi. Je m'étais quand même imaginé beaucoup plus de larges avenues. C'est le cas au centre, mais pas chez moi. Ici, à Setagaya, la plantation se fait intime, c'est d'un luxe inespéré. L'artère de service et l'*Expressway* derrière moi, je retrouve deux cents mètres plus bas la tranquillité d'un village. Sonnette de bicyclette, menus travaux et choc d'ustensiles, vêtements séchant sur le balcon, chat errant sous les fleurs ou les arbustes.

Tokyo me libère, papa, Tokyo me fait du bien. J'y joue ici les rôles qui me plaisent et je m'éclate. Vis ton intensité de femme, me balançais-tu en guise de point final à nos discussions un peu trop corsées à ton goût, alors intense je suis. J'ai trouvé ma ville, celle où je me sens à la fois puissante et si légère. Les séries de mangas que tu m'offrais à la tonne y sont pour quelque chose, tu peux en être sûr. Je me fonds dans la foule de Ginza, dans celle de Shibuya ; je deviens personnage indestructible, femme inébranlable, mais où sont passés les illustrateurs, où sont donc confinés les scénaristes ? Pathétique ! Au mieux, ça me fait sourire. Je sais, je sais, je suis consciente que par ici on exploite au max ma force de travail, mais sache que ça se fait de façon agréable et jamais la déprime. Je travaille mes dossiers, j'y vais à fond, c'est tout ce qui compte. Grande liberté d'action, métro et trains de banlieue omniprésents. Vois comme c'est génial : je n'ai même pas besoin de sortir ma bicyclette pour me rendre au *Globe Café*[1], bistro hors normes repéré quelques jours après mon arrivée. Lumineux, cinq minutes à pied de chez moi, il est tout le contraire de mon studio.

---

1. Les lecteurs qui ne possèdent pas de téléphone intelligent leur permettant de lire les codes QR, comme celui de la page suivante, pourront consulter la liste des liens Internet à la page 279.

J'avais aimé le concept dès l'instant où j'y étais entrée. J'affichais ce jour-là une certaine timidité en visant la seule table disponible contre la fenêtre. J'étais l'intruse, l'effrontée venue forcer la porte d'un drôle de musée consacré aux silences. Construction de zone séismique, ça se voyait au premier coup d'œil. Étions-nous dans les anciens locaux d'une filature, y avait-il eu par ici les rotatives d'un journal, les presses d'une imprimerie ? Poutres boulonnées comme celles du pont de Québec, vert forêt, hauts plafonds peints en noir, standard latino allant bien avec la Tokyoïte au repos. Le Globe s'était imposé comme lieu rêvé pour ma première rencontre *hors les murs* avec Nao.

Ce dimanche-là – j'habitais alors le quartier depuis près d'un mois –, je me sentais d'attaque et j'agissais déjà en habituée. Il n'était plus question d'intrusion en un lieu interdit. À la table d'à côté, trois femmes étaient agitées d'un léger murmure. Trois femmes en congé d'homme. Toi, me suis-je dit en portant la tasse à mes lèvres, tu fais un petit peu trop *mère de famille*. J'imaginais son ado en train de donner son trop-plein d'énergie dans le grand gymnase du lycée. J'ai forcé la note en supposant qu'il jouait plutôt son rôle de branché dans le quartier fou d'Akihabara. Et ~is toi, oui, toi au fin chandail bleu pastel, j'ai l'impression q~ est au stade de baseball ou dans un *love hotel*. Va~ plaisais à leur scénariser des vies parallèles qua~ d'entre elles a adressé un sourire à la serveuse~ cappuccinos, les truffes pralinées et les ser~ à l'eau chaude. Raffinement dans la ges~ de noir, mais était-ce la cérémonie d~ moi, c'était thé vert et *dagashis*[2].

---

2. Friandises à base de patate.

Ce qu'il y a de particulier au *Globe Café*, ce qui fait son charme, c'est que l'intimité conceptualisée autour des tables dépareillées s'ouvre sur le bazar, parce que nous sommes aussi chez l'antiquaire. Tout est à vendre, tout objet digne d'intérêt porte une étiquette. Près du large escalier descendant vers le bar et les cuisines, un secrétaire à cylindre en acajou que j'aimerais bien pouvoir me payer et faire livrer pour mon retour en Amérique, plus loin vers le mur du fond, du côté des toilettes, des rayons de bouquins poussiéreux illustrés en noir et blanc, imprimés en chinois, japonais, anglais, certains en français. Ma chaise aussi, sans réel intérêt, trouvée peut-être dans la cour d'un lycée en démolition, et puis ma table en bois verni. Fenêtre à carreaux, tout métal, sans la moindre isolation thermique. Je savais que d'ici, j'allais la voir venir de loin. Arriverait-elle à pied ou en taxi ?

J'avais connu Nao lors d'un cinq à sept tenu à la Délégation du Québec à Tokyo stratégiquement située dans un édifice de Roppongi, quartier des grands cimetières et de toutes les ambassades. *Ouverture d'un immense marché pour petits fruits devenus à la mode.* Canneberge et bleuet sauvage, pour être plus précise. Fallait bien fêter ça ! J'y représentais la Citibank alors qu'en tant qu'avocate experte en droit des affaires, Nao accompagnait les importateurs venant de signer un contrat d'exclusivité avec les représentants de la coopérative d'exportation. Aréopage d'invités triés sur le volet – monde des affaires, universitaire et culturel, incluant des membres de l'Association japonaise des études québécoises que j'ai depuis appris à mieux connaître –, extrême raffinement des canapés créés par un chef tendance autour des ~ fruits, bœuf de Kōbe, pâtisseries fines, sakés et vins de ~us, liqueur de bleuet. C'était pour ainsi dire dans la ~rté, ce fut un retour sur quelques courriels que ~hangés, l'intime discussion autour de nos tra- ~uis voilà : comment j'appréhendais mon ~ seule femme et Occidentale parmi tous ces jeunes loups et vieux sages cravatés. Et puis vivre à Tokyo, comment je trouvais ?

J'adore, lui avais-je avoué, j'adore et j'en redemande. Un peu plus tard, quand elle m'avait confié qu'elle n'était pas Tokyoïte et qu'elle s'ennuyait parfois de son village de la préfecture de Gifu perdu en montagne, de sa rivière en eaux vives et de sa forêt de cyprès, de pins et bambous sous la pluie, je m'étais dit que nous avions sans doute bien des choses à nous raconter. Tiens donc, avais-je considéré, elle aussi, elle éprouve de temps à autre un irrépressible besoin d'air pur et de vertes forêts. J'avais alors songé à un dîner en tête à tête au Globe, et je lui en avais glissé un mot. Elle ne connaissait pas, mais son regard s'était illuminé.

2
IKEJIRI-OHASHI

Il y avait aussi un lustre monumental mis en vente du côté de l'entrée, d'un autre âge, laissé à deux cent mille yens. Un autre, un peu plus loin, à plus de quatre cent mille. Cinq mille dollars ! Pas donné, et puis où accrocher ça ! Le vitrail appuyé derrière moi contre le mur était aussi hors de prix. J'aimais le retrouver là pour me perdre dans sa polychromie. Je n'aurais pas voulu le voir partir, je n'aurais pas voulu. Il me ramenait et ramène toujours à grand-père, à l'imposant triptyque de Guido Nincheri de l'église néogothique érigée juste à côté de mon école primaire. L'église Saint-Édouard, là où je ne suis entrée que deux fois, mais la dernière est gravée pour toujours. Tu te souviens, papa, le jour même de mes onze ans, funérailles de grand-père. Vitraux apaisants, à Saint-Édouard, partout ailleurs et comme ici, malgré souvent le tragique de la scène. Derrière moi, c'est la chronique des grandes croisades ou de quelque chose du genre... perdue dans un bistro de Tokyo, avec son liséré de fleurs de lys. Mais d'où ça vient ? Sous les deux personnages, une phrase en anglais : *Faithful onto death*.

Laissant de côté le plus récent rapport d'activités d'une entreprise de pêche basée à Yokohama, j'ai attrapé mon agenda pour vérifier l'heure de notre rendez-vous. C'était bien ça : 14 h. En tournant les pages, j'ai pu visualiser la somme de travail à effectuer dans la semaine. J'adore Tokyo et j'en redemande, avais-je dit ce soir-là à Nao. Parce qu'ici, on doit rester humble,

Les trois femmes de la table d'à côté étaient des modèles de discrétion. Mœurs que j'apprécie au plus haut point. Rires étouffés et gracieuse gestuelle, mais à quoi pouvait ressembler la province de Nao? J'échafaudais des possibles entre la mer et la montagne, je scénarisais la vie d'une petite solitaire. Avait-elle vécu les dimanches mortels ponctués de ces petits riens d'une prévisible existence? Cours de piano, gammes à n'en plus finir alors que dehors chantent les oiseaux, Bach, Schumann, ou bien le plaisir de découvrir un sentier de montagne jusqu'alors inexploré? Comment Nao avait-elle vécu son enfance? À sept ou huit ans, aura-t-elle, comme moi, éprouvé le plaisir coupable d'enfoncer ses petits pieds dans la vase?

Marée basse sur les battures de la baie des Ha! Ha!. Le chalet de grand-mère au sortir de la ville, et puis là-bas, sur ma gauche, vers les installations portuaires, le cargo se détache du quai pour tourner sur son axe, aidé en cela par deux remorqueurs. Quitter Port-Alfred pour gagner Port-Saïd, un autre bout du monde quelque part plus au sud, et puis elle, Nao de Gifu, elle sera arrivée à bicyclette. Silhouette longiligne, veston de lainage et leggings noirs, foulard bourgogne, sans casque ni bataclan. Vélo nécessité, j'aime bien, nous ne sommes pas ici au royaume du plus beau kit. Blanche bicyclette en tout point pareille à la mienne. Jolie bécane qu'elle a appuyée contre la rampe de fer forgé.

Mon horaire flexible me permet de jouir de temps à autre de plages de relâche, surtout le mercredi. D'ordinaire, comme certains de mes collègues – à peu près toujours les mêmes –, je quitte donc le bureau autour de 20 h. Correspondance à Shibuya pour la ligne Den'en-Toshi et, au lieu de descendre à Ikejiri, je poursuis jusqu'à Sangenjaya, là où je retrouve l'un des restos ou *curry shops* gravitant autour de la station comme autant de satellites. Très bien, mais lorsque je suis trop épuisée et que je ne songe plus qu'à mon studio, je passe au *Seiyu*, grand magasin où je trouve tout ce qu'il faut à mon bonheur, des leggings hallucinants au chemisier classique, du café en grains aux bentos et petites douceurs. Le choix est varié, la fraîcheur assurée, pourquoi m'en passer?

Hormis les pâtes italiennes invariablement accompagnées d'un pain à l'ail et d'un gobelet de rouge, je ne cuisine jamais à la maison. Très peu pour moi, les petits plats à élaborer en solitaire. Faut dire que malgré les aménagements visant à y mettre un peu du mien – *ikebana*, affiches de cinéma, reproductions d'estampes japonaises et coin lecture/écriture –, mon studio fait beaucoup plus *dortoir pour jeune fille désargentée* que loft tendance avec vue sur la tour de Tokyo ou les collines de Roppongi. En stage ici pour un an, je gagne très bien ma vie et j'aurais pu me payer mieux, sauf que mes priorités sont ailleurs.

Le lendemain de notre tête-à-tête au Globe, après toute une journée essentiellement consacrée aux réunions d'équipe, il n'a surtout pas été question de pâtes à la maison, et je me suis payé au *Denny's* un steak frites accompagné d'une bière. De ma table habituelle, j'ai pu enfin relaxer au son des chansonnettes japonisantes qui se succédaient en un long murmure, me laissant porter par la discussion de la veille où j'avais entre autres glissé à Nao un mot sur Étienne, sur notre drôle de relation qui nous comble malgré la distance et qu'elle trouvait tout à fait charmante.

Ça ressemble à du *Sartre-de Beauvoir*, avait-elle avancé. Dans un premier temps, j'étais restée sans mots. Eh bien, Jean-Paul Sartre et Simone de Beauvoir au Japon ! Face à mon étonnement, elle avait précisé qu'un de ses amis de la faculté s'était particulièrement documenté sur la vie du couple. À l'époque, il n'avait cessé de lui parler de celui et de celle qui étaient pour ainsi dire devenus ses maîtres à penser. Désolée, mais moi, je n'avais jamais eu le temps de lire Sartre ou de Beauvoir. Certes, quelques allusions entendues au cégep dans mes cours de français ou de philo, mais rien de plus. Un peu plus tard, alors que la jeune fille nous servait le thé, Nao avait ajouté que nos amours à distance étaient au Japon le vécu de bien des couples, d'où la prolifération, la nécessité et la fortune des *love hotels*. Nous vivions donc, Étienne et moi, le propre de bien des couples japonais. Ça, je le savais très bien, sauf que nous, à leur différence, nous ne nous sommes jamais définis comme couple !

J'étais quand même restée songeuse. Devant moi, cette Nao de moins de trente ans venait de comparer notre relation à celle de Sartre et de Beauvoir alors que pour l'immense majorité des francophones – je parle de ceux de mon âge –, c'est du mort et enterré à Paris depuis longtemps. Il y avait de quoi s'étonner. Depuis ce temps, depuis cette première rencontre au Globe, je peux partout le constater, en tout temps : la fascination qu'exerce la France au Japon est sans faille. Bref, il y a tous les ingrédients d'une histoire d'amour. La France et la langue française sont à Tokyo dans une classe à part. Un mot français comme passe-partout, comme un ticket donnant accès à la classe et au raffinement : restaurants, boîtes de nuit, cafés, espaces de jeux, boutiques et collections de vêtements, jusqu'au *love hotel* perdu dans la périphérie de Nakano.

Au *Denny's*, je peux chaque fois jouir d'une vue en plongée sur la place de la gare aux vagues successives de voyageurs. Avec un horaire aussi éclaté, ça va et ça revient du bureau à toute heure du jour ou de la nuit, et en toute impunité, je me plais à observer le calme des Tokyoïtes à cette heure paradoxale où sous les néons tombe la tension. Elle est belle à voir, la muette multitude. Classicisme du code vestimentaire, d'un conformisme élégant, cravate dénouée du *Salaryman*, jupe froissée de l'*Office Lady*. Début ou fin de carrière, c'est du pareil au même. Parfois, une vague un peu plus agitée d'uniformes scolaires... à 21 h. Uniforme d'une beauté et d'une qualité rares, plus séduisant encore que celui que j'aurai porté pendant deux ans à Nottingham, et puis l'allure *trash* bien calculée pour celle qui a eu le temps de passer à la maison. Ce soir-là, sous les chansonnettes anesthésiantes empreintes d'une bonne dose de nostalgie, je m'étais laissé ainsi envahir par l'idée réconfortante de vivre mon été en solitaire. Je m'étais aussi laissé porter par la perspective d'un séjour prochain à Hiroshima. Ce serait pour bientôt, il ne fallait pas trop tarder.

Après avoir cadenassé sa bicyclette, Nao avait levé les yeux et j'avais pu lui rendre son léger signe de la main. Je m'étais levée et sans plus de civilité, nous nous étions contentées d'un timide salut : torse subtilement incliné, mains jointes au niveau du genou. Il était exactement 14 h, et elle avait pris place en m'avouant que sa randonnée lui avait creusé l'appétit. Elle portait maintenant un regard étonné sur le vitrail appuyé contre le mur. Sous le preux chevalier recevant la bénédiction de saint Quelconque ou d'un glorieux *King of the War*, c'est écrit FAITHFUL ONTO DEATH. Nous nous étions amusées à trouver quelques formules du même genre, et j'avais reçu un flux d'images. *Fidèle dans la mort!* J'imaginais les ados kamikazes de la Seconde Guerre mondiale quittant l'ultime piste sous une haie d'honneur de jeunes filles agitant les branches de cerisiers. À pleurer d'impuissance. Japon et Grande-Bretagne, deux grandes civilisations, deux puissances impériales, et le même discours lénifiant seriné par le pouvoir pétrifié à des Roméo à peine sortis de l'enfance. La chair à canon sera bien toujours tendre! À hurler de rage, mais je m'étais bien gardée de faire part de mon indignation à celle qui me faisait l'honneur d'un premier rendez-vous.

Lorsque la jeune fille vêtue de noir était venue prendre les commandes, les trois femmes d'à côté s'apprêtaient à partir, et Nao avait jeté un œil sur mon assiette de *dagashis* avant de lui adresser la parole. Malgré mes cours accélérés de japonais, je n'avais pas vraiment saisi son propos, mais j'avais quand même réussi à comprendre l'essentiel : le mot *menu*.

Nao n'habitait pas très loin, direction sud-est, dans l'emprise de la rivière Meguro. À vitesse moyenne, m'avait-elle confié dans son anglais impeccable appris lors de son séjour de deux ans à Victoria, British Columbia, c'est l'affaire d'une vingtaine de minutes. J'imaginais très bien son quartier parce que j'y étais passée quelques semaines plus tôt lors de l'achat de ma bicyclette d'occasion. Le ciel clair et la fraîcheur de l'air prédisposant aux grandes découvertes, il n'avait pas été question de tourner en rond. Un coup d'œil sur mon atlas de poche avait suffi, et je m'étais dit, tiens, à tout hasard, allons donc du côté de la baie. Il suffisait de longer la rivière via la piste cyclable ou les venelles tranquilles en direction de l'embouchure.

La jeune fille était revenue avec les menus. Prenant le temps de l'analyser, j'avais fait allusion à cette virée qui s'était étirée jusqu'en fin d'après-midi. J'avais fait escale au Naka-Meguro Park avant de revenir sur mes pas, et le sourire grand comme ça, Nao m'avait avoué qu'elle habitait tout près.

Cette rencontre par un beau dimanche après-midi entre l'avocate de l'entreprise et la représentante de la banque devait à tout prix rester entre nous. Dès le départ, en fait, dès l'échange de courriels consacrés au cinq à sept de la délégation, nous savions très bien que nous nous dirigions tout droit vers une zone de risques. Nous avions alors convenu qu'il ne serait jamais question de travail. Soyons légères, nous étions-nous dit, conscientes de l'effet dévastateur que la mise en lumière de notre relation pouvait ou aurait pu avoir sur nos carrières respectives. Cas juteux de délit d'initiées... au féminin pluriel... à Tokyo ! Attention, danger. Mon permis de travail est peut-être bon pour un an et même renouvelable, mais en tant qu'employée de la Citi, j'aimais mieux ne pas y penser. Loin de nous ankyloser, ce parfum d'interdit ajoutait au plaisir de nous étendre sur les petites choses de la vie d'une femme de l'Amérique profonde et d'une autre du Japon rural, avec un long séjour prolongé en Angleterre pour l'une, et en Colombie-Britannique pour la seconde.

À côté, la circulation sur Mishuku Dori était fluide et une brise légère jouait dans les branches tordues des cerisiers. Pigeant de temps à autre dans sa quiche, Nao m'avait parlé de son père, de cet homme qu'elle aimait par-dessus tout, et nous n'étions ici pas très loin de l'adoration. Propriétaire d'une scierie, constructeur d'habitations tout bois ayant une antenne ici même à Tokyo, il habitait un village prospère situé au nord-est de Nagoya, Alpes japonaises, préfecture de Gifu. Très bel homme, avais-je constaté en lui rendant sa photo, et j'avais sorti la mienne, celle où on peut vous voir tous les deux au retour d'un voyage de pêche. Tu ressembles à ta mère, m'avait-elle avoué, et quels beaux poissons ! Vrai que je ressemble à maman, tu me le disais si souvent, le même regard un peu perdu, le même fichu caractère, et je n'avais pas eu le courage de lui parler de toi. Une autre fois.

Cette complicité que nous étions en train d'installer était chose assez rare. Elle Japonaise et moi Québécoise, nées toutes deux en province mais aux antipodes, nous apprenions à nous connaître, et nous nous comportions déjà comme des jumelles qui ne se seraient pas vues depuis des années. Sans doute comptait-elle deux ou trois ans de moins que moi, vingt-six ou vingt-sept, peut-être aussi me voyait-elle comme la sœur qu'elle n'avait jamais eue – ne m'avait-elle pas avoué à la délégation qu'elle était fille unique –, son inconditionnelle, celle à qui on peut confier ses plus grands secrets. C'est du moins ce que j'avais ressenti. Pas nécessairement de l'amour, mais pas exempt non plus d'une certaine part de sensualité. Oui, m'étais-je dit en admirant la douceur de ses traits, ses doigts de pianiste et la qualité toute simple de ses vêtements *Uniqlo*, ce n'est pas de l'amour, mais suis-je seulement capable d'amour ? Amour passion ou amour conviction ? avancerait maman.

Nao avait parlé de tout, de son père et de sa mère, de ses études d'avant Victoria et d'après, de son enfance au village et de son quartier de Tokyo. Elle s'était ouverte à moi en toute confiance, et j'avais songé au lieu commun devenu le paradigme qui réconforte tant l'Occident, à cette idée toute faite voulant que les Japonais soient tous des êtres froids, xénophobes et repliés sur eux-mêmes, secrets, avares de confidences, mettez-en. Eh bien ! Allez donc savoir pourquoi, Nao était tout le contraire. Ça tenait à quoi ? Y étais-je pour quelque chose ? C'était à la fois troublant et séduisant, mais pourquoi nous encombrer de freins à la communication, pourquoi en rester aux images qu'on a créées pour nous casser, tous tant que nous sommes, hommes ou femmes, pourquoi en rester aux préjugés qu'on nourrit depuis des lunes pour justifier la guerre.

Kamikaze désarmée, je m'étais paradoxalement sentie hardie en ce dimanche après-midi. Madame de Beauvoir, avais-je songé en retrouvant ma venelle, vous manquez nettement à ma culture.

4

GINZA – GINZA

Voilà, ai-je songé ce matin-là après avoir demandé le dix-huitième à la liftière, plus aucun doute possible, je suis résolument du côté de ceux et celles qui auront fermé la papeterie de mon père. Toi qui me poussais avec tant de vigueur aux études supérieures, toi qui ne cessais de me dire de bien préparer mon avenir, regarde où ça m'a menée : je croule sous les bilans, j'analyse les fusions et mégafusions, les prises de contrôle, délocalisations, fermetures, démolitions, accompagnements de travailleurs… vers où ? Et toi, le jour où on a condamné cette usine dont tu étais si fier, t'aura-t-on seulement accompagné ? *Floor Eighteen*, a-t-elle annoncé.

Ce vocabulaire de gestionnaire, tu l'auras entendu mille fois et tu n'arrivais plus à le digérer, j'étais à l'université et tu ne me regardais plus de la même manière. Discours infantilisant qui t'aura fait perdre le goût de la vie, et pourtant, ce discours-là est aujourd'hui le mien. J'y arrive, papa, parce que la gestion, c'est aussi la vie, c'est aussi la banque des femmes et le micro-financement. Comprends-moi, au Japon et plus globalement en Asie, nous sommes dans le développement avec un grand D, à la vitesse grand V. Je tisse ici des liens qui me seront un jour utiles, et puis mine de rien, je développe mes compétences. Parce que j'en aurai grand besoin d'ici quelques années. Bousculez les paradigmes de la coopération internationale qui ne marche pas comme elle le devrait, se plaisait à répéter monsieur Chadwick à Nottingham, et ta fille est maintenant à l'ouvrage dans cette ville où il faut être présentement. Oui, j'aime l'intensité de Tokyo, j'aime la rigueur de mon lieu de travail quand je glisse ma carte magnétique dans la fente, quand je dois plus loin m'incliner devant la jeune femme de la réception, quand je retrouve mes collègues plus matinaux et portant comme moi le veston : *Ohayô!*

Lorsque le chasseur de têtes de la Citibank m'a approchée, je travaillais au siège social de la Banque Nationale. Deux mois après ta noyade. Profil idéal, m'a avoué ce type de Toronto venu me rencontrer en me félicitant pour l'intérêt que je portais au Japon, à sa langue et à son immense culture. Vous savez, me répétait-il comme un mantra, nous nous dirigeons tout droit vers une hégémonie asiatique, et le modèle d'affaires est japonais. Que ce soit en Corée, au Viêt Nam ou en Chine, le modèle restera nippon parce qu'il a fait ses preuves. Surtout, la force et la pérennité de la classe moyenne japonaise est partout enviée par les gestion-naires des pays émergents. Je ne pouvais qu'être d'accord avec cette évidence. Nous y sommes tellement, dans l'hégémonique, ai-je ajouté alors que le pianiste se prenait là-bas pour Oscar Peterson ou pour Oliver Jones, nous y sommes tellement. Vous le savez tout autant que moi : le prochain secrétaire général de l'ONU sera sans doute sud-coréen. Alors moi, je suis prête, et comme par hasard, dans l'édifice de la banque où je bosse, quelques étages plus haut, j'ai un accès direct au consulat du Japon à Montréal.

C'était un pluvieux mercredi d'octobre. Marché conclu, nous nous sommes quittés à la sortie du restaurant du Sheraton autour de 22 h. Les trottoirs étaient d'un jaunasse mouillé. Je venais d'accepter son offre, et il n'était pas question de m'engouffrer dans le métro dans l'idée de me retrouver seule à mon appart de la rue Rachel. Ignorant le taxi en tête de queue, j'ai ouvert mon parapluie pour rejoindre Sainte-Catherine, histoire de me taper un scotch au *Segafredo*. Tokyo dans moins de six mois! J'avais travaillé tellement fort pour y arriver, et ça incluait des cours du soir en langue et culture japonaises. Les images se bousculaient, je n'arrivais pas encore à y croire, mais j'étais déjà sous influence. Dans la nuit fraîche, les fines gouttelettes heurtaient mon parapluie, et ça sonnait comme une ondée libératrice, une pluie de mousson sur Montréal.

C'était pratiquement désert. Deux habituées déjà entrevues dans le coin s'entretenaient dans l'angle du comptoir avec le barman, et j'ai pris place un peu plus loin, face à la cafetière. Commande rapido et texto à Étienne. C'était sa plage lecture, je savais, je ne pouvais donc pas le déranger. Étienne est un véritable métronome, mais il n'aime pas quand je lui rappelle cette vérité. Cette fois, il ne s'agissait pas d'un roman ou du journal, mais d'un article pour sa recherche postdoctorale. Comme je l'avais déjà mis au parfum, il avait hâte de savoir. Évidemment, il s'était attendu à une réponse positive, malgré mes dernières demandes qu'il jugeait un peu fortes. J'avais tenu mon bout, on avait consenti à tout, et il s'est montré tout aussi surpris qu'emballé. YEAH, a-t-il écrit en lettres majuscules. En fait, les portes de l'Asie s'ouvraient aussi à lui. Vingt minutes plus tard, il me précisait cette fois de vive voix qu'il serait le lendemain à la gare d'Orléans Express à l'heure habituelle. En clair, ça voulait dire 19 h 45. J'ai commandé un deuxième verre.

À l'époque, j'aurais bien voulu savoir par quels subtils méandres on avait remonté la filière jusqu'à moi, mais je m'étais butée à un mur de silence. Ça aussi, a ironisé Étienne, c'est hégémonique. Ça se passait dans notre resto afghan du Plateau. Je quitterais donc bientôt la BNC pour un stage de trois mois à New York avant d'atterrir à Tokyo pour un séjour de un an pouvant être prolongé. C'était parfait, ça arrivait à point nommé, et il s'organiserait pour me rendre visite. Dès ton arrivée, m'a-t-il confié ce soir-là, tu nous trouves un hôtel Plaza.

Cinq mois plus tard, à la mi-mars, à peine installée dans mon studio, j'ai pu déjà lui annoncer en direct via Skype qu'il y en avait partout, des hôtels Plaza, qu'il en pleuvait dans tous les quartiers, qu'il y avait même le Plaza Ikebukuro capsule-hôtel, mais là, il m'a répondu avec une mimique éloquente que je pouvais bien laisser faire.

Pas de problème, Étienne, j'en ai même trouvé un à Ginza, pas très loin du bureau. Ginza! Ginza! Chic quartier des affaires strictement orthogonal me rappelant Manhattan, mais à échelle réduite. De mon poste de travail au dix-huitième étage, il suffit de tourner la tête pour profiter d'une vue sur les tours à bureaux raffinées ou le plus souvent de peu d'intérêt, sur le couloir ferroviaire servant les grandes gares. Shimbashi, Yûrakuchô, Tokyo, Ueno. Je bosse au cœur de la mégalopole et les rames itératives du Shinkansen me parlent de départs pour Nagoya, Kyoto, Osaka, Hiroshima.

Étienne m'a bien glissé un mot sur son désir de se rendre à Hiroshima, mais ne ressentant pas nécessairement le besoin de tout dire, je lui ai caché l'achat d'un forfait Shinkansen incluant une nuitée dans un hôtel du centre-ville. Je tenais à y aller en éclaireur, je voulais m'approprier la ville en solitaire. Lorsque j'ai montré mon billet de la *Japan Rail* à Atsushi – son bureau jouxte le mien –, il s'est montré si ému que, tout l'avant-midi, je n'ai cessé de me poser des questions en lui jetant parfois un œil de travers. Un peu plus tard, dans le parc Hibiya où nous nous sommes rendus à l'heure du dîner, j'en ai su un peu plus. Je m'y étais attendu : il y avait de la parenté là-dessous. Le bento sur mes genoux, dans l'idée de nous faciliter les choses, j'ai coupé court à ma leçon de japonais pour passer à l'anglais.

Il m'a alors parlé de son père, de ce que ce dernier avait fini par lui confier, par bribes, confidences entrecoupées de semaines de silence, de mois et même d'années. Été 1945, depuis la fin de la saison des pluies, il y avait chaque jour des alertes suivies de vols de B-29 en formation. On recevait surtout des bombes incendiaires. C'était aussi la disette et le *tout pour l'armée*. Chaque citoyen en état de produire des biens devait soutenir l'effort de guerre sous peine de passer pour un traître, et comme tous les élèves de sa classe, son père alors âgé d'une dizaine d'années venait d'être affecté pour le mois d'août aux travaux agricoles dans un village voisin. C'est ce qui l'avait sauvé, mais il avait vu s'élever le champignon. Recevant plus tard la pluie noire, il était loin de se douter qu'il venait de perdre tous les siens : son père, sa mère et sa grande sœur. Tous pulvérisés.

Il avait longtemps erré en ville avant d'être recueilli par des parents éloignés pour migrer en 1953 en banlieue de Tokyo. Atsushi s'est tu, et j'ai gardé le silence en me contentant d'admirer son beau profil et la délicatesse de son nez. Il s'est tourné pour préciser que son père était décédé quelques années plus tôt, à l'âge de soixante ans. Atsushi avait très bien compris les longs silences de son père. En ces années d'après-guerre, jusque dans les années 1980, les survivants d'Hiroshima et de Nagasaki avaient subi le rejet. Ils étaient suspects et on les fuyait pour diverses raisons. Étaient-ils stériles, portaient-ils maintenant des tares pouvant apparaître une ou deux générations plus tard ? Père mort et incinéré à soixante ans, il en aurait bientôt quarante-trois, et j'étais la première à qui il en parlait.

Devenue songeuse, je lui ai demandé s'il avait déjà lu *Hadashi no Gen*, et son visage s'est transformé. Étonné plus que troublé, il n'en revenait pas. Moi, sa collègue de bureau venue d'Amérique, je connaissais ce manga ! Eh bien oui, Atsushi, ai-je répondu, ça se peut très bien, et c'est la faute à mon père. Pour bien me faire comprendre, je lui ai dit que, pour une raison qui me restera à jamais inconnue, tu avais toujours été fasciné par Hiroshima, que c'est toi qui m'avais initiée au Japon dès mon plus jeune âge, et qu'à mon septième anniversaire, ou bien le huitième, je n'arrivais pas à trouver mes repères, tu m'avais offert le premier tome de *Barefoot Gen* qui venait de paraître en anglais. Quelques années plus tard, j'achetais le premier volume à sortir en français, et les autres ont suivi. Atsushi, ai-je songé à haute voix, l'histoire de ton père ressemble tellement à celle du manga. Il ne restait plus rien dans nos bentos quand nous nous sommes levés pour retourner au bureau. Sur Harumi Dori, il marquait parfois un temps d'arrêt pour m'observer, se prenant le menton ou se grattant la tête, le sourire si accroché que deux ou trois passants l'ont regardé d'un drôle d'air. Plutôt rare en ville.

J'aime le parc Hibiya, immensité verte au cœur des affaires, d'une propreté exemplaire, à deux pas du travail. J'y vais de temps à autre pour casser la croûte sur l'heure du midi, avec Atsushi ou un autre collègue, mais le plus souvent j'y vais seule. J'ai même pris l'habitude d'y aller le samedi après le travail, en début d'après-midi. C'est devenu mon rituel weekend, ma pause lecture-écriture avant de rentrer. *Pause lecture*, je n'ai jamais vraiment cessé, mais *pause écriture*, c'était tout à fait nouveau. Ça m'a pris comme ça peu de temps après mon arrivée, sans velléité de publication, question d'habiter ma solitude. Je venais à peine d'emménager que je m'amusais déjà à *mettre en haïku* mes capsules tokyoïtes. Pas si loin du sudoku, le haïku, m'étais-je dit en parcourant avec joie *La Sente étroite du Bout-du-Monde* de Bashō emprunté à la médiathèque de l'Institut franco-japonais. Dans sa forme classique 5-7-5, n'est-il pas strictement question de chiffres et de syllabes ? Dans les cafés où chaque solitude est à son bidule – *Caffe Veloce, KoHiKan, Tully's Coffee, Excelsior Caffe, Doutor, Pronto*; il y en a partout, ma préférence allant au Veloce –, je cristallisais l'émotion du moment en 5-7-5, ou bien un point de vue sur cette ville que j'avais si longtemps espérée.

Je me suis si bien prise au jeu de l'écriture qu'un samedi de mai, sans même en avoir demandé la permission à Étienne, j'ai pris la décision de mettre du mien dans sa *Suite hôtelière*. Ça s'est passé ici même, dans ce parc Hibiya.

Plus loin, un danseur solitaire se prenait pour un Cubain ou un Brésilien. Seul avec lui-même, ignorant les passants, il dansait le cha-cha dans une rare amplitude, et ceux-là ne lui jetaient pas l'ombre d'un regard. Il me semblait que j'étais la seule à s'intéresser à lui, et des images me sont venues de *Shall We Dance* dans sa version originale tournée sans doute pas loin d'ici. Omniprésence des trains, c'est l'image qui me revient, Keio Line ou Marunouchi ? Il était charmant, mon danseur solitaire, un peu fêlé tout de même, et j'ai passé bien près de lui offrir mes hanches. Je me suis retenue, mais il fallait absolument écrire ça, il fallait maintenant rendre en prose mes capsules d'émotion, dépasser l'idée du haïku, songer à un texte qui pourrait devenir mon *roman de Tokyo*. Prendre la relève d'Étienne, parce que le pauvre, il avait besoin d'aide.

Besoin d'aide parce que, parallèlement à ses recherches, il travaillait aussi sur notre séjour à Paris du printemps précédent. Ça avançait, me précisait-il dans ses courriels, mais le temps lui manquait. Il avait même trouvé son titre : *Paris Hilton*, rien de moins. C'est un gag, avais-je texté ce soir-là en l'exhortant à passer à l'action. Quatorze heures de décalage, c'était la fin de l'avant-midi pour lui. Quel titre ! Ce sera vendu partout dans le monde, tu verras, ce sera traduit dans neuf cent trente langues et deux mille dialectes. Tu vas devenir du jour au lendemain une super-star, le romancier invité sur tous les plateaux et sur tous les campus, et comme pour ajouter à ta gloire de *tombeur des salons du livre*, Madame va te poursuivre en justice pour vol d'identité. Pas de problème, avais-je ajouté, tu peux déjà compter pour ta défense sur une avocate de Tokyo pas piquée des vers.

C'était donc à moi d'écrire notre prochain rendez-vous d'automne à Tokyo, et le titre m'en est venu en jetant un œil à travers les branches sur les derniers étages de l'hôtel Imperial situé de l'autre côté du boulevard. J'avais encore tout l'été pour y réserver une chambre. Oui, écrire ce roman parce que Tokyo est MA ville, comme Moscou aura été et sera toujours la sienne. En octobre, j'allais le piloter comme il m'avait entraînée dans les vastes et larges perspectives de Moscou et de Saint-Pétersbourg, comme il m'avait touchée avec ses petits parcs oubliés de Prague et les environs du canal Saint-Martin à Paris. Je me contenterais de prendre des notes avant même de songer à une structure narra-tive. On verrait ça plus tard à l'automne, novembre ou décembre, mais à coup sûr après son séjour. Je prendrais plaisir à jongler avec la temporalité. Passer d'octobre à juin selon mon bon vouloir, de mai à septembre, m'amuser en somme à casser le temps. Mon coup d'audace me donnait encore des palpitations quand j'ai plus tard regagné mon studio.

Il faut dire que je venais de me payer un *tempura udon* dans un restaurant familial au sortir de la station Sangenjaya et qu'il y avait déjà sur place matière à écrire une encyclopédie. J'ai ouvert une fenêtre de mon ordinateur sur la bande jazz d'Espace musique de Radio-Canada, et j'ai créé un fichier pour taper l'anecdote du danseur solitaire. Il y en aurait d'autres comme ça, c'était le début de quelque chose, et cette anecdote me fait toujours sourire en l'intégrant à la fin de ce quatrième chapitre. Début décembre, j'en suis là, au quatrième chapitre.

Encore beaucoup d'écriture à venir, mais je sais déjà que j'arrêterai le choix de mes titres sur l'une ou l'autre des six cent trente gares ou stations de métro. Selon la station, je terminerai le chapitre par le logo du métro, de Japan Rail ou du Shinkansen. J'utilise ici le même procédé qu'Étienne a initié dans *Moscou Cosmos,* parce que je suis géographique, cartographique, topographique. Plus bas, le logo du métro.

5

TOKYO STATION

« Les sept branches de l'estuaire en delta de la rivière Ota se vident et se remplissent à l'heure habituelle, très précisément aux heures habituelles, d'une eau fraîche et poissonneuse, grise ou bleue, suivant l'heure ou les saisons. » Accoudée au parapet du pont débouchant sur la place de la Paix, je m'amusais à étirer la longue et lancinante phrase d'Emmanuelle Riva. Droit devant, en amont, il y avait le Genbaku Dome, seul édifice à avoir résisté à la bombe. HI-RO-SHI-MA. Enfin, j'y étais ! Sous mes pieds coulait l'une des sept branches de la rivière Ota. Marée basse ou marée haute ? Je n'aurais su dire, mais je songeais à Alain Resnais, à Marguerite Duras et Robert Lepage. Heureuse d'être là, papa, en juin de mousson. Allez, tu peux zoomer. Allez, viens me retrouver sur ce pont. Vues d'ici, les tours d'habitation en amont semblent appuyées contre la montagne qui se perd dans la bruine.

Hiroshima, ça remonte loin, très loin. C'est de toi que j'aurai entendu ce nom pour la première fois. Je garderai toujours ce lumineux souvenir d'un atlas ouvert sur tes genoux, mais c'était quand ? La prime enfance, c'est sûr, mais allais-je seulement à la maternelle ? En m'indiquant sur la carte un point rouge, tu avais pris le temps de bien articuler les syllabes : HI-RO-SHI-MA. Il m'avait fallu répéter après toi, comme le samedi matin devant la télé. Peu de temps après, jouant à merveille ton rôle de père, tu avais ajouté Na-ga-sa-ki. Répète maintenant après moi : NA-GA-SA-KI. J'avais réussi et tu t'apprêtais à tourner la page pour passer à un autre pays ou un autre continent quand j'avais dit non. Je ne sais pourquoi, couleur ou calligraphie, mais je t'en avais empêché en m'obstinant à garder la main sur la page. Pas touche! Tu n'avais plus parlé et il était vraiment bien, ton silence. Mais tu étais exaspéré. Je voyais, je savais, je sentais, j'aimais te voir bouder. Dans l'idée de reprendre le contrôle, tu avais précisé qu'Hiroshima et Nagasaki avaient toutes deux été rasées.

À quelques centaines de mètres du point d'impact, au cœur de cette ville reconstruite dans le delta de la rivière, je revoyais cette double page où il y avait partout du bleu. Répète après moi, avais-tu enchaîné : O-cé-an Pa-ci-fi-que. Oui, très bien, facile, océan Pacifique, mais une ville rasée, je n'arrivais pas à comprendre. Pourquoi on rase une ville? Comment on fait? Ça donne quoi? Tu t'étais gratté la tête, je m'en souviens.

Je ne sais pourquoi, mais je tenais à visiter Hiroshima en pleine saison des pluies, et c'est donc à la fin mai que j'aurai acheté le forfait incluant une nuitée à l'hôtel. Ayant troqué le veston pour la robe légère, leggings, espadrilles et sac à dos, j'avais quitté mon studio sous une pluie fine pour atteindre la gare de Tokyo vers 8 h 45. Vingt-cinq minutes avant le départ, c'était voulu. J'avais repris mon souffle en remontant le quai jusqu'à la hauteur de la porte 14, puis au kiosque de proximité, j'avais acheté des cigarettes, un café et un journal. À côté, les sièges étaient presque tous libres alors que j'avais vécu quelques minutes plus tôt la ruée dans le métro. Maintenant, on aurait pu croire que les Tokyoïtes et les banlieusards avaient tous décidé de rester au lit. Illusion, je savais, je savais, ce n'était qu'illusion. Ne ressentant pas le désir de déployer mon journal – cotes boursières, nouvelle politique de la FED, taux de change et prises de contrôle –, j'avais vécu comme un grand luxe l'ouverture de mon paquet de Peace tout neuf pour en griller une. Dans ce petit matin brumeux, je m'étais même permis de poser mon regard compassé sur ce jeune homme faisant les cent pas sur le quai voisin. Déjà accroché à son cellulaire, il incarnait le stress alors que j'étais en partance pour Hiroshima.

Il pleuvait comme ça depuis plus d'une semaine. Le soir précédent, bien installée dans mon lit, la fenêtre entrouverte et l'ordinateur sur les genoux, j'avais visionné *Hiroshima mon amour* sur *YouTube*. Neuf parties égales de dix minutes, très exactement, quelle belle invention! Parce qu'il n'avait pas été question de marcher dans cette ville par où tout avait commencé sans revoir les images en noir et blanc de ce film d'une assommante lenteur qu'on nous avait présenté au cégep dans un cours de français. Au grand désespoir de l'enseignante ayant elle-même des allures d'Emmanuelle Riva, ça n'avait vraiment pas été un succès. Tout le monde s'ennuyait, ça dormait même par l'arrière et elle avait dû en mettre quelques-uns à la porte. Pauvre femme, plus déçue que révoltée, et je crois bien avoir été la seule à avoir montré de l'intérêt. Amorce de discussion après le cours. Alors t'as aimé, toi, avait-elle conclu alors que j'étais restée pour lire le générique. Un peu long, avais-je avoué, nous ne sommes pas très habitués à ce genre de film, vous savez, mais j'aime Hiroshima, j'aime le Japon. Ah bon! C'est mon père, avais-je précisé, il m'achète des mangas à la tonne. J'en ai toute une collection à la maison. J'ai même une série qui se passe à Hiroshima. Je peux vous la prêter.

Il est vrai que, beaucoup plus que ces deux histoires d'amour en parallèle, en France occupée dix ans plus tôt et au Japon des années cinquante, c'est la ville en elle-même et le calme de ses habitants qui m'avaient captivée. J'avais retenu les grands espaces de destruction, les terrains vagues, la longue séquence de la marche en blanc. Étrange. Drôle de cinéma, habituée que j'étais aux films américains. Ç'avait été pour moi une première, sans aucun rapport avec la série *Barefoot Gen*. Au cours suivant, elle avait jeté un œil plus ou moins intéressé sur le premier tome, la déception ayant été cette fois de mon côté. Enfin! C'est loin, tout ça. Sous une musique orientale, que le visage éteint des écoliers en uniforme, bannières aux messages de paix en japonais, en français, lancinant frottement de semelles sur l'asphalte. Fatalisme japonais ?

Dans mon studio de Setagaya, la fenêtre entrouverte sur la pluie, sachant que j'allais bientôt fouler le sol de cette ville, je m'étais cette fois identifiée au personnage d'Emmanuelle Riva, à ses silences, à ses mouvements de rage dans un restaurant désert quand elle raconte à son amant japonais la fin tragique de son histoire avec un soldat allemand. L'amant tué dans la pagaille du retrait des troupes et elle rasée. Néons clignotant dans le crépuscule, rue déserte et terrains vagues. Était-ce déjà la renaissance de Nagarekawa-Yagenbori ?

Près de cinquante ans après la sortie du film, à proximité de la place de la Paix, je me sentais bien, seule avec toi, puissamment seule avec toi. Sur ce pont foulé depuis lors par des millions d'hommes et de femmes venus de tous les continents, je songeais à toi, papa, à toi qui m'auras fait aimer cette ville. Tu étais avec moi sous le parapluie. Mort si jeune, mort au mois d'août, c'est fou. Cinquante-trois ans, usine fermée, retraite forcée mais plein de projets. Toi, si bon nageur, tu auras été pris d'un malaise cardiaque dans pas plus de trois mètres d'eau et personne pour te venir en aide, tous pris qu'ils étaient à la préparation du repas. Pas la faute de personne, c'est sûr, un peu d'imprudence aussi, mais je n'arrive toujours pas à accepter. Je n'y étais pas, je m'en voudrai toujours.

Derrière moi, sur le large trottoir, c'était la parade d'impers jaunes. Groupes d'élèves accompagnés de leurs instituteurs. En rangs serrés, ils traversaient le pont en ajoutant leurs pas à mon silence. Ils venaient de quitter la place de la Paix pour peut-être se rendre à cette école primaire devenue musée.

dimanche de pluie
du bleu sur une carte
moi sur tes genoux

Ce vendredi-là sous la pluie et le lendemain sous le soleil revenu, j'ai marché comme une assoiffée de sens, mais pourquoi vouloir à tout prix remonter le temps quand on retrouve ici comme à Tokyo ce calme étonnant malgré la multitude ? Y a-t-il déjà eu une bombe A dans cette ville ? Évidemment, et c'est dans les rues et les venelles d'Hiroshima que je me suis senti l'âme japonaise. Je comprenais le jeu, je saisissais le langage des corps, j'étais dans le *beat* Asie. Le Japon était en moi, devenu pour ainsi dire le pays de mon enfance, question de valeurs, question d'éthique et de façon de faire. Je trouvais mon espace de liberté et j'y posais mes repères. Il m'avait donc fallu quitter Tokyo ?

Dans un café jouant la carte de la France nostalgique, aussi bien dans le menu que dans la décoration, je songeais à tout ça. Je n'étais plus *gaijin*[3] ni touriste. Mais oui, j'étais *gaijin*; mais oui, j'étais touriste ! Pas de mal à ça, d'autant que ceux et celles qui étaient descendus de tous ces bus dans le vaste stationnement du Musée de la Paix venaient de toutes les provinces du Japon. Écoliers en uniforme, troisième et quatrième âges ayant vécu la fin de la guerre et la chute de l'empereur. *Gaijin* et touriste, bien sûr j'étais, mais dans ce resto français, j'éprouvais une certaine fierté à l'idée que j'allais retrouver le lendemain soir mon studio de Tokyo.

> vertes montagnes
> ponts de la rivière Ota
> vous souvenez-vous

Gaijin, je resterais toujours aux yeux de tous, mes collègues, Atsushi et Nao – peut-être moins Nao, quand même –, sauf que c'était maintenant réglé. Plus besoin d'approbation, cet espace m'appartenait. Je me voyais à Nottingham, deux ans plus tôt, dans ce café du centre-ville où j'étais devenue une habituée. Dans cette ville du nord de l'Angleterre où la grisaille de l'hiver finissait

---

3. Étranger.

par me taper sur le système, je m'étais parfaitement adaptée. Le campus était magnifique, le centre-ville un peu *trash* mais je m'y sentais d'attaque. Je réalisais en Angleterre un rêve d'adolescente, sauf que tout était pareil. Comme à Chicoutimi, Québec ou Montréal. Même façon d'être, sauf le rapport à l'alcool. Sympathiques éponges kamikazes, les mâles anglais, sauf que ça dégénérait tous les week-ends. Avec le recul, je me rendais compte que ces deux années n'avaient pas pour autant fait de moi une Anglaise. À Londres, ç'aurait pu être différent, mais en province! Nao, lors de ton séjour à Victoria, te serait-il arrivé de te sentir l'âme canadienne?

Ce vendredi-là, en sortant du resto, j'ai replié mon parapluie avant de monter dans le tram historique pour me rendre jusqu'en bout de ligne. La paix, la sainte paix. La carte en main – comme une vraie touriste –, je traversais des ponts et je n'arrivais pas vraiment à me perdre. Fascinant delta. J'ai longtemps erré dans ces quartiers en tout point semblables à Setagaya avant de songer à revenir à l'hôtel en fin d'après-midi. Il n'était pas question de rater l'*Hiroshima by night*. À moi, Nagarekawa-Yagenbori!

6
HIROSHIMA STATION

Question de temps, je ne me serai jamais rendue sur l'île Miyajima et je n'aurai pas vu, sur la plage, à marée basse ou à marée haute, le torii de plus de quinze mètres de hauteur. Pas eu le temps non plus d'aller me perdre dans les rayons en couleurs ou en noir et blanc de la bibliothèque municipale dédiée aux mangas, ne fût-ce que pour y retrouver mes séries en version originale. Je me l'étais pourtant juré! Il y a partout des librairies spécialisées dans le genre, dans chaque quartier, les rayons en sont pleins, mais toute une bibliothèque publique!

Il faut dire aussi que j'avais étiré ma nuit dans une boîte techno pour revenir à ma chambre passé trois heures. Au réveil, je n'avais plus le goût. Cette sortie à Nagarekawa-Yagenbori me rappelant mes week-ends d'enfer à Nottingham avait été passablement alcoolisée mais ô combien énergisante. Cave enfumée d'une autre époque, un peu sous-sol, techno décapante, avec partout des rayons de bibliothèque croulant sous le poids des mangas et de vieilles séries encyclopédiques. Déroutante Hiroshima où j'avais pu causer – mais pas trop longtemps – avec un *gaijin* comme moi tellement facile à repérer. Australien, vingt-quatre ans, prof d'anglais dans un lycée via le programme JET, il adorait l'endroit, c'était sa place. Bon danseur, gentil, attentionné, bel humour, sauf que malgré l'excellence du scotch, je n'avais pas eu le goût d'aller plus loin.

Hiroshima, songeais-je quatre heures plus tard sous la douche, personne ici pour m'obliger à quoi que ce soit. Laissons tomber l'île Miyajima et commençons par le Musée de la Paix, nous verrons plus tard. De toute façon, si je reviens avec Étienne en octobre, les érables sur l'île seront en feu. Sous mon parapluie, j'ai donc quitté l'hôtel en direction du musée pour m'arrêter quelques rues plus bas dans un *Doutor* dont on venait sans doute d'ouvrir les portes. Exactement comme à Tokyo : café au lait et brioche citronnée. Pour ainsi dire seule dans la place, je jetais un œil se voulant intéressé sur la section *Business* du *Japan Times*, mais la tranquille musique d'ambiance et la rigueur des organigrammes et des tableaux de croissance n'y pouvaient rien ; la techno m'habitait encore le bout des doigts.

Dès l'ouverture des portes, j'ai payé mon ticket, et là encore, comme la veille sur le pont de la rivière Ota, tu auras été avec moi. L'écouteur de l'autoguide en version française à l'oreille, le pas incertain et la gorge serrée, je t'aurai prêté mes yeux. J'ai remonté le temps de la façon la plus tragique, songeant à la série *Barefoot Gen*, bien entendu, au père d'Atsushi, surtout, à sa famille pulvérisée, interpellée par les touchantes photos et les artefacts tordus. La force du nucléaire est à vous donner le vertige. Hiroshima et Nagasaki devenues fourmilières. Fragiles ouvrières au travail ne verront jamais arriver le jet mortel du pulvérisateur. Parcours ordonné, plein d'enseignements, maquette de la ville émouvante, artefacts à vous laisser en tête un trop-plein d'extrêmes brûlures. Tout le contraire du musée interactif, aurait tranché Étienne en bon muséologue patenté, avec raison. Aucune interaction, comme on peut en expérimenter dans les musées consacrés à la science, mais ici, nous sommes dans l'histoire, avec comme prémisse la bombe A et ses effets dévastateurs sur la population civile, sans appel ni pardon. Comment aurait-on pu s'y prendre autrement ?

Je suis sortie de là sonnée. Les musées essentiellement consacrés à la mort seront toujours les mêmes. Toujours là pour éveiller les consciences, et ça réussit. Pauvres de nous, me disais-je après avoir rendu l'autoguide au comptoir, pauvre humanité courant à sa perte pour des questions d'argent ou de religion, carburant toujours et encore au génocide, aux guerres saintes, à l'extermination massive, sauf que la place de la Paix surdimensionnée a parfaitement joué son rôle. Entrée là sous une pluie monotone, je pouvais maintenant voir des trouées bleues dans l'axe du Genbaku Dome. Goulûment, profondément, histoire de retrouver une certaine joie de vivre, à tout le moins un soupçon de légèreté, je me suis appliquée à me soûler d'air humide et odorant. Dans le calme retrouvé d'après-musée, je me gonflais les poumons de l'air ionisé d'*après l'averse*.

Il y avait maintenant foule sur la grande place, et j'ai repéré très loin sur ma droite quelques bancs en retrait sous les arbres. Je venais de décapsuler ma bouteille de thé glacé sous les branches basses laissant tomber leurs dernières gouttes quand je me suis vue assiégée par un groupe d'écoliers aux uniformes toujours aussi ravissants. Charmant, jamais rien qui cloche, le souci du détail, jusqu'aux souliers parfaitement cirés. Une autre planète. Je me suis prise à songer aux uniformes que j'achetais sur le Web à Londres et à Tokyo à cette époque pas si lointaine du site fétichiste que nous exploitions, Julie et moi. Je revoyais mon plus bel achat, celui particulièrement chic de l'universitaire japonaise qui m'avait coûté une fortune et que j'avais revêtu à l'hôtel Plaza devant Étienne quelques jours après son arrivée. Quatre ans plus tard, autour de moi s'agitait une fournée d'écoliers originaires sans aucun doute d'une tout autre région que ceux de la veille qui m'avaient frôlée sur le tablier du pont. C'était amusant, touchant de les voir si volubiles devant l'étrangère que j'étais. Quelques mots de base en japonais. Ils étaient tout surpris, les yeux ronds, j'étais ravie. Bref, ils venaient d'une petite ville du nord de l'Hokkaido. Aïe, aïe, aïe! C'est loin, ça. Et puis moi? Canada, America, encore plus loin.

Timidement, l'enseignante s'est rapprochée pour excuser les enfants et me glisser quelques mots gentils dans son anglais laborieux, deux ou trois en français, et puis c'était déjà le temps de former les rangs pour une entrée en ordre parfait au musée. Sourires généralisés, *sayonaras* à répétition et signes de la main, le silence est soudain tombé sous les arbres. Une goutte sur mon genou, et l'idée folle m'est venue de texter quelques mots à Étienne, histoire de lui parler de muséologie et d'enfants rieurs, mais je me suis retenue. Une ville rasée, pourquoi rase-t-on une ville, papa, comment on fait? Tu t'étais gratté le ciboulot! Papa, je savais qu'à nous deux, nous nous adressions maintenant au feuillage gorgé d'humidité en déclinant les syllabes: SA-YO-NA-RA! HOK-KAI-DO!

Je suis certaine que tu m'accompagnais encore quand je me suis levée en glissant ma bouteille dans mon sac pour me rapprocher de ces deux arbres tordus situés juste derrière moi et qui m'intriguaient depuis un bon moment. Ces arbres phœnix avaient survécu aux radiations. C'était inscrit sur la plaque. Au printemps 1946, on les avait trouvés avec quelques autres spécimens dans la zone de l'épicentre. Victoire sur la mort, impressionnant, à vous déifier le végétal. Le Japon étant ce qu'il est, porté sur les symboles, je n'ai eu qu'à appuyer sur le bouton en bas de la plaque pour écouter l'hymne composé en leur honneur. Chansonnette typiquement japonaise qui m'a rappelé les dessins animés du samedi matin. Alors là, c'était poussé avec tant de cœur, avec tant de conviction que ma vue a fini par s'embrouiller. Je restais là comme une grue, tétanisée, et ça coulait, ça coulait. Les petits rieurs qui venaient tout juste de me saluer de la main en étaient-ils la cause? C'était dans l'ordre du possible, mais tu y avais mis aussi du tien. C'était un peu ta chanson; ta présence était devenue palpable. Toi et ta compassion pour les sacrifiés de cette ville que tu n'auras jamais vue.

J'ai traversé la place de la Paix en diagonale dans l'idée de remonter vers le centre-ville et le stade de baseball. Pour un moment, j'ai longé de près le Genbaku Dome. Il n'était pas encore midi. Considérant mon état d'esprit, me disais-je dans la venelle où brillaient à l'ombre des flaques d'eau, il vaut mieux y aller léger, il vaut mieux me contenter de franchir quelques ponts pour aller me perdre en périphérie. Jouons celle qui retourne à la maison après sa journée de travail au Service du personnel chez Mazda, jouons la femme d'affaires de la capitale à la recherche d'un *spot* pour ouvrir un commerce de proximité dans une ville pleine d'avenir. Jouons notre rôle jusqu'au bout pour quérir en fin d'après-midi notre sac de voyage à la consigne de l'hôtel. Pas question de rater le train de 17 h 10.

Dans les alentours du grand stade, sur Aioi Dori, j'ai découvert un improbable petit restaurant italien dédié à l'équipe des Carp. Après la bombe américaine, le baseball s'est implanté partout au pays autour des bases militaires. Je savais ça depuis longtemps, un peu comme tout le monde, mais les Carp d'Hiroshima, non. Choisir au Japon un nom de poisson plutôt qu'un nom d'oiseau, comme en Amérique, ça m'a semblé aussi logique que l'idée de l'urbanisation en *plantation de thé*. Ce resto aux larges baies vitrées ouvertes sur le coin de la rue s'apparentait plus à la Petite Italie qu'à la *Cage aux sports*, et je roulais mes pâtes à la sauce napolitaine en me croyant à Montréal ou à Boston. Photos de joueurs plein les murs, le patron photographié avec des vedettes du club, portraits d'équipe, répliques de trophées, des balles, des casquettes et des bâtons autographiés. Je n'entends rien au baseball mais c'était gagné ; je suis devenue fan inconditionnelle des Carp d'Hiroshima. Très bien, mais le patron désœuvré en ce samedi midi connaissait-il les Expos de Montréal et les Blue Jays de Toronto ? Bien évidemment, a-t-il acquiescé en ouvrant le journal pour me montrer les statistiques du jour. Ravi de recevoir une Canadienne dans son établissement, il m'a offert une casquette des Carp, et je lui ai fait le plaisir de la porter sur-le-champ.

J'ai quitté le proprio en arborant ma nouvelle casquette, prête à attaquer le plan B – B pour Bus ! –, plus précisément le circuit 29 que j'avais ciblé la veille sur la carte, au cas où. Je suis montée dans le bus sous un ciel variable, et dès le premier pont, ça ressemblait à tout sauf à l'heure de pointe. Vue sur la vie de quartier qu'on aimerait bien partager une semaine ou deux. Au feu de circulation, des écoliers et des écolières en uniforme se rendaient peut-être au gymnase. Petites filles en grande conversation. Et vous, grand-père au dos courbé, où étiez-vous quand c'est arrivé ? Je n'ai encore rien trouvé de mieux que le bus pour prendre le pouls d'une ville. Je serai devenue vieille et folle que je porterai comme vous, madame, de beaux vêtements multicolores et même fluo, je serai devenue toute ridée que je monterai comme vous en prenant garde à la marche. Mais je suis encore jeune et j'aimerais bien ouvrir un commerce de proximité dans votre quartier.

Le bus, près de la porte arrière, pour scénariser mille vies, pour aller à la rencontre de mes personnages et me jouer du temps. Je serai comme vous, madame, oui, comme vous, respectable grisonnante au drôle de tic. Grand-mère fatiguée ou geisha à la retraite, vous ajustez votre perruque de la main gauche, comme pour ne pas la perdre. Je vous prêterais volontiers mon miroir de poche. J'aime votre robe de cotonnade au motif compliqué. Ce soir, je vous grillerais moi-même ce poisson que vous venez d'acheter. Dînerez-vous en solitaire ? Vous descendrez bientôt, je le sens. Vous que je ne reverrai jamais plus, je vous ferai vivre deux minutes de *survie* dans mon *roman de Tokyo*.

Et puis toi, maman, t'arrive-t-il toujours de grignoter en solitaire ton presque rien dans l'assiette ? Bien évidemment, où donc ai-je la tête. À cette heure-ci – je compte les heures de décalage –, nous sommes en pleine nuit et tu te réveilleras bientôt. Aux dernières nouvelles, tu dormais seule dans ton grand lit, mais pour te consoler, dis-toi que c'est aussi le lot de ta fille. Et si je te payais un billet d'avion pour Tokyo ? Allez, dis oui. Ce sera bientôt ton anniversaire, c'est quand tu veux.

Ma grand-mère m'a gentiment souri en sortant du bus alors qu'à l'avant, un jeune homme encombré de sacs présentait sa carte au lecteur optique. La ville était d'une agitation ralentie, le soleil tapait sur les trottoirs, il y avait ci et là des marchés aux fleurs. J'ai tiré sur la corde pour descendre un peu plus loin pour aller m'acheter une pomme dans une fruiterie. Croquant ma Golden, j'ai longtemps louvoyé dans la foule clairsemée avant de consentir bien plus tard à monter dans le bus 29 à contresens qui venait tout juste de freiner devant l'abribus. Une heure plus tard, après être passée à l'hôtel, j'attendais l'entrée en gare du Shinkansen. J'ai fouillé dans mon sac pour attraper mon cellulaire. Chez toi, il était sept heures du matin, tu prenais ton café. Deux coups.

Allô, maman! Oui, c'est moi. À Hiroshima. Oui, Hiroshima. Très bien, j'attends mon train. Sans doute. Sûr que tu aimerais. Justement!

me disais-je, et mon discours sur un livre qu'elle n'a jamais lu doit l'ennuyer à mourir. Mais non. Elle a levé son verre à la France et à notre rencontre en ces lieux exquis qui serait suivie d'une longue marche vers Shinjuku, puis elle m'a exhortée à continuer. Je l'avais intriguée avec le mot « eurocentrisme ». Elle voulait en savoir plus, elle voulait connaître le fond de ma pensée.

L'eurocentrisme! Tu vois, Nao, ai-je poursuivi en jouant la dérision, je parle de l'eurocentrisme du personnage de Nothomb, et je tombe dans le panneau. C'est une question d'habitude. Tous ces mots, tous ces concepts qu'on nous a entrés dans la tête à l'école primaire et au secondaire. J'ai dit que son personnage ne vivait pas en Europe mais à Tokyo, en Orient, alors que j'aurais dû parler de Tokyo, en Asie. L'Asie, ce n'est pas forcément l'Orient. Un peu compliqué. La nuance est subtile, mais elle dit tout. En géopolitique et en géographie, le mot « Orient » et tous ses dérivés, comme *orientalisme*, n'ont de sens que si on se place du point de vue de l'Europe ou de l'Afrique, sinon, ça devient une aberration. Par exemple, si l'Européen pose les yeux sur la mappemonde, pour lui, l'Asie se situe effectivement à l'est, en Orient, mais si je regarde, moi, cette même mappemonde du point de vue de l'Amérique, l'Europe devient mon orient et l'Asie mon occident. Un peu mélangeant, n'est-ce pas. Orient, Extrême-Orient, Moyen-Orient, Proche-Orient, c'est un concept géopolitique qui nous vient de l'Europe des grandes découvertes.

Nao était tout sourire, mais je la sentais confuse. J'ai sorti mon stylo pour dessiner les plaques continentales sur une serviette de table, et tout est devenu évident. Tu peux t'y fier, Nao, je suis cartographique. Je me sentais d'attaque, comme à mes plus beaux jours du bac, et j'ai continué sur ma lancée : je bosse à Tokyo, Nao, au cœur de Ginza, et jamais il ne me serait venu à l'esprit d'agir comme cette fille. Si j'avais le culot d'imposer ma façon de travailler à mes supérieurs, on me virerait dans l'heure. N'importe où sur la planète, peu importe la culture, si tu emmerdes ton patron, il te montre la porte.

Eh bien, trois mois seulement que j'habite à Tokyo! Serais-je une petite naïve ou une grande prétentieuse? Nao s'est mise à rire, sauf que je venais de m'emporter pour un détail sans importance. Mais non, a-t-elle réagi en posant la main sur mon avant-bras, je ne crois pas. Pas de naïveté ni de prétention, tu as seulement exprimé ton opinion, et je comprends très bien. Pour me prouver qu'elle avait parfaitement saisi le fond de ma pensée, elle en a rajouté. Elle n'avait pas lu Nothomb, elle s'y mettrait bientôt, c'était promis, mais elle avait déjà eu à subir le paternalisme d'un juriste allemand venu étaler ses évidences lors d'un congrès international en droit des affaires. Ça s'est passé l'automne dernier, à Nagoya. Ce type nous a tous endormis avec ses mises en garde. À croire que nous vivions au Japon l'an Un de la mondialisation. Quand même!

Dans notre complicité nouvelle, nous nous sommes rendu compte que là-bas, du côté du bar, le petit nouveau n'avait d'yeux que pour nous, puis il a pris l'initiative de venir renouveler nos bières : cadeau de la maison, mesdames. Sympathique, *arigato*, merci beaucoup. Oui, j'étais bien Québécoise, non, je n'avais pas l'accent, et puis oui, je me suis fait le plaisir de lui présenter Nao. Il nous a appris comme ça qu'il était originaire de Marseille, qu'il habitait à Tokyo depuis deux mois… et qu'il s'ennuyait à mourir. Eh bien, me suis-je dit, s'ennuyer à Tokyo! Mousson déprimante, manque de repères ou d'ouverture? Bref, une façon comme une autre de draguer deux femmes désœuvrées par un beau dimanche après-midi, mais mon pauvre enfant, me disais-je, tu es canon avec ton corps d'athlète et ta gueule de ténébreux. Une beauté fatale qui s'ennuie à Tokyo, il me semble que ça tient beaucoup plus de la tragédie que du drame.

Mon beau jeune homme, ou bien t'es en peine d'amour, en panne de yens ou en passe de mourir! Je souriais encore de cette réplique que j'aurais pu lui envoyer pour le bousculer un peu quand j'ai arrêté mon regard sur Nao. Tu viens peut-être de trouver ici le professeur idéal pour un cours de langue. Contre toute attente – j'entendais encore son *oh là là!* –, elle est restée de marbre. Nao, ai-je avancé pour briser le silence, tu ne m'as jamais parlé de tes amours. Oh là là!, a-t-elle laissé tomber, mes amours, c'est toujours compliqué.

Ça veut dire quoi, Nao, des amours compliquées? Elle se murait dans le silence et puis moi, pour lui donner de l'air, je ne l'ai plus interrogée que du regard. Fragilisée, était-elle, en état de déséquilibre; il n'était pas question d'insister. Elle s'ouvrirait à moi à son heure, j'en avais la certitude, et pour rompre le silence, j'ai orienté la discussion sur mon séjour à Hiroshima qui remontait déjà à quelques semaines. J'ai tant apprécié, Nao. Place de la Paix, dans le tram et dans le bus, je dialoguais avec ma mère, avec les gens, avec mon père. Nao comprenait très bien l'idée du dialogue, d'autant qu'elle savait depuis peu ta mort par noyade. Elle n'était allée à Hiroshima qu'une seule fois. Je crois savoir, ai-je avancé, laisse-moi un peu deviner : j'imagine que tu y es allée avec ton école.

Dans un premier temps, elle s'est montrée stupéfaite par la justesse de mon hypothèse, puis elle a confirmé d'un mouvement de la tête. Bien oui, Nao, sortie d'école. C'est planétaire. Moi aussi, Nao, j'ai visité mille musées, au primaire comme au secondaire. Moi aussi, on m'a deux ou trois fois par année assommée avec des discours scientifiques, historiques, écologiques, énigmatiques. Sourires complices de petites filles sages et bien conscientisées, nous avons levé nos verres à Hiroshima. La Kronenbourg était mousseuse – merci, jeune homme –, le ton est devenu posé, plus intime, d'un calme pour ainsi dire japonais.

Trente-cinq degrés à l'ombre. À côté, deux femmes dans la cinquantaine s'étendaient sur la fraîcheur des automnes à Biarritz alors que je lui parlais du bonheur que j'avais éprouvé à arpenter Hiroshima en solitaire, cette ville que tu auras aimée incondition-nellement, papa, sans y avoir jamais mis les pieds. Ne pas parler d'amour, pas encore, ça viendrait en temps et lieu, mais cette question que je m'étais posée là-bas dans un restaurant me taraudait l'esprit. Allons-y donc, me suis-je dit alors qu'elle avait retrouvé son sourire : je sais, Nao, que tu as gardé un très bon souvenir de tes deux années à Victoria, mais t'est-il arrivé de te sentir l'âme canadienne ?

8

Narita Express

À moitié nu, la seule chemise sur le dos, Étienne avalait son saké à petites doses, l'air de se dire qu'enfin il y était. La nuit était tombée depuis longtemps sur les îlots de lumière de Shinjuku et de Shibuya, et nous n'avions rien vu des néons qui s'étaient allumés dans le déclin du jour. Oui, mon choix avait été le bon, jusqu'au *Nakata sushi bar* de l'hôtel où nous avions étiré notre premier repas. J'étais fière de MA ville. Elle les éclipsait toutes par son gigantisme et sa richesse. Début octobre, hôtel Imperial, chambre au douzième avec vue sur l'ouest – peut-être verrions-nous bientôt la cime enneigée du Fuji dans le ciel clair du petit matin –, ça valait bien l'*Ikebukuro Plaza* et sa vue sur la gare, là où j'avais songé à réserver pour cette première nuit.

Il avait tenu à faire monter cette bouteille, et j'ai allongé le bras vers la table de chevet pour remplir mon verre. Je préfère le scotch, mais le saké me réchauffe de belle façon. Alors, mon bel ébouriffé, qu'est-ce que t'en dit? Ne recevant pas de réponse – décalage horaire, sous le choc ou sous le charme –, j'ai rejeté les draps pour aller le rejoindre. En bas, sur Hibiya Dori, la circulation était d'une coulante régularité. J'ai pointé le parc du doigt. Tu vois, près du lampadaire, devant ce pavillon, c'est la série de bancs où je vais souvent lire ou relaxer. Vendredi dernier, quand tu as reçu mon texto après minuit, ici, c'était déjà samedi, autour de midi. J'étais assise là.

Son arrivée à Narita étant programmée à 15 h 30 au terminal 1, j'avais quitté le bureau vers 12 h 30 et marché jusqu'ici pour prendre possession de la chambre. Laissant mon léger bagage sur place, j'avais cassé la croûte dans un resto rapide perdu dans les dédales de la gare de Tokyo avant de monter dans le Narita Express. Congé de vingt-quatre heures pour recevoir mon russophile venu donner une conférence sur la gestion et la mise en valeur du patrimoine religieux, c'était parfait. Étienne et moi ne nous étions pas vus depuis six mois. Le rapide en direction de l'aéroport prit alors des allures de train pour New York ou Vancouver. Mon enthousiasme du début ne s'était pas estompé, mais lui, comment allait-il trouver ma mégalopole ? Trop folle ou trop occidentalisée ? Plus terne que Moscou ? Moins séduisante que Londres ou Paris ? Malgré ses derniers courriels où il avait exprimé sa joie de me retrouver, ça me chicotait.

Il s'est glissé derrière moi pour poser les mains sur mes hanches et puis, dans une mise en scène que je lui connaissais bien, les yeux tournés vers Shinjuku et Shibuya, il m'a fait le coup en prenant l'accent russe qu'il sait si bien moduler pour me grommeler quelque chose qui pourrait bien ressembler à ça : Hyper-village de lumière. Sexy *city*, Tokyo toute à vous. *Gigantic*, titanic. Manhattan mur à mur. Aller bien avec vous.

Finalement, je m'en étais fait pour rien. C'était gagné, je serais son guide, et comme dans une communion de pensée – j'étais moi-même sur le point de m'y mettre –, il s'est mis à chantonner les paroles de *I Believe* :

> *I believe, miracles can happen*
> *You believe, God is on your side*

J'ai ajouté ma voix à la sienne, j'espérais ça depuis Narita ! Je lui avais soumis cette vidéo aussi tôt qu'en juillet. Il avait tant aimé cette pièce qu'elle était devenue NOTRE tube. Ce dimanche-là, j'avais passé l'après-midi et toute la soirée avec Nao. À peine avions-nous pris place dans l'alcôve qu'une jeune fille nous avait désignée dans ce resto perdu dans un sous-sol de Shinjuku que Nao avait sorti son *cell* pour me faire voir. Absolument Tokyo, avais-je tranché après le visionnement. Tokyo la nuit, en musique et images ; j'achète. Suffit de taper DRIVE, NIGHT et TOKYO, et tu trouveras à coup sûr. Très bien, mais plus tard en soirée, seule devant mon écran, les trois mots me donnaient accès à plus de mille occurrences ! Je m'étais contentée de cliquer sur la première : *Drive at Night in Tokyo*, et ce fut la bonne. Musique du DJ Daishi Dance, avec Kat McDowell. Virée bien cadrée dans les quartiers du centre, là où je marchais de jour comme de nuit, quasiment le rythme de mes pas. *I believe, miracles can happen.*

M'avouant sa hâte de découvrir la ville en solitaire, Étienne a ajouté que, de toute façon, il n'avait pas tellement le choix. Lors de cette première semaine, il serait le plus souvent seul. Horaire flexible ou non, si j'avais réussi à obtenir deux demi-journées de congé pour le recevoir, il n'avait pas été question d'une heure de plus. C'est à prendre ou à laisser, avait conclu M. Yasuda. En ce début de mois où les clients sont tous sur les nerfs, il ne pouvait m'en donner plus. Très bien, mais pour la deuxième semaine, c'était réglé depuis longtemps. J'allais piger dans ma banque de jours de vacances accumulés.

T'as changé, avait laissé tomber Étienne dans le Narita Express en regardant défiler la banlieue, t'as changé, en bien il me semble. Le wagon était à moitié occupé et, de part et d'autre de la voie, c'était la petite vie quotidienne des quartiers à haute densité. Oui, Étienne, j'ai changé, puis t'as besoin d'être fin ! Ma réplique l'avait laissé coi. Nous franchissions le pont de la Sumida pour entrer à vitesse réduite au cœur de la ville lorsqu'il m'avait livré à la manière d'un secret que Tokyo m'allait bien, que ce pays m'allait si bien que ça faisait peur. Eh bien ! Peur de quoi, peur de qui, peur de moi ? Ainsi donc, il avait perçu un changement. C'était peut-être ma façon de le recevoir, avec un certain détachement. Je ne lui avais pas cette fois sauté au cou comme une démone, j'avais plutôt modéré mes transports. Après tout, nous n'en étions pas à nos premières retrouvailles. Non, ce n'était pas tout à fait ça. C'était plutôt mon accent. Tiens donc, j'avais développé un fort accent anglais ! Bizarrement, lors de mon séjour de deux ans à Nottingham, il ne s'était rien passé de tel alors qu'ici, à Tokyo, c'était devenu frappant.

Il s'allumait une Peace quand j'ai tiré la bergère près de la baie vitrée. À Tokyo, ai-je avoué une fois installée, je suis devenue contemplative. Dans le métro, dans les cafés et les quartiers tranquilles, au contact des gens, dans cette foule silencieuse, on ne peut que devenir contemplatif. Je crois bien qu'il est là, le véritable changement qui s'est opéré en moi. Tu avais raison cet après-midi, je ne suis plus la même. Il a pris le temps d'exhaler avant de s'asseoir par terre à mes côtés. Plus bas, il y avait le parc Hibiya, Hibiya Dori, quelques noctambules impénitents. Il s'est contenté d'un mot : explique.

Dès mon arrivée, ai-je avancé en levant les yeux vers les lumineux quartiers, je me suis perdue dans la contemplation. J'aime. Être là sans y être, étirer sa bière ou son café, regarder sans pour autant dévisager, observer la vie, ne plus songer à rien de précis, écrire n'importe quoi, prendre des notes, oui, prendre des notes. Voyage immobile. Tenter de saisir certaines subtilités et se convaincre qu'on a compris. Mais non, recommencer le processus parce que quelque chose nous échappe. Quel plaisir ! C'est peut-être ça, devenir romancière. Pourquoi suis-je devenue contemplative ici et nulle part ailleurs ? Tu peux me le dire ? Pourquoi pas à Nottingham, pourquoi pas à Montréal ? C'est peut-être la fin de la vingtaine, me disais-je, ou bien la mort de papa, suicide ou accident ? L'incapacité aussi, malgré mes efforts, de communiquer avec mes voisins du quartier. Tout y est passé, même la morosité de la mousson.

Étienne, je me suis perdue des journées entières dans les lointaines banlieues. Presque tous mes mercredis de congé y sont passés. Tu sais bien, je te racontais tout ça dans mes courriels, je t'envoyais des photos. J'adorais, c'était rien de moins que fantastique. Certaines de ces virées seront intégrées à mon roman. Je m'appropriais le territoire en roulant dans les parcs linéaires sans fin, et toujours cette question : pourquoi contemplative ici, au Japon, et pas ailleurs ? Maintenant, je crois savoir.

Tout est si calme par ici, malgré la multitude. Tellement plus calme qu'à Montréal. Chacun son affaire, chacun son bidule. Parfois la sirène des policiers ou des pompiers, jamais de soubresaut. Pas d'engueulade sur le trottoir, le calme plat, même après un tremblement de terre plus fort que de coutume. C'est partout pareil, Étienne, dans tous les quartiers où j'ai roulé. Silence étonnant dans le métro, à toute heure du jour ou de la nuit, jamais de sollicitation ou de bousculade. Tu verras.

Dans un parc de Suginami, pas très loin de chez moi, j'ai compris cette réalité essentielle en observant une équipe affectée à l'entretien : la force et la beauté du communautarisme. C'étaient des retraités, tous bénévoles, j'ai vérifié après coup. Ils étaient heureux de contribuer, de faire leur part pour l'embellissement du quartier, et ça paraissait dans l'ardeur qu'ils y mettaient. Pourquoi pas chez nous ? me suis-je dit ce jour-là. Nos parcs mal entretenus deviendraient comme par magie aussi beaux qu'ici, et je connais des désœuvrés qui reprendraient goût à la vie. Ce n'est qu'un exemple. Je vis depuis plus de six mois au pays des extrêmes. Extrême douceur dans la sensualité et extrême violence dans le sexe. Extrême codification du prêt-à-porter et trouvailles folles à Shibuya.

Pays des extrêmes, pareil à la Russie, a-t-il avoué en éteignant. À Moscou, tu as pu le vérifier, on n'est plus en Europe mais bien en Eurasie. La Russie, c'est le pays de la grande musique, des grands exploits, de la grande littérature, sauf que ces effets de civilisation côtoient la plus abjecte des barbaries. Ça laisse songeur. Mais alors, Johanna, serions-nous du pays de la banalité et de la platitude ? Oui, cet après-midi à l'aérogare, j'ai bien vu que tu avais changé. Ta démarche, entre autres, plus légère. Comme une force tranquille, toute puissante, je dirais, transfigurée par quelque chose de plus fou que la mégalopole.

Toi aussi, Étienne, tu as changé. Tu en as fait du chemin. Quand nous nous sommes connus, tu hésitais, tu n'étais sûr de rien et te voilà maintenant devenu un agent de changement qui publie des essais percutants. Non, Étienne, je t'en prie, ne joue pas la dérision. Tu travailles fort, tu es boursier du CRSHC, ce n'est pas rien. Une chose est sûre et certaine : tu n'es plus ce jeune romancier un peu maladroit que j'ai connu il y a quatre ans.

Il ne disait plus rien, le pauvre. J'avais heurté sa modestie, mais peut-être aussi l'avais-je positivement assommé. Allez, ai-je ajouté en lui massant la nuque, assez parlé. Viens un peu par ici que je t'entraîne dans mes jeux interdits. Il m'a jeté un drôle de regard, tout empreint de perplexité.

9
ICHIGAYA

Avant même de quitter le Japon pour la Colombie-Britannique, Nao avait déjà choisi sa chambre dans l'une des résidences éparpillées sur le campus. Comme dans toute université, ça venait d'un peu partout à Victoria, et comme plusieurs avant et après elle, elle était arrivée en août avec son anglais de base. Dur-dur, sauf qu'on n'a pas le choix et on finit par s'en sortir. Ces deux années-là, je ne pourrai jamais les oublier, disait-elle, et tu sais de quoi je parle pour avoir vécu l'expérience. Choc de la première session, pièges d'une nouvelle langue à maîtriser, travaux lancinants, passes d'ennui, mais aussi des rencontres magiques. Alors voilà, me suis-je sentie l'âme canadienne à Victoria? a-t-elle médité à haute voix. Oui, Johanna, très souvent même, mais pourquoi cette question?

À la table d'à côté, les deux femmes parlaient maintenant de Cannes et de Nice, et je me suis expliquée : parce qu'à Hiroshima, j'ai ressenti la même chose. J'étais là, toute seule, dans le bus ou dans un resto, je ne me souviens plus vraiment, et je me suis senti soudain l'âme japonaise. C'était comme si j'avais tout compris, comme si j'avais toujours vécu dans ce pays, comme si j'étais nulle part ailleurs que chez moi. Tout s'ordonnait parfaitement, je n'étais plus en transit. J'ai vécu deux ans en Angleterre, et rien de tout ça. Pourtant, j'y étais bien, parfaitement à l'aise, pour ainsi dire chez moi. Mais non, rien de tout ça, alors qu'ici… Je me suis tue et elle s'est mise à me raconter.

Tout avait commencé par une rencontre qu'elle a qualifiée de sacrée. Elle a connu Keven trois semaines après son installation. Ce dimanche-là, a-t-elle avoué en souriant à son verre de Kronenbourg, j'étais, disons, sous le charme. Position du lotus, j'observais le tronc d'un magnifique pin Douglas. Il était devenu mon arbre, je me sentais bien en sa compagnie, puis j'ai senti une présence derrière moi. Sans trop savoir à quoi m'attendre, j'ai tourné la tête. Il s'est assis à mes côtés et s'est nommé : Keven. Moi, j'entendais *Kivun*, quelque chose du genre, je ne sais trop, et j'avais toute la peine du monde à saisir ses paroles. Enfin, bref, j'ai fini par comprendre qu'il étudiait lui aussi le droit et qu'il m'avait remarquée dans l'un de nos cours. Il avait bien vu que j'avais de la difficulté à saisir le discours du professeur, que je ne parlais jamais à personne, que je demeurais comme lui en résidence.

Ce fut aussi simple que ça, Johanna, puis nous sommes vite devenus inséparables. Sans Keven, je me demande comment je m'en serais sortie. Ce n'est pas facile, l'anglais, surtout dans un cours de droit. Il était Tlingit, une nation de la région de Taku River. Oh, il me parlait souvent de sa communauté, de ses traditions, et j'y trouvais chaque fois une parenté avec les valeurs profondes de mon père. Taku River, a-t-elle précisé, c'est très loin au nord, à la frontière de la Colombie-Britannique et de l'Alaska. Keven disait souvent qu'il tenait à me présenter à ses parents et à toute la communauté, que j'y serais accueillie, avec tous les honneurs, sauf que pour diverses raisons, c'était lui ou bien c'était moi, ça n'a jamais fonctionné.

Comme pour occulter un mauvais souvenir, elle a porté le verre à ses lèvres. Dommage, ai-je avancé dans l'espoir de susciter chez elle une réaction un peu plus viscérale, mais elle s'est montrée stoïque en se bornant à répéter le mot *dommage*. Taku River sonnait vraiment japonais, et je me suis souvenue d'un exposé oral que j'avais présenté en 5e secondaire dans un cours de géographie. Parce qu'elle m'aurait plutôt dit Taku-gawa que je n'aurais pas été étonnée. Je savais que Taku était ici un prénom assez commun, je lui en ai fait part, et elle a précisé que *taku* se traduisait par *maison* en japonais et *saumon* en langue tlingit. Les langues m'ont toujours fascinée. Je lisais déjà à l'époque des séries de mangas – les *hentais*[4] étant venus plus tard –, et j'avais dit un jour à mon professeur que beaucoup de noms de villes finlandaises sonnaient japonais, qu'il suffisait de regarder sur la carte. Beau sujet pour ton prochain exposé, m'avait-il lancé comme ça pour me provoquer, et ç'avait marché. C'est gravé dans ma mémoire : Kuhmo, Liperi, Riihimaki, Pieksamaki. Carte à l'appui – c'était le préalable absolu –, ma présentation avait porté sur le finnois et la langue de la minorité samie.

Nao s'était donc senti l'âme canadienne dans sa relation particulière avec Keven. Avec lui, elle avait fini par retrouver ses repères. Niant son histoire d'amour, elle m'a confié qu'il utilisait souvent l'expression *terre-mère*, l'employant à toutes les sauces, et puis moi, j'avais entendu ça à l'UQAC, l'un de nos chargés de cours étant d'origine amérindienne. Keven tenait le même discours que son père lorsqu'il s'exprimait sur les choses de la nature, et elle a orienté la discussion sur ce dernier, me parlant de son amour de la forêt, de son respect pour l'arbre qui le faisait vivre, qui les faisait tous vivre, de la coupe ciblée, chirurgicale, en des lieux le plus souvent inatteignables par la route, des mètres cubes de bois héliportés à grands frais. Son discours était empreint de tant d'amour et de tant de respect que je ne pouvais plus que songer à toi. Toi, papa, toi et ton lac, toi et ton territoire de pêche. Dis-moi, n'étais-tu pas amérindien dans ton rapport à la nature ? Par hasard, étais-tu Métis ? Dans un tel cas, je suis Métisse.

En fait, c'est au contact des traditions amérindiennes que Nao a fini par se sentir l'âme canadienne. Dans un effet domino, elle se sera senti l'âme tlingit, amérindienne et canadienne. Je l'observais depuis un bon moment lorsque je lui ai concédé qu'avec ses manières et ses traits délicats, s'il n'était de son look, elle passerait

---

4. Mangas à caractère pornographique.

inaperçue à Mashteuiatsh au Lac-Saint-Jean ou à Baie-Comeau sur la Côte-Nord, et son sourire est devenu radieux. J'avais enfin eu ma réponse à cette question qui me taraudait l'esprit depuis déjà un bon moment : nous avions éprouvé les mêmes sentiments, et elle en devenait plus attachante. Je comprends, Nao, je comprends maintenant le sens de ton expression *rencontre sacrée* ; en Keven, tu as renoué avec l'amant ou le frère qui t'aura quittée y il a de ça quelques millénaires. Tu sais, les Amérindiens sont toujours l'objet de préjugés. C'est inacceptable, indigne, révoltant. Elle ne s'en est pas étonnée, ajoutant que c'était pareil au Japon, les Aïnous d'Hokkaido vivant parfois la même réalité. Elle parlait en connaissance de cause, sa grand-mère maternelle étant elle-même originaire de la grande île.

Je n'avais jamais entendu parler des Aïnous, et elle a dû répéter. Nous en revenions donc à l'origine des langues : Aïnous au nord du Japon, Inuits du Grand Nord canadien, Innus du Québec boréal. Sans doute de même racine étymologique, ai-je avancé, mais toujours la même réalité. Géolinguistique, climato-géopolitique ou géopoétique ? Elle préférait de beaucoup *géopoétique*, nouveau mot pour elle, ajoutant que Keven était un exemple pour sa communauté et que s'il étudiait le droit, c'était pour un jour aider les siens. Il se répétait que l'avenir de sa communauté passait par la scolarisation. *Quiet Revolution*, ai-je lancé. Elle a aimé la formule. Bon, je n'allais tout de même pas me mettre à lui tracer dans le détail le portrait des cinquante dernières années du Québec. Ça viendrait en temps et lieu, peut-être pas. Allez, ai-je laissé tomber en jetant un œil à ma montre, si nous voulons arriver un jour à ton resto de Shinjuku, il serait peut-être temps d'y aller.

Très bien, mais j'ai tout de même tenu à lui montrer les lieux. Viens par ici, ai-je dit alors que nous quittions la terrasse. L'Institut, c'est la plus belle vitrine de la France, le meilleur endroit à Tokyo si tu veux un jour t'initier à la langue de Sartre et de Beauvoir. Ce fut vite fait : lumineuse médiathèque, espace de silence, et puis tiens, ce dépliant avec l'horaire des conférences et des spectacles de l'été, joli café principalement fréquenté par des jeunes ayant déjà étudié en France, cette librairie qui nous ramène à Paris.

Nous allions revenir, nous nous le sommes juré, et pour retrouver la fraîcheur de la terrasse, il nous aura suffi de nous rendre au feu de circulation le plus rapproché sur Sotobori Dori pour atteindre le parc linéaire de la Kanda-gawa. Nous venions de quitter le pont sous une chaleur à vous cuire sur place pour nous engager dans la pénombre du sentier pédestre lorsque j'ai senti une légère pression de ses doigts sur mon épaule.

Ma réaction aura été de proférer quelque banalité, mais je n'en ai pas moins dit le fond de ma pensée : ce que j'aime par-dessus tout dans cette ville, c'est tous ces parcs linéaires, comme celui-ci. Il y en a partout, ça va dans toutes les directions, j'adore. Alors que plus bas passait une rame, elle s'est mise à rire d'un rire franc, mais ce rire que je ne lui connaissais pas encore exprimait-il sa fierté d'être Japonaise ou se faisait-il l'écho de ma candeur ?

Un jeune père tout souriant et sa petite fille tellement fière de s'esquinter pour la peine sur sa bicyclette sont venus nous frôler et puis, laissant courir ses doigts sur mon épaule, elle est revenue sur les premiers mois de sa vie de campus, sur son anglais lamentable qui provoquait parfois le rire chez les plus taciturnes, sur ses longues passes d'ennui. À l'entendre me confier ses secrets de fille mal prise au bout du monde, même si à peu de choses près j'avais vécu la même expérience, je me rendais bien compte que mon séjour à Nottingham avait été beaucoup plus aisé. Contrairement à elle, je me débrouillais déjà fort bien en anglais dès mon arrivée, et je m'étais donc créé un bon groupe d'amis. Un peu plus loin, je me suis plu à les nommer : Julian, Marieke, Jorgen, Matthew, Ryan.

Devenue soudain nostalgique de ces deux ans en Angleterre, rêve qui avait habité mon adolescence, je lui parlais maintenant de notre équipe du tonnerre lorsque j'ai senti que la pression de ses doigts devenait plus insistante sur mon épaule. Je me suis immobilisée et elle s'est plantée devant moi. Visage contre visage, j'étais tétanisée par son regard alors que plus bas, sur plusieurs voies de large, c'était l'enfer du rail. Urbaine intimité, Tokyo canicule, un cycliste pressé est passé. Comme tu es belle, Nao, ai-je chuchoté en français, et elle a tout saisi. Le regard conquérant, sans hésitation, elle s'est à peine avancée. Menton volontaire, lèvres voraces, féroce empoignade de cheveux. Nous étions animales, guerrières, en toute féminitude. J'en étais sûre, j'en étais certaine, images en haute définition, un enfant quelque part s'amusait avec son train électrique. Dis-moi quelle est ton image, Nao, dis-moi quelle est ton image. Vingt secondes ou dix minutes, je ne saurais dire, puis son lumineux sourire suivi d'une question : tu connais Daishi Dance ? Non, ai-je réussi à articuler, pas vraiment.

10
SHINJUKU

Nous marchions côte à côte dans un profond mutisme, et toujours ses doigts sur mon épaule. Ce n'était pas pour moi une première, mais Nao ? Je savais, je sentais que nous n'en resterions pas là. Nous ne pouvions en rester là, et je me prenais à ne plus espérer que la torpeur de ces torrides dimanches après-midi où les vêtements vous collent à la peau. Je me disais aussi que nous étions joyeusement dingues de vouloir marcher à tout prix sous cette chaleur sur une si longue distance plutôt que d'utiliser nos PASMO[5] et profiter du train ou du métro entre deux cafés ou restaurants climatisés.

Je n'aurais su dire à quoi ou à qui pouvait bien songer Nao, mais moi, c'était Julie. Oui, Julie, à cette époque où nous exploitions notre site Moonlight.com. Mais quoi, cinq ans déjà ? Avant de connaître Étienne. Ça s'était passé après une séance photo particulièrement folle de la série RIP & MESSY, série plus *trash* que la WET et qui se vendait bien en Europe et ici même au Japon. Un type de Nagasaki nous avait soumis en pièce jointe un scénario tordu, et nous nous étions amusées à le réaliser à la lettre. C'était devenu un succès. Nagasaki, c'est un peu la sœur d'Hiroshima, loin de Tokyo, faudrait peut-être aller voir. La séance terminée, je m'étais tenue dans la mare, les pieds dans l'eau devenue grise, l'uniforme

---

5. Comme la SUICA, la PASMO est une carte débit donnant accès à l'ensemble du réseau ferroviaire de Tokyo.

de la collégienne britannique en lambeaux, le visage et les cheveux pleins de vase alors que sur la berge, Julie était morte de rire. J'avais joué la parfaite victime parce que je savais que j'allais bientôt avoir ma revanche. Je n'attendais que le moment où elle aurait rangé sa caméra. L'appareil hors de danger, je l'avais entraînée dans la mare où nous nous étions battues jusqu'à épuisement. À bout de souffle, luisantes de boue, plus capables ni l'une ni l'autre du moindre effort, nous avions roulé dans l'herbe. Le ciel était d'un bleu profond. Bleu septembre. Le calme revenu, la respiration lente, elle s'était tournée vers moi et m'avait passé la main dans les cheveux.

Daishi Dance, m'a lancé Nao alors que nous arrivions au carrefour de la station Ichigaya, c'est MON DJ. Quand il se produit à Tokyo, c'est chaque fois un événement. Samedi prochain, ça se passe à l'Air-Tokyo, ça te dirait ? Évidemment que ça me disait, mais l'Air-Tokyo, je n'avais aucune idée. *Lounge* bar situé au sud de la station Shibuya, une marche d'à peu près dix minutes, elle était sûre que j'allais aimer. Parfait, Nao, c'est réglé. *Yeah*, a-t-elle jubilé, rendez-vous samedi prochain, dix-huit heures précises, Place Hachiko. Ça m'a tiré un sourire. L'incontournable Place Hachiko ! J'aime bien et je m'y attendais un peu. *Gaijin*, Tokyoïte ou provincial venu des îles lointaines, personne ne peut passer à Shibuya sans s'y arrêter pour une raison ou pour une autre, le pays entier ayant été ému par l'histoire de ce petit chien qui venait chaque soir attendre l'arrivée de son maître, mais en vain, parce que ce dernier était mort depuis longtemps.

S'embrasser comme ça entre deux ponts, a-t-elle laissé tomber alors que nous quittions la fraîcheur du parc linéaire pour nous engager sur le tablier fondant au soleil, c'est génial, tu ne trouves pas ? Génial, oui, Nao, un léger goût de jasmin, assurément ferroviaire. Ferroviaire ? Elle n'arrivait pas à saisir. Du plus loin que je me souvienne, Nao, j'ai toujours aimé les trains. Faut croire qu'ils me font de l'effet. Le ferroviaire, c'est toute mon enfance. Du côté du port, c'était les petits coups de sifflet de la gare de triage, jour et nuit. Rouleaux de papier, bauxite, mazout, lingots d'aluminium. Les trains me rendent folle, allez donc comprendre ça! Plus loin, sur Yasukuni Dori, je me suis prise à lui raconter la nuit que j'avais vécue deux ans plus tôt avec Étienne dans le train Saint-Pétersbourg–Moscou. Coïncidence ou pas, nous avions partagé le compartiment avec deux avocates, et comme toi, Nao, elles étaient expertes en droit des affaires. Contentieux de Gazprom, elles revenaient de Berlin, contrat ou congrès, je ne sais plus.

Tu peux me dire ce qu'on vous enseigne de si particulier en droit des affaires? Pour toute réponse, elle m'a adressé un sourire. Charmantes femmes, ai-je ajouté, qui vivaient difficilement leur homosexualité. Pas facile, en Russie, c'est du moins ce qu'elles nous ont avoué. L'an dernier, Étienne les a aidées dans leur démarche d'immigration et depuis, elles se sont établies dans la communauté russe de Montréal.

Histoire de nous rafraîchir, j'ai entraîné Nao dans une friperie climatisée et nous jugions maintenant de la qualité de confection d'un kimono usé à la corde. Dommage que tu ne puisses lire les romans d'Étienne, ai-je lancé en posant les yeux sur une jupe, c'est tout écrit. Ne recevant pas de réponse, j'ai levé la tête. Au froncement de ses sourcils, je me suis bien rendu compte que je venais de la perdre. Normal. Je lui avais bien parlé d'Étienne, mais sans jamais spécifier qu'il était écrivain et qu'il était maintenant publié. Allez, me suis-je dit quand nous sommes sorties de là, l'occasion est trop belle pour lui parler de notre première rencontre et lever le voile sur un pan obscur de ma vie d'étudiante à l'UQAC, sur l'automne où il est venu amorcer l'écriture de son premier roman dans cette chambre de l'hôtel où je travaillais.

L'hôtel appartenait à mon oncle et j'y étais femme de chambre. Oh, pas un palace, Nao, une douzaine de chambres, mais bien situé, à la sortie du port. Il m'avait offert de m'occuper du bar parce que c'est plus payant, il avait même insisté, mais la tête qu'il a faite quand je lui ai dit que non, je préférais les chambres! J'aimais ce boulot. Travail routinier qui me permettait de réfléchir, de songer à un problème quelconque et de trouver parfois la solution. Lits, serviettes, époussetage, miroirs, douches et petits savons, c'était sérieux.

Je portais l'uniforme, et cet uniforme que je commandais à Londres via le Web me servait aussi à une autre fin. Parce qu'avec une amie, j'avais créé un site fétichiste. Julie était inscrite au bac interdisciplinaire en arts. La photo était pour elle beaucoup plus qu'un hobby ou une passion dont on finit par se lasser, c'est toujours son mode d'expression. Fétichisme du costume, nous nous inspirions d'un très beau site japonais. Dans le genre, il n'y a pas mieux que les sites japonais. Partout ailleurs, c'est le kitsch total, surtout en Europe de l'Est. En Amérique, on n'en parle même pas, c'est le néant. L'Amérique est tellement puérile, question sexe, alors qu'ici, c'est un monde en soi.

Tu sais, dans mon entourage, fallait surtout pas parler de fétichisme. C'est gênant, ça dépasse l'entendement, tout le monde est mal à l'aise. Rien à faire, personne ne comprend. Étienne, lui, a compris. Notre site était très rentable. Des clients partout, en Grèce, en Italie, mais surtout en Angleterre. Même jusqu'ici, Osaka, Nagasaki. Eh bien ça alors, a-t-elle soufflé, mais c'est épatant, Johanna, génial! Tu as encore des photos? Bien sûr, j'ai tout ça dans mes fichiers.

Nous avons quitté Yasukuni Dori pour errer plutôt dans les venelles propices aux arrêts stratégiques, et j'ai ajouté quelques précisions sur mon expérience avec Julie. Carrière au Cirque du Soleil, moi à la Citi, il a bien fallu nous protéger. Nous avons donc fermé le site, sauf que des images circulent toujours sur le Web. À l'entrée du Shinjuku Gyoen National Garden, là où, quelques semaines après mon arrivée, j'avais passé un dimanche sous les cerisiers en fleurs en compagnie de mon supérieur immédiat, son épouse et leur fils, nous avons constaté que le guichet était fermé. Dommage, ce sera pour une autre fois. Le planton était tout sourire dans son uniforme et il saluait systématiquement les retardataires courant vers la sortie. Sur Shinjuku Dori, pas très loin de son lieu de travail, m'a-t-elle précisé, nous nous sommes rabattues sur un Veloce où nous avons commandé à la caisse des thés glacés.

Entourées de solitaires, tout un chacun happé par son bidule, nous méritions bien un peu de fraîcheur après cette marche de plusieurs kilomètres sous une pareille chaleur. De l'Institut franco-japonais à Shinjuku, fallait le faire! Spleen d'un dimanche après-midi au *Caffe Veloce*. Ce n'était pas le *rush* mais c'était tout de même bondé. Dehors, quelques piétons, circulation étale, surtout des taxis, sans klaxon ni soubresaut. Ce que j'aime dans les cafés du genre, c'est qu'à toute heure du jour ou de la nuit, la musique en sourdine vous ravit par sa justesse et sa force d'évocation. Mélange de trames originales remontant jusqu'aux années 1970. *Chicago*, Carole King, Cat Steven, avec comme préalable la douceur dans le ton et la constance dans le rythme. Papa, j'écoute chaque jour à Tokyo la musique de ta jeune vingtaine, et j'aime à croire que tu serais ici aux anges.

Pour le plus grand bonheur de Nao, j'ai repris mon discours sur le fétichisme et plus globalement sur la sexualité. Le sexe, c'est tellement plus que la rencontre d'un homme et d'une femme, n'est-ce pas? Elle approuvait de la tête tout en jouant nerveusement avec sa paille quand elle m'a demandé si je connaissais le site *Mystery*. Évidemment, ai-je affirmé en sortant mon paquet de Peace. Julie aussi d'ailleurs. Site de bondage plutôt *hard*, SM et plus encore. Oui, je connais très bien. D'une extrême cruauté. Troublant. Pas vraiment de rapport avec le nôtre qui exploitait plutôt la candeur. Je me suis toujours demandé comment on pouvait en arriver là. Je me dis que tout ça n'est qu'une mise en scène destinée à leurrer une clientèle très ciblée. Un jeu de rôle, en somme.

Pas loin de la vérité, a-t-elle tranché avant d'avouer qu'elle avait mentionné ce site dans le but de mesurer mes connaissances et mon degré d'acceptation. Elle connaissait, plus que bien, mais pour l'instant, elle ne se sentait pas prête à m'en dire plus. J'ai tout compris. Dans l'idée de passer à quelque chose de plus léger, elle a consenti à me confier un secret. De retour au pays après avoir complété deux années d'études à Victoria, elle a connu dans le quartier Asakusa un maître du bondage, grand maître de *shibari* qui exploite toujours un site *à saveur pédagogique*. C'est lui qui l'a initiée au *kinbaku* traditionnel et elle y a pris un grand plaisir.

Glaçons dans le fond d'un verre en carton, bruits de succion. Posément agacé, le *salaryman* d'à côté a pour un bref instant levé les yeux de son bidule. Deux stars du Web qui répriment un grand rire fou en se regardant droit dans les yeux. Elle m'a demandé si le *kinbaku* m'intéressait. Avec toi, ai-je murmuré, n'importe quand.

11
OSAKI

À peine avait-il enlevé ses chaussures pour enfiler une paire de mules et laissé tomber plus loin portable et sac de voyage qu'il se sentait déjà chez lui. Ça se voyait dans sa façon d'estimer si l'*ikebana* était bien réel, dans sa façon de vérifier si mes reproductions d'estampes japonaises n'avaient pas migré d'un mur à l'autre, si mon *fusuma*[6] était bien d'aplomb. C'est beau, ça, a-t-il constaté en touchant sur ma table de travail le presse-papiers que j'avais déniché dans une brocante de Nakano, petite tortue en terre cuite, vert lime, avec des taches orange.

Faut dire qu'il ne débarquait pas en pays inconnu. Je l'abreuvais de photos et de courtes vidéos depuis mon arrivée. Je lui avais même transféré via courriel le site de *Sakura House*, entreprise spécialisée dans la location d'appartements aux seuls étrangers. Il avait pu trouver toute l'information disponible en deux ou trois clics, allant du plan de l'appart jusqu'à celui du quartier, avec bien sûr les stations de métro avoisinantes, photos et vidéos. Studio de douze tatamis – près de vingt mètres carrés –, avec une seule fenêtre donnant accès à l'incontournable corde à linge, ce n'était pas les grands espaces, mais c'était bien assez pour nous deux.

Un petit café et une cigarette dans ton parc? a-t-il proposé en agitant la cafetière *trois tasses* qu'il venait de repérer sur le rond. On a tout le temps, ai-je articulé en jetant un œil à mon

---

6. Cloison mobile tendue de papier à motif. Ici, un corbeau dans les hautes branches.

agenda – c'était bien ça : rendez-vous à 15 h avec le proprio d'un parc de camions –, cherche bien dans l'armoire, tu vas trouver. Il m'a regardée de biais, et rassurée finalement sur mon horaire de l'après-midi, j'ai moi-même attrapé le sac de café. Voilà, ai-je murmuré alors qu'il s'activait à remplir d'eau la cafetière.

Il était enfin là, avec moi, dans cet étroit studio de Setagaya qu'il était en train de s'approprier. J'étais comblée, le corps en fête, fébrile à la seule idée de jouer mon rôle de guide. Blond duvet à la base du cou, touchante fragilité que je me suis appliquée à humecter de mon souffle chaud. Tiens, ça t'apprendra à venir te pointer dans mon espace. Je l'avais tant espérée, cette cohabitation dans mon petit studio. Deux semaines à nous deux, deux semaines à marcher dans ma ville, à découvrir ses quartiers, vivre à son rythme, feuilles de thé parmi des millions, avec une virée de deux jours à Kyoto, mais ça, il ne savait pas encore. Parce que je voulais lui rendre la monnaie de sa pièce. À Moscou, deux ans plus tôt, ne m'avait-il pas offert un billet de train pour Saint-Pétersbourg ? C'était à mon tour de le surprendre.

Nous humions maintenant notre café dans la pure contemplation de la venelle piquée de haies, de fleurs et de cyprès. Je lui en avais tant parlé. Je lui avais même envoyé une vidéo de deux minutes captée au petit matin sous le croassement tenace de mes corbeaux : *Rrrah, Rrrah, Rrrah. Parc du premier café,* parc aussi de la première cigarette. Parce qu'il est interdit de fumer dans mon studio. Je l'ai appris dès mon arrivée en tombant sur l'affichette écrite en cinq langues et bien épinglée à hauteur d'œil. Bon, m'étais-je dit, ce n'est pas si grave, je n'en fume pas cinq par jour. On fera avec, mais tout de même. Ces appartements disséminés dans tous les quartiers sont destinés aux seuls étrangers, et j'imaginais facilement qu'on avait dû se plier aux exigences des *gaijins civilisés* venus d'Amérique, d'Australie et de Scandinavie. Tous les matins, donc, bien avant la douche, je profite du premier café pour en griller une du côté de l'école primaire, dans cet espace de tranquillité en bordure du trottoir qui est devenu mon *parc du premier café*.

J'aurais donné gros pour pouvoir jouir de deux semaines de congé, marcher avec lui jusqu'à épuisement, partir à la découverte des quartiers du centre et de la périphérie, sauf qu'en ce début de mois, on ne pouvait décemment tout m'accorder à la banque, et je comprenais très bien. Tout de même, me disais-je alors qu'il se rapprochait d'un massif floral, nous aurons toujours nos réveils au son de la bande jazz d'Espace musique, nous aurons surtout ce *parc du premier café*, nos rendez-vous au centre-ville, à la pause du midi comme au sortir du boulot, et puis toi qui observes les insectes dans le massif de roses, tu auras toujours tes jambes et ta PASMO, ou encore ma bicyclette, tiens, pour aller te perdre où tu voudras. Aussi loin que la station Osaki, au sud, en direction de la baie. C'est simple. Suffit d'emprunter la piste longeant la Meguro-gawa.

Selon mon habitude, je m'étais levée tôt à l'hôtel Imperial et j'avais jeté un œil à la fenêtre. Pathologiquement timide, endormi depuis trop longtemps sous ses neiges éternelles, Fuji était resté invisible, nimbé d'un écrin de smog. Plus bas, côté asphalte, c'était figé dans l'inaction, Hibiya Dori s'ennuyait de ses taxis. Dommage, Fuji, ce sera pour une autre fois, et je m'étais retournée pour voir dormir ma brute des steppes dans sa nudité d'enfant. Nous avons quitté cette chambre d'une seule nuit sans trop nous attarder, histoire de prendre le temps de nous installer pour revenir vers Ginza un peu avant midi. Dans le taxi, après avoir déplié la carte du métro, je lui avais offert un cendrier de poche – pas de mégots par terre, c'est entendu, question de respect –, un atlas de poche et une PASMO que j'avais au préalable créditée de 10 000 ¥. C'était bien assez pour la durée de son séjour.

Étienne *était fin* avec moi, il était enfin avec moi dans mon *parc du premier café*, s'amusant avec son *génial bidule de poche* dans cet espace de tuile grise et de verdure coincé près du trottoir. Même si, côté aménagement, c'était tout à fait différent, en ce début d'octobre, la douceur de l'air lui rappelait ses petits matins moscovites dans la cour intérieure de sa résidence universitaire. Ma clope terminée, j'éteignais à mon tour en me disant qu'il manquait au topo quelque chose d'essentiel. J'avais beau chercher, je n'arrivais pas à trouver, jusqu'à ce que la rumeur émanant de la cour de récréation devienne plus agressive.

Il était autour de 9 h, et l'énergie criarde des élèves du primaire prenait la place occupée trois heures plus tôt par l'hélico stationnaire et l'assommante revendication territoriale des corbeaux. *Rrrah, Rrrah, Rrrah*. Ce sera pour demain, me suis-je dit alors qu'il prenait le temps de s'en allumer une deuxième, puis il m'a parlé du *Dit du Genji*. Plus tôt, il avait fouillé dans ses affaires pour déposer les deux volumes sur ma table de travail. Plus qu'excellent, avait-il laissé tomber, c'est bouleversant. L'automne précédent, sitôt signé mon contrat, j'avais acheté sur le Web les deux tomes de la version française de cette œuvre écrite au onzième siècle par une courtisane. Bon achat, mais trop prise par mon travail, sachant que je n'aurais jamais le temps ni l'occasion de lire de telles briques, je les lui avais refilées, et puis voilà.

Il venait à peine d'en terminer la lecture, il était encore sous le choc. Ça ne se lit pas en deux jours, disait-il, mais quel texte exceptionnel ! Pour moi, rien de moins qu'une grande découverte qui remet bien des choses en question. Je n'oserais jamais dire ça à mes collègues des sciences sociales, Johanna, je passerais pour un iconoclaste de la pire espèce, un sans-culture, mais à toi, je peux : à côté de *Dit du Genji*, les *Essais* de Montaigne publiés cinq siècles plus tard me semblent maintenant d'une grande naïveté. Montaigne, oui, ça me disait quelque chose, un nom déjà entendu au cégep, philo ou littérature, mais selon lui, pour ceux et celles de sa formation, c'était un incontournable. D'une grande naïveté ! Qu'est-ce qui te permet de dire ça ? ai-je sondé en m'asseyant. C'est simple, Johanna : Montaigne et Murasaki parlent de leurs contemporains, de leurs tares et leurs vertus. Ils parlent surtout de l'exercice du pouvoir, du pouvoir vu de l'intérieur, de calculs et de tractations, en somme de la gestion de la cité, mais le *Dit du Genji*, c'est la gestion de ce pouvoir racontée par une femme d'une rare intelligence et d'une lucidité exceptionnelle. Enfin, a-t-il conclu, voilà une vision féminine du pouvoir. Attention, Johanna, je n'ai pas dit *vision féministe*. Jamais je n'avais lu un document aussi percutant sur la vie d'un prince, mais dis-moi, où sont les femmes dans l'historiographie occidentale? Nulle part, Étienne, nulle part! Allez, continue, j'écoute. Michel de Montaigne et Murasaki Shikibu parlent tous les deux d'éthique, et tout étudiant en économie ou en sciences po qui veut s'ouvrir au continent asiatique devrait lire ce texte en priorité. Même s'il sera toujours incontournable pour son regard sur la chose politique de son époque, Montaigne m'apparaît maintenant comme un moralisateur provincial plutôt naïf – c'est assez raide, n'est-ce pas, dis-moi que ça va rester entre nous. Même s'il n'y a aucun rapport à établir avec le sujet de ma conférence, j'aurai certainement un bon mot pour Murasaki Shikibu. Tu sais, Johanna, il me semble donc que sur nos campus, peu importe la faculté, si on élargissait les champs de lecture plutôt que de toujours s'en tenir aux sempiternels *textes fondateurs de la pensée occidentale*, on y gagnerait tellement.

Oui, peut-être, sans doute, et moi, je me remémorais la discussion de la veille, à l'Imperial, face aux îlots de lumière de Shibuya et de Shinjuku, la bouteille de saké pas très loin. Oui, Étienne avait changé, en beaucoup plus que pas mal bien. Dans notre *parc du premier café*, je le voyais maintenant sous un autre jour, et ça me plaisait. À vrai dire, jamais je ne l'avais vu si incisif dans son propos. Du punch, du mordant. Oser remettre en question un monument, saper à tout le moins le piédestal, même dit entre nous, ce n'est pas rien. Faut être à la fois un peu fou et parfaitement blindé. Blindé, assurément. Il le devait à ses lectures, mais n'est-ce pas le propre aussi des études supérieures? Lire, écouter, voir et ressentir, réfléchir et partager, établir des liens qui étonnent et qui détonnent. Sinon, ça sert à quoi?

Étienne, tu sais ce que j'aime dans ta démarche? C'est que tu poses plus de questions que tu n'arrives avec des réponses. Il s'est mis à rire. Et puis tu me donnes rudement le goût de lire ce texte. Je sens donc que je vais m'y mettre bientôt. Allez, faudrait bien passer par le *Family Mart* pour acheter de la bière et des petites douceurs. À moins que tu préfères le *Lawson* d'à côté. T'as de ces façons de revenir sur terre, toi, a-t-il sifflé en se levant d'un trait pour m'ébouriffer les cheveux.

12
SHINJUKU-GYOEMMAE

Dimanche d'avril, grâce à M. Yasuda, j'aurais la chance de vivre le *hanami*[7] en famille. Sous cette latitude, ce devait être partout pareil au pays, avec un délai plus ou moins long en montagne et en remontant vers l'Hokkaido. Partout des perspectives de cerisiers et d'autres arbres fruitiers, pour la plupart en fleurs, densité humaine sans la moindre trace d'agressivité, melting-pot de tenues occidentales et de costumes traditionnels. Ce matin-là, quand j'ai quitté mon studio pour me rendre à la station Sangenjaya, j'imaginais la colossale vague blanche ayant amorcé quelques semaines plus tôt son ondulation dans les îles du sud, tsunami de l'intérieur qui mettrait encore du temps à déferler sur l'ensemble du pays avant de s'éteindre sur le littoral du Pacifique Nord.

Débarquée au pays un mois plus tôt, je l'ai jouée à l'occidentale, avec sobriété, portant pour l'occasion un chemisier bleu pastel ouvert sur un t-shirt noir illustré d'une branche de cerisier. Cliché total, c'est sûr, sauf que j'assumais et on me le rendait bien. Déjà, dans les couloirs du métro et sur les quais, j'étais intimidée par les sourires qu'on m'adressait, par les subtils mouvements de tête empreints de respect, mais bon, on aura vu pire. J'étais partie intégrante de la communauté, feuille de thé parmi tant d'autres, et c'était bien de vivre dans la capitale cette fête confinant à la

---

7. Coutume traditionnelle consistant à apprécier la beauté des fleurs.

métaphysique. Je l'avais tant espérée, cette folie blanche, j'avais
vu tant d'images sur les dépliants touristiques, dans des bouquins,
des revues, sur le Web, et jamais les Tokyoïtes, jeunes ou vieux,
ne m'avaient semblé aussi affables.

La veille, avant de quitter le bureau, M. Yasuda avait fixé le
rendez-vous à 9 h à l'entrée principale du Shinjuku Gyoen National
Garden. Je n'avais rien à apporter, il s'occupait de tout. Pour son
épouse et lui, c'était un grand honneur de me recevoir, sauf
qu'un peu plus tôt, au sortir de la station Shinjuku-Gyoemmae
et malgré sa mise en garde, j'étais passée par un grand magasin.
Au rez-de-chaussée consacré à la bouffe, j'avais arrêté mon choix
sur un assortiment de *petites douceurs*. Impair ou pas, maladresse
de *gaijin* n'ayant encore rien compris, je ne saurais dire, mais
quand j'ai glissé le paquet au bel emballage dans mon sac de toile
aux couleurs des boutiques de vêtements *Uniqlo*, il y avait déjà
un *petit quelque chose* pour son fils et là, j'étais sûre de mon choix.

Je les avais déjà repérés dans la foule lorsqu'il a jeté un œil en
ma direction. Son épouse s'occupait à ajuster la tenue traditionnelle
de son fils, et il m'a adressé un petit signe de la main. J'étais là à
l'heure précise, c'était réussi, suffisait de voir son sourire de
patron satisfait. M. Yasuda avait passé trois ans au siège de New
York et, tout comme son épouse, il s'exprimait dans un anglais
impeccable. Comme si on l'eût décidé en haut lieu, il m'avait
prise sous son aile dès mon arrivée, mais pour couper court à toute
ambiguïté, il m'avait étalé dès le premier jour des photos de sa
femme et de son fils de huit ou neuf ans. Pas touche à la famille
idéale, m'étais-je répété en passant d'un cliché à l'autre. Il y en
avait une assez charmante où, dans son rôle de père et de gérant
d'une équipe de baseball mineur, il posait une main protectrice
sur l'épaule de celui qui excellait déjà, avait-il tenu à préciser, au
poste de troisième but.

Je louvoyais dans la foule pour les rejoindre et je me disais
qu'il avait eu raison de fixer le rendez-vous à pareille heure. Ça
arrivait de partout, ça sortait en grappes compactes du métro.

Trouverions-nous seulement un coin pour étaler nos effets ? Après les présentations, nous avons quitté la rumeur de la rue pour entrer dans la féerie. Des arbres en fleurs, la ville en était déjà pleine, rien de neuf là-dedans, mais comment ne pas tomber sous le charme de l'équilibre des formes, comment ne pas s'émerveiller devant tant de calme et de candeur. Il nous aura fallu marcher un bon moment pour cibler un espace libre sous une perspective de cerisiers plantée dans le bas d'une pente. Très bien, sauf que l'*intimité* n'aura pas duré bien longtemps.

Je m'amusais de la chose en tenant la main d'un Hidehiro aux yeux rieurs. Il savait quelques mots anglais, quelques phrases même, et il n'avait pas été long à m'adopter. Nous nous amusions de voir son père étaler sans trop de maladresse la bâche bleue quasi réglementaire alors que sa mère attendait de passer à l'action, la nappe blanche déjà sous le bras. C'était charmant comme tout de voir mon patron dans la quarantaine avancée ayant troqué le veston pour une tenue légère mais ô combien raffinée. Je n'ai pas attendu bien longtemps pour offrir à Hidehiro le *petit quelque chose* qui lui était destiné, mais jouant le patron dépassé ou le père intimidé, mon *boss* en manches de chemise s'obstinait à répéter *no-no-no*. Ce n'est rien, monsieur Yasuda, laissez-moi ce plaisir. Tout excité, ignorant son père, Hidehiro déchirait déjà le papier. Ses yeux se sont agrandis quand il a vu la casquette bleue des Expos de Montréal, et son gérant de père a alors battu en retraite. Ne trouvant rien à redire, il m'a remerciée et a précisé qu'il avait vu jouer mes Expos de Montréal contre ses Mets de New York. Il savait que la concession des Expos était en péril, il s'en désolait, mais je lui ai avoué que ça me laissait froide. Hidehiro nous regardait à tour de rôle, fier de porter cette rareté que j'avais dénichée la veille dans un bazar de Shibuya, mais si exotique qu'elle fût, cette casquette déparait terriblement son costume traditionnel. Pas tant que ça, a argué sa mère.

Dans ce bain de foule alliant l'esprit de la fête communautaire et le pur raffinement de la nourriture, il n'était pas question de

parler bureau, mais moi, comment ça se passait dans mon quartier ?
Après quelques semaines, comment je trouvais la vie à Tokyo ?
Que manquait-il à mon bonheur, éprouvais-je de la difficulté à
communiquer, la nourriture, et puis le métro, pas trop compliqué ?
Discussion centrée sur mes préoccupations, mais plus tard en
après-midi, quelques précisions sur ma famille. Père décédé sept
mois plus tôt, ma mère qui retrouvait peu à peu son équilibre, un
frère plus jeune, musicien à ses heures, bluesman, comme l'était
mon père. Tout autour, c'était en quelque sorte Noël en famille,
la Saint-Jean dans le quartier, la cabane à sucre entre collègues de
travail, le festival d'été entre amis, beaucoup plus bière et vin que
saké, et puis elle m'a posé la question cruciale : pourquoi avoir
choisi de venir m'installer au Japon ? Le pays était-il si intéressant
que ça ? Non, cette femme qui avait tant apprécié son séjour à New
York n'arrivait pas à saisir. Tokyo n'était pour elle d'aucun intérêt.

Devant mon patron, devant son époux, je me sentais un peu
coincée, mal dans ma peau, mais comment réagir ? Elle a continué
sur un ton plus modulé : vous, si jeune, vous qui avez cette
chance extraordinaire de parler français, pourquoi pas la France ?
Vous savez comme moi que la Citibank a des antennes partout.
Barcelone, Rome, Londres, Paris. Ah Paris ! Elle rêvait de Paris.
Jetant à son mari un clin d'œil qui se voulait malgré tout gentil,
elle a précisé qu'elle lui en avait glissé un mot. Après New York,
pourquoi pas deux ou trois ans à Londres ou Paris, sauf que ça
ne cadrait pas dans son plan de carrière. M. Yasuda restait coi,
préférant tourner la tête pour se consacrer à la magie des fleurs.
Allez hop ! a-t-il fini par lancer dans le plus pur style *All American
Coach* à son fils qui triturait la languette de sa casquette pour
l'ajuster à sa pointure, allez, fiston, laissons-les entre femmes.

Tout autour, c'était d'un calme étonnant, nous n'étions plus que
deux solitudes étirant chacune sa bière, et Mme Yasuda se montrait
dans toute sa fragilité. Le drame était palpable, mais son époux
avait eu la délicatesse de se retirer pour un moment avec leur fils.
Je pouvais maintenant prêter l'oreille à cette femme qui aurait

voulu se retrouver n'importe où sur cette planète, sauf à Tokyo. Modèle de raffinement, elle était à la recherche d'une vie plus exaltante, quelque chose de plus valorisant que sa condition de mère et d'épouse de cadre supérieur d'une banque d'affaires qui a unilatéralement choisi de rentrer au pays. Elle posait maintenant son regard éteint sur la nappe où traînaient les cannettes de bière et une bouteille de boisson à l'orange. Le fait de la voir ainsi m'a rappelé le discours d'une de mes professeures de français, discours qui m'avait frappée par sa vérité et sa justesse. Ça s'était passé au cégep. Pour clore la synthèse qui avait suivi une discussion sur deux romans au programme, elle avait affirmé que, d'une certaine façon, les femmes n'avaient pas tellement changé. Encore aujourd'hui, elles étaient terriblement Emma Bovary, tragiquement Maria Chapdelaine, surtout quand elles prennent racine à deux pas du cimetière.

Mme Yasuda avait besoin d'air et d'ailleurs plus excitants, comme maman qui me tenait parfois le même discours. Fatiguée de vivre dans cette région tellement conformiste, dans cette petite ville où, dans l'attente de la retraite, il ne se passe jamais rien. Un jour de vin triste, elle m'avait confié sa grande fatigue de perpétuer la morosité, à la maison comme à l'hôpital où elle travaillait le plus souvent la nuit. Elle se sentait coincée, ne voyait pas d'avenir mais moi, sa fille ! Ne te laisse jamais encroûter, avait-elle clamé, m'exhortant dans un esprit de sainte vengeance à poursuivre mes études, à aller voir ailleurs, à m'intéresser à d'autres paysages qu'à ce pays aux hivers sans fin. Elle m'avait lancé ça à sa manière, la voix juste bien alcoolisée, qui porte et qui décape, et je m'étais pour un moment sentie coupable. Un peu comme ce jour-là devant Mme Yasuda. Oui, je comprenais le discours de maman, mais je ne pouvais rien contre son vague à l'âme, sauf prêter l'oreille. C'était avant la mort de papa, elle approchait la cinquantaine, mais moi, j'avais une telle confiance en l'avenir et je travaillais si fort.

Le Japon, ai-je fini par lui avouer, je veux dire votre pays, madame Yasuda, j'avais à peine cinq ans que j'en rêvais. Les montagnes, la mer, la qualité de vie, les rituels. Je lui ai tiré un sourire quand j'ai précisé que ça me venait de toi, papa. Je n'ai jamais su pourquoi, mais mon père aimait le Japon. Le jour où une école de judo a ouvert ses portes en ville, j'ai été la première fille à s'y inscrire. Je ne suis pas ceinture noire, mais je sais me défendre. Je suis née dans une ville industrielle, ma mère y est toujours infirmière et mon père était manœuvre à l'usine de pâte et papier, il était aussi musicien. Blues de Chicago. Une vie sans histoire, un voyage dans le Sud tous les deux ans, Cuba, la Floride. J'étais encore une enfant qu'il me parlait d'Hiroshima, et je devais avoir sept ou huit ans quand il m'a offert mon premier manga. C'était tout nouveau pour moi, un manga, ça n'existait pas encore en français. *Barefoot Gen*, ça se passe à Hiroshima, vous connaissez? Vaguement, m'a-t-elle avoué, c'est loin tout ça.

Paris, ai-je répété trois fois pour lui donner de l'air, oui, d'ici quelques années, c'est dans l'ordre du possible. J'ai passé deux ans en Angleterre avant d'arriver ici, avec des hauts et des bas, mais c'était fantastique. Je vous comprends, madame Yasuda, vivre trois ans à New York, ce n'est pas rien. Revenir ici, c'est revenir à votre point de départ. Comme un rêve cassé, n'est-ce pas? Mais vous pouvez voyager, je crois que vous en avez les moyens. Partir quelques semaines entre amies, je veux dire entre femmes, un mois ou deux même, c'est possible, il me semble. Ne riez pas; pourquoi pas? Vous le savez autant que moi : loin de nos repères, j'allais dire loin de son cimetière, on devient funambule. Ici, à Tokyo, je joue la funambule et je suis consciente de ma fragilité. L'incertitude est la plus magnifique des drogues. Où serai-je l'an prochain à pareille date? On finit par devenir accro.

Moi, je suis terriblement accro de votre Japon, et je ne suis pas la seule, croyez-moi. Quel beau pays vous avez, et pour la répartition de la richesse, alors là, disons que c'est réussi. Pas de ghettos, pas de zones à la sortie des villes, pas de pauvreté endémique. Ce n'est pas nécessairement le paradis, mais regardez tout autour de nous. Moi, un pays comme le vôtre où la contemplation des fleurs est devenue une fête nationale, je trouve ça plutôt charmant. Elle a pris le temps de jeter à la ronde un lent regard panoramique, puis elle a posé les yeux sur moi. Voilà, nous étions devenues complices.

Maintenant, avant que nos sportifs du dimanche n'arrivent avec leur bel enthousiasme et leurs gros sabots, parlez-moi de New York. D'une certaine façon, New York, c'est notre ville. Vous habitiez Long Island, moi Manhattan. Oh, à peine trois mois, mais tout de même. Pour un court instant, elle est restée songeuse, puis son beau visage s'est illuminé. L'instant d'après, nous étions à Central Park.

> *New York paradise*
> *remembering in Tokyo*
> *nostal-hanami*

Nous sommes passés au *Family Mart* pour la bière, des victuailles d'usage courant et des cigarettes – n'importe où en Occident, le cartel du tabac serait poursuivi à coups de milliards pour incitation à la débauche : pour chaque paquet, on offrait en prime un briquet ! –, puis nous avons retrouvé notre venelle. À la hauteur du lycée et de l'école primaire du *parc du premier café*, il a voulu poser ses deux sacs dodus pour essayer son beau briquet de style rétro, mais non. Pas le temps, ai-je dit, tu fumes trop, t'es vraiment pas drôle. Profitant du fait qu'il en avait plein les bras, j'ai pris le *lead*. Nez contre nez, soutenant son regard, le tenant bien en serres pour l'empêcher de bouger, je lui ai dit que j'avais une belle surprise pour lui qui ne pouvait plus attendre, ajoutant pour me faire plus convaincante que ses *bouffées exquises* seraient bien meilleures dans un café climatisé de Ginza avec vue sur le carrefour. Oublie cette clope, ai-je conclu, tu m'as trop manqué. C'est long, six mois, tu sais. Sous la puissance de mon agression, il n'a pu que laisser tomber les sacs.

Alors toi, a-t-il convenu plus tard alors qu'il reprenait son souffle, t'as changé côté force brutale, disons-le, et en beaucoup plus que pas mal bien, me semble-t-il. T'as encore rien vu, mon Étienne. Nous étions pour ainsi dire arrivés. Dans le réduit des boîtes aux lettres, je sortais mes clés quand il est tombé en admiration devant ma bicyclette, et je lui ai laissé la tâche de ranger le tout où il pourrait et de se débrouiller avec le manque d'espace pour aller quérir mon chapeau melon sur la plus haute tablette de mon espace rangement. Il jouait dans le compartiment inférieur du frigo quand il a levé la tête. J'étais appuyée contre le mur, le melon bien enfoncé et les bras croisés, l'air de lui dire : essaie donc de m'avoir si tu peux. Il est devenu un brin rêveur, le regard incertain, celui de nos plus belles occasions, je décryptais parfaitement le message. Eh bien, a-t-il concédé en se redressant, pour une surprise !

Je ne lui avais rien dit de mon fol achat impulsif du mois de juillet. À Prague, trois ans plus tôt, j'avais longtemps hésité dans une boutique d'antiquités avant d'y renoncer même si cet authentique melon des années 1920 ne coûtait pas une fortune. Parce qu'à l'époque, nous étions étudiants, lui à Moscou et moi à Nottingham, et cette semaine de relâche à Prague était une pure folie. Nous avions tout juste assez d'argent pour la bouffe et notre chambre au dernier étage du *Centre Plaza*. Maintenant, ce n'était plus le cas. Salaire plus que respectable, pas d'auto, studio abordable, presque tout à plus bas prix qu'à Montréal – malgré tout ce qu'on peut entendre sur la vie chère à Tokyo –, je n'éprouvais aucun problème.

Le melon étant ce qu'il est, j'avais facilement gagné mon *point chaud*, et maintenant, dans mon café climatisé avec vue sur le carrefour, il pouvait jouir de chacune de ses *bouffées exquises*. Nous avions encore une heure de répit avant mon retour au boulot. Vêtue d'un léger costume anthracite qu'il trouvait particulièrement séduisant, je me retrouvais dans mon élément. Le porte-documents de cuir verni à mes pieds, mon dossier du jour bien documenté, j'étais prête à affronter le propriétaire du parc de camions. Enfin, je pouvais jeter un regard sur mon universitaire en congé, sur celui qui analyse toujours tout en profondeur et qui savait reconnaître l'élégance de l'édifice du *Wako Department Store*. Il avait vu le carrefour mythique et l'édifice sur le Web, et la foule s'agitait maintenant au rythme des affaires. L'horloge, la pureté des lignes, la façade arrondie, tout lui rappelait un édifice de Moscou, ou bien de Saint-Pétersbourg, mais lequel ?

Plus de six mois que j'espérais ce moment. Tous les deux ici, dans ce *Doutor* où je viens souvent dîner avec Atsushi ou un autre collègue. Rêveurs contemplatifs sommes-nous, et nous l'étions cette fois à Tokyo. Tu crois qu'il y arrivera, a-t-il laissé tomber en montrant un vieillard aux petits pas qui avançait dans toute la lenteur de l'escargot sur la traverse piétonne. Je n'en doute pas une seconde, lui ai-je chuchoté à l'oreille, et puis de toute façon, avec tout le respect qu'on lui doit, on va lui laisser le temps voulu. Nous pouvions nous-mêmes l'étirer, ce temps précieux, à loisir même, puisque mon bureau était à deux pas. Ce petit vieux est une feuille de thé dans la multitude, ai-je dit alors qu'il inhalait, ce petit vieux est comme toi et moi... et j'ai élaboré un peu plus sur ma métaphore. Pas très loin du délire, mais c'était dans l'ordre des choses, d'une légèreté à casser tous les stress, parce qu'il n'était pas question de me présenter à la banque en catastrophe, l'allure de celle qui vient de se taper une panne d'essence sur l'*Expressway*, ou quelque catastrophe du genre. Non, j'étais zen, d'autant que lui, mon pauvre Étienne, PASMO et cartes en main, il aurait tout l'après-midi et le début de la soirée pour se mettre au rythme de Tokyo. Rendez-vous ici même à 20 h.

Après avoir éteint sa cigarette, il a déplié la carte du métro pour tisser des liens logiques avec son atlas de poche. Voilà, il irait se pointer dans les environs du campus Surugadai de l'Université Meiji. Ligne Marunouchi, station Ochanomizu, M20, code rouge. Parfait, à quatre stations d'ici. Il est comme moi, Étienne, géographique, cartographique, topographique, et je ne pouvais qu'être d'accord avec sa façon de procéder : prendre le temps de s'investir dans la reconnaissance des lieux dans l'idée de voir venir et de contrôler le stress. Samedi, c'est-à-dire dans trois jours, il présenterait à l'Université Meiji une communication dans le cadre du Colloque annuel de l'AJÉQ[8]. Parce qu'au début d'avril, au cinq à sept de la Délégation du Québec à Tokyo, là où j'avais

---

8. Association japonaise des études québécoises.

fait la connaissance de Nao, j'avais côtoyé des membres du conseil d'administration de l'association, dont le professeur Obata. Lui glissant quelques mots sur Étienne, j'avais si bien vendu ma salade qu'il s'était montré étonné par la pertinence de son axe de recherches. Voilà un sujet qui intéresserait plusieurs de nos membres. Le colloque étant multidisciplinaire, il m'avait demandé de contacter au plus tôt mon ami et puis, de courriels en courriels, tout avait fini par se mettre en place. La présentation sur laquelle Étienne avait bûché tout l'été porterait sur le patrimoine religieux, avec un titre on ne peut plus explicite : *Regards croisés sur la conservation et la mise en valeur du patrimoine religieux en France et au Québec.*

Alors, cette clope dans mon espace climatisé avec vue impre-nable sur le carrefour, elle était bonne ? J'ai attrapé son briquet qui ressemblait un peu au mien, au tien, papa, objet rare en voie de disparition que tu as toi-même reçu un jour de ton propre père et que maman m'a offert le jour de tes funérailles. Il a levé les yeux de sa carte pour m'envoyer un sourire de contentement, et j'ai continué : faut en profiter, Étienne, parce que j'ai bien peur qu'il n'y en ait plus pour longtemps. Malgré les échangeurs d'air d'une grande efficacité, on commence à voir un peu partout des espaces réservés aux non-fumeurs. C'est le début de la fin. Nous nous sommes quittés à l'édicule du métro, allez, va, à ce soir au même endroit, et sitôt les talons tournés, comme une mère venant de laisser son fils à la garderie, j'étais déjà au boulot.

Ça s'est bien passé parce que j'ai toujours eu un faible pour ce client. La jeune quarantaine, maîtrisant bien l'anglais, nous avons même développé un bel humour, chose assez rare dans le domaine. Franche discussion et colonnes de chiffres à l'appui, dans la perspective du développement d'un nouveau marché, avec un dossier aussi bien ficelé, j'allais assurément recommander à mes supérieurs l'acceptation du prêt à l'investissement et que la marge de crédit soit augmentée en conséquence. Il était tout sourire quand je l'ai accompagné jusqu'à l'ascenseur, avec raison, nous avions bien travaillé, et le dossier en main, je suis passée chez M. Yasuda qui m'attendait et qui m'a reçue avec son sourire des belles occasions. Voilà, monsieur Yasuda, ai-je formulé dans le plus grand respect en lui remettant le dossier, j'espère que tout est en règle. Inclination du torse, je m'apprêtais à partir quand il m'a retenue : alors, mademoiselle, votre ami se plaît-il à Tokyo ?

Je croyais que mon large sourire allait suffire, mais il m'a demandé de m'asseoir. Il avait certaines choses à me dire. Stress intense, le vrai ! Je me suis assise face à lui dans le fauteuil de cuir, mais je ne voyais plus sur ma droite que les buildings de Ginza. Quelle gaffe avais-je bien pu commettre ? Mais non. Il voulait me parler de son épouse. Soulagement teinté d'équivoque. Il ne m'avait jamais parlé d'elle, pas même un petit mot après notre superbe dimanche en avril, et ça remontait déjà à cinq mois. Alors voilà, justement. Même si elle avait toujours obstinément refusé de lui en parler, son épouse lui avait avoué dernièrement que cette longue discussion avec moi lorsqu'il s'était éclipsé un moment avec son fils lui avait fait grand bien. Il tenait à me remercier. Vous savez, je suis tout à fait convaincu que c'est grâce à vous si mon épouse a retrouvé son énergie d'antan. Je dois avouer qu'hier, je suis passé comme vous par Narita. Après tout un été de préparatifs, c'était le grand départ. En compagnie d'une amie, elle passera tout le mois d'octobre en Europe. France, Allemagne, Italie ; je les envie un peu. Désolé de n'avoir pu me libérer plus tôt, début de mois oblige, il m'a assuré qu'il appréciait au plus haut point la qualité de mon travail.

À la nuit tombée, 20 h précises, le porte-documents laissé au bureau, j'étais de retour au *Doutor*. Débouchant à l'étage avec mon plateau, espresso allongé et serviette de table, je n'ai pas caché mon plaisir de voir Étienne. Sous l'effet de la fatigue après tout un après-midi de repérage, il avait choisi la banquette plutôt qu'un tabouret du comptoir donnant sur le carrefour. Dans ce creux de clientèle, il était plongé dans la lecture du *Japan Times* sous une lumière tamisée, paquet de Winston posé en évidence sur la table, briquet rétro et cappuccino visiblement pas entamé. Tête de journaliste, jeans, veston sur chemise blanche au col ouvert, il était beau à voir. On aurait dit un *Salaryman*.

Comme un an et demi plus tôt à Paris lorsque nous nous étions donné rendez-vous en fin d'après-midi dans un bistro près de l'hôtel après des heures de marche en solitaire chacun de son côté, il s'est levé pour me débarrasser. Une fois rassis, il est resté un long moment sans mot dire, le regard intense. Je comprends, a-t-il finalement articulé, je sais maintenant pourquoi tu aimes tant cette ville…

14
DAIKAN'YAMA

Membre en règle du club *Air-Tokyo*, Nao n'a pas trop éprouvé de difficulté à se procurer les billets. Traitement VIP. Lundi soir, déjà, le bento que j'avais acheté dans les environs de la gare était à peine entamé que j'ouvrais son courriel dans lequel elle me détaillait le programme de la soirée, du rendez-vous à la Place Hachiko à 18 h jusqu'au spectacle de 22 h. Entre les deux, il y aurait un petit resto appartenant à Takeo, un ami d'enfance, espace de tranquillité qu'elle disait perdu dans une charmante venelle entre Shibuya et Harajuku.

Bon, tout ça relevait plus du contrat bouclé d'avance que de la simple proposition, mais aurait-elle pu agir autrement ? Pas de discussion possible, mais le bon côté de la chose, c'est que je savais au moins à quoi m'en tenir. Elle me laissait tout de même le choix : *cosplay*[9] ou pas *cosplay* ? Ah tiens ! Je n'y avais pas songé. Prise de court, ne me voyant pas autrement qu'en *schoolgirl* – cliché total venant d'une Occidentale, vraiment pas envie –, j'ai opté pour le *pas cosplay*. Je préférais une tenue simple qui offre plus de latitude et puis, m'amusant maintenant à tourner en dérision son efficacité et sa belle rigueur, je lui ai réexpédié son courriel parsemé d'icônes hilarants.

Je suis arrivée à Shibuya bien avant l'heure parce que j'aime la faune compacte et policée des alentours de la gare en fin

---

9. Jeu de rôle prisé par la jeunesse japonaise.

d'après-midi. Adossée contre une colonne de béton, en retrait de la zone passante, je me suis pour un moment laissé porter par l'impressionnante gamme de sonorités que la percussionniste pouvait sortir d'un seul contenant de plastique. Boule d'énergie venue d'Afrique ou d'Amérique, saine dentition et luisante de sueur, sa folie guerrière n'atteignait pas le banlieusard qui n'espère plus que son calme périphérique et climatisé, mais moi, oui. J'avais le temps, moi, j'étais là pour ça, moi, j'étais adossée là juste pour elle. Sourires complices, elle m'avait repérée dans la foule. Étais-je de Stockholm ou de New York ? Le goût du sel aux lèvres, dans la grande moiteur de juillet, j'étais la musicienne contemplative. Chaussée de légers bottillons, je tenais le *beat*, mais subtilement, quand même, puis une idée jusque-là velléitaire a fini par s'imposer : ce serait peut-être bien de passer dans un bazar. Chapeau, tuque ou n'importe quoi du genre pour déconstruire mon look un peu trop sage, me semblait-il, pas assez Shibuya.

Je me suis présentée à la Place Hachiko alors que Nao se tuait à donner des renseignements à un *gaijin* longiligne fringué pour un safari au Kenya et au *Lonely Planet* usé à la corde, et je me suis quasiment reconnue en elle qui portait un chemisier ouvert sur une fine camisole. J'avais hésité entre ce passe-partout universel qui fait souvent mon affaire et une tenue plus légère pour finalement enfiler ma plus récente acquisition, une robe toute simple aux motifs géométriques. Le type était Néo-Zélandais, sans doute fort en géographie mais un peu perdu à Tokyo. Après une dernière recommandation, elle a repris son souffle pour m'avouer que plus tôt, dans le métro, elle avait songé à ajouter un petit plus à sa tenue qu'elle jugeait trop BCBG. Elle hésitait encore entre la cravate à 500 ¥ qu'on pourrait trouver dans n'importe quel bazar et le chapeau nécessairement plus cher. Chapeau, ai-je tranché, puis elle m'a entraînée dans une boutique située du côté d'Aoyama Dori, là où son père choisit les siens quand il passe en ville pour rencontrer son architecte ou régler une affaire urgente.

Après les trottoirs bondés et le défilé de taxis scintillants, le timbre annonçant notre présence dans la sombre boutique m'a fait l'effet d'un baume, et c'est en clientes pausées que nous avons erré dans l'antre climatisé. Ça nous en a pris, du temps, ce n'est jamais évident, le chapeau, mais la dame semblait s'en amuser, se bornant à mettre en valeur sa marchandise. Oui, elle connaissait son père, très bel homme, client au goût sûr qui construisait des maisons et des temples, et dans un accès de coquetterie, elle nous a fait voir sa carte professionnelle. Nous avions convenu plus tôt que je choisirais pour Nao et elle pour moi, et je me suis donc retrouvée avec un melon – trois ans plus tôt, à Prague, il était magnifique, mais je n'avais pas l'argent pour ça. J'ai choisi pour Nao un joli petit bibi qui ajoutait à sa candeur. Pas mal du tout, nous répétions-nous devant les vitrines qui nous renvoyaient nos silhouettes, mais il nous manquait encore selon elle un petit quelque chose. Foulard ou quelconque colifichet. Nous avons finalement trouvé avant d'arriver au resto où nous attendait Takeo, qui nous avait réservé une alcôve. Oh là là ! Quels jolis chapeaux !

Dans ce local réaménagé, nous n'étions nulle part ailleurs que dans ce *lost Japan* que chacun en ville aime retrouver de temps à autre. Lumière tamisée, quelques notes de *koto*, *shamisen* et *shakuhachi*, structures de bois, panneaux crème et kaki, des aquarelles illustrant la montagne en automne, rivière de galets et crue printanière. Tout au long des présentations et de ses explications sur les particularités du menu, Takeo s'est montré d'une extrême timidité dans ses inclinations du torse. Heureux de nous recevoir, intimidé par notre look ou sous le charme de cette trop belle amie de lycée devenue femme, les mains en perpétuel mouvement, comme s'il avait voulu faire pénétrer une crème miracle, il acquiesçait sans réserve, approuvant tout ce que Nao pouvait lui dire. Ça se voulait enjoué, je n'y comprenais pas grand-chose, mais on aurait juré un petit vieux rongé par l'arthrite. Pourtant, me disais-je, ils sont du même âge, pas plus de vingt-six ou vingt-sept ans. Ô qu'il est en amour, ai-je avancé quand nous nous sommes retrouvées seules. Je pourrais même ajouter sans risque de me tromper qu'il l'a toujours été et qu'il ne t'a jamais oubliée. Longtemps que vous vous êtes parlé ? À la fin du printemps, m'a-t-elle avoué, son regard allant se perdre sur quelques éléments du décor. La musique traditionnelle était à peine audible, question d'atmosphère. Revenant soudain à la vie, elle a précisé que tout ça était de lui, le décor comme le choix musical.

Je me suis rappelé les belles découvertes du dimanche précédent à Shinjuku, et je lui ai laissé encore une fois carte blanche. Miso, tempura, grillades de toutes sortes, quelques spécialités du chef, oursins, bouchées de poissons rares ; ça s'est étiré comme ça jusqu'au dessert, le tout accompagné d'un excellent saké, il faut le dire. Nous en étions au thé lorsque Takeo est arrivé avec un bac à glaçons, des verres et une bouteille d'*awamori*[10]. Atmosphère beaucoup plus décontractée qu'à notre arrivée, Nao se prêtait au jeu de la traduction simultanée, et j'ai pu vérifier la prononciation de certains mots de mon japonais de base. Belle découverte, son resto, j'allais distribuer quelques cartes au bureau et revenir en octobre avec Étienne.

Takeo nous a bien plus tard accompagnées jusqu'au seuil, et comme l'*Air-Tokyo* n'était pas très loin, Nao a décidé que le mieux serait de nous y rendre à pied. Les rues de Shibuya devenues sas de décompression, Takeo s'est imposé comme seul sujet de conversation. Ça remontait à très loin, leur histoire. Jusqu'à l'école primaire. À la sortie des classes, il s'organisait toujours pour rouler à ses côté dans le chemin en épingle qui descendait en pente douce jusqu'au village. Un jour, lui disait-il souvent, nous allons nous marier. Puis le lycée situé pas très loin de la petite école, dans les premières hauteurs, toujours à bicyclette, mais ils n'étaient déjà plus les mêmes. Elle l'aimait bien mais sans plus, et elle avait perdu sa trace en venant étudier dans la capitale alors qu'il était resté sur place, et puis voilà qu'elle le retrouve

---

10.   Alcool de riz tirant à 30 %.

chef propriétaire des années plus tard à Tokyo. Elle n'en était pas certaine, mais elle soupçonnait son père d'être derrière tout ça. Qu'est-ce qui te fait dire ça, Nao? Je ne sais pas, une intuition, peut-être aussi un peu trop de coïncidences. Un jour, j'en aurai le cœur net.

Un *yakusa*[11] dans sa Porsche noire, facile à repérer, un peu plus loin, un *dealer* à son affaire. Nous y étions. En compagnie de Nao, je me sentais étrangement d'attaque dans ce club sélect, entourées que nous étions d'hallucinants *cosplay* et de clients à notre image, partout aux balcons tout comme ici, sur la piste. Je n'aurais pu demander mieux. Exit mes clients millionnaires et mes colonnes de chiffres, l'*Office Lady* se shoote ce soir aux décibels. Ça remontait tout de même à Hiroshima! L'alcoolémie sous contrôle, je voyais bien que l'ambiance était sans rapport aucun avec les vendredis d'enfer de Nottingham, là où la déchirure s'amorçait au bar pour se terminer le plus souvent dans la rue par de féroces affrontements d'*Apollons corps d'athlètes en chemises blanches* sous les caméras de surveillance. *Poor little boys!* Ici, on dirait que le scotch, l'ecstasy, la coke et autres chimies inorganiques ont le don de rendre mes voisins encore plus candides que d'habitude, mais quelle énergie! J'ai attrapé le bras de Nao pour lui parler de *choc des cultures*, mais sous la techno et le flux stroboscopique, je fus bien obligée de crier, avec des pauses plus ou moins prolongées pour garder le *beat*, quelques répétitions, bien sûr, mais ça ajoutait de la force à mon discours. Elle a fini par comprendre et me prendre le visage à deux mains pour me demander si je désirais consommer. *No way*, me suis-je contentée de mimer, Daishi Dance à l'*Air-Tokyo* : ça se prend au scotch!

---

11. Membre de la mafia japonaise.

Petite pause au bar pour souffler un peu alors que ça se compactait sur la piste. Vraiment bien, Daishi Dance, ça m'énergise. Un frisson m'a parcouru le dos quand j'ai pressenti les accords de *I believe*, l'enchaînement confinant au maritime. Ça s'étirait, ça s'étirait, oh que ça s'en venait! J'ai attrapé la main de Nao pour nous ramener le plus près possible de la scène, allez, viens, suismoi, celle-là est juste pour nous. Portées par le courant. On aurait dit la fine crête de vague qui annonce le tsunami, puis ça s'est mis à déferler lorsque Kat McDowell s'est amenée sur scène avec sa guitare, souriante, énergique, enivrante, belle à tomber en amour, tout le monde qui chante en chœur avant même qu'elle ne prononce un seul mot:

> *I believe, miracles can happen*
> *You believe, God is on your side*

Alors là, Nao au joli petit bibi, ce n'est pas très compliqué : tu plonges comme Johanna au puissant melon et tu te laisses aller comme la petite fille de cinq ans ravie par l'explosion des couleurs de l'automne. Tu te laisses porter comme moi par la marée, tu lèves bien haut les bras, sans opposer la moindre résistance, tu te contentes d'ajouter ta voix à celle de ce gars qui te frôle les hanches, à celle de ce Dracula d'Orient qui me frôle les hanches et qui se tue à me trouver des ressemblances avec cette McDowell qui occupe toute la scène. Comme moi, Nao, respire le même *Air-Tokyo* que ceux et celles d'ici que tu côtoies chaque jour dans les couloirs du métro, dans ta venelle aux néons grésillants et au grand carrefour de tous les écrans. Kat McDowell et Daishi Dance à l'*Air-Tokyo*. Magnifique!

Nous sommes sorties de là au jour naissant en compagnie de cinq ou six autres clients encore sous l'effet de je ne sais trop quelle substance. Vraiment pas Nottingham comme fin de nuit, mais alors là, vraiment pas. C'était d'un calme civilisé. Quatre gars nous ont offert de les accompagner au *Denny's* d'à côté, mais nous étions vidées, nazes, épuisées. Nao a tranché en hélant un taxi. Direction Meguro. Après une telle nuit, elle ne voulait pas rentrer toute seule à son appart, et il n'était pas question de me laisser partir comme ça vers Setagaya. Allez, je t'invite, c'est tout près d'ici. *No problem, Nao.*

15
SHIMBASHI

Ainsi donc, il comprenait. Il comprenait maintenant pourquoi j'aimais tant cette ville. C'était bien, mais je lui ai tout de même demandé de me fournir quelques précisions : allez, explique. Comme pour se donner du temps, il m'a interrogée sur ma rencontre avec l'homme d'affaires. Ça s'est bien passé ? Très bien, c'est toujours décontracté avec lui, parce que nous avons des atomes crochus. C'est un homme charmant, raffiné, attentionné. J'aime parler affaires avec lui, d'investissements, bien sûr, mais aussi de choses plus sérieuses, comme la pêche à la truite ou la mécanique automobile. Ne me regarde pas de cette façon, Étienne, c'est la pure vérité. Son dossier est pour ainsi dire bouclé. Nous avons bien travaillé, il ne manque plus que l'aval de mes supérieurs. Mais alors ?

Alors voilà. Si je te disais que j'ai tant marché que j'en ai mal aux pieds ? Non, sans blague, j'aime cette ville, et ce qui m'a frappé, c'est le calme et le silence. Enfin, le silence ; une rumeur étale, plutôt, sans notable modulation, et pas de klaxon. Peu importe le lieu, quais du métro, couloirs, places, trottoirs, cafés ou *curry shops*, toujours ce calme étonnant. La prédominance de la jeunesse, aussi. Des jeunes partout, et puis l'élégance. Je comprends pourquoi tu aimes tant Tokyo. Tu auras trouvé ici une ville à ta mesure. Elle est ton rythme, ta constance, elle est ton calme, ton élégance. Tokyo te ressemble, Johanna, ou bien c'est toi qui lui ressembles. Je délire, Johanna, excuse-moi, c'est plein d'imprécisions. Un

jour seulement que je suis ici; faut pas trop m'en demander.
Mais c'est déjà pas mal, Étienne. Excellente lecture. Tu touches
là à quelque chose d'essentiel. C'est vrai que je suis en symbiose,
ici plus que nulle part ailleurs.

Il a souri de contentement. La forte présence des jeunes, a-t-il
repris, c'est énergisant, photogénique, sauf qu'on s'y attend un
peu parce que c'est le propre de tout centre-ville, mais ce calme.
Les taxis ne roulent pas, ils glissent. Il y a aussi autre chose : je
n'ai pas vu un seul désœuvré. Ça aussi, c'est assez étonnant. Pas
de sollicitation. Où sont les SDF? Je sais, je sais. Sous les ponts,
autour des voies de chemin de fer, dans les parcs, mais surtout
pas dans la rue. Dans les environs de l'Université Meiji, c'était
par contre un peu plus âgé. Des profs, assurément, mais encore.
Écoute : à deux pas du pavillon principal, j'essayais dans une
boutique la touche d'une Telecaster pareille à la mienne quand
vers l'arrière un type aux cheveux grisonnants a branché une
Gibson. Quelques arpèges dissonants pour se délier les doigts,
puis il s'est mis à décliner des riffs de Led Zep. Hallucinant.

Je ressentais une certaine fatigue, mais c'était si bon de
l'entendre. Il comprenait mieux maintenant ma *tokyétude*, mon
choix de vivre ici pour un temps. Très exactement comme à Paris,
un an et demi plus tôt après cette marche en solitaire chacun de
son côté, je me suis tue alors qu'il me faisait partager ses *feelings*.
Il ramenait de temps à autre ses cheveux derrière l'oreille. Main
de guitariste, allure du correspondant à l'étranger à la recherche
d'un topo. Il en avait long à dire, je m'y attendais un peu. Ça parlait
des librairies de Shinjuku, plusieurs réservées aux seuls mangas,
d'autres aux dix étages, du choix musical dans les cafés, de train
et de métro. Ça parlait aussi d'un *curry-shop* silencieux. Comptoir
en U réduit à sa plus simple expression, roulement de clientèle
régulier, calme et continu. Le temps d'un curry et d'une bière,
devenir figurant dans un film de la nouvelle vague japonaise.

Les cafés terminés, nous avons quitté l'endroit pour marcher
du côté du parc Hibiya, et dans un état d'esprit confinant au rêve

éveillé, nous avancions maintenant en toute lenteur sur Harumi Dori. Ginza-Ginza à la nuit tombée. Trottoir d'en face, sur trois ou quatre de large, une longue file recueillie s'étirait jusqu'à la marquise baignée de lumière d'un théâtre. Arrêt à la hauteur du viaduc pour voir s'entrecroiser les rames entre les gares Yurakucho et Shimbashi. Dans un sens comme dans l'autre, sur huit voies de large émergeaient des rubans de lumière en pointillés, longs serpentins s'étirant dans la nuit. Attends un peu, m'a-t-il balancé en prenant la peine de déplier sa carte du réseau. Regarde, Johanna : Yamanote Line, Keihin Tohoku Line, Yokosuka Line, Tokaido Shinkansen. Dis-moi : poésie urbaine ou géopoétique ?

Ça lui rappelait la Place des trois gares, à Moscou. *Trekh Vokzalov Plochtchad.* L'Eurasie, une autre planète, le départ annoncé du train de nuit pour Saint-Pétersbourg. Il se souvenait très bien, moi aussi ; comment ne pas se souvenir. Aller tchékhovien dans nos couchettes de couloir prolétariennes et retour petit-bourgeois dans un compartiment en compagnie de deux avocates du contentieux de Gazprom. C'était l'Eurasie, mais ici, maintenant, nous étions réellement en Asie, au cœur de la mégalopole, mercredi soir, 1er octobre. Dans une transversale des environs de la gare Shimbashi, il y avait un vaste restaurant où je tenais à aller à cette heure plus tranquille. L'idée m'en était venue en après-midi. Menù éclectique, des pâtes italiennes au *katsudon*[12], chaque plat en reproduction plastifiée dans la vitrine. D'accord, ça lui plaisait, mais un peu étourdi devant un tel choix, il m'aura laissé carte blanche. Très bien, Étienne, *follow the guide*. À la suite de la jeune fille en jupe droite et chemisier blanc – c'est la norme et ce n'est surtout pas de la guenille –, nous avons longé le bar à sushis toujours aussi animé où je viens parfois à la pause du midi m'asseoir toute seule ou en compagnie d'Atsushi ou d'un autre collègue, et nous nous sommes retrouvés vers l'arrière dans l'intimité propre aux îlots de banquettes.

---

12. Bol de riz surmonté de porc pané et frit ; présentations variées, aussi avec crevettes ou poulet.

Surtout des couples autour de nous, sans doute épuisés par l'accablante journée de travail, un peu plus loin, du côté des affiches du Théâtre Kabuki, six *Salarymen* en grande discussion. Aucun rapport avec le resto de Takeo, l'ami de Nao. Je lui ai suggéré d'y aller à la carte, histoire de ne pas trop nous compliquer la vie. Bière, soupe miso et bol de riz, bien évidemment, mais allons-y pour l'instant avec deux assiettes, les autres suivront selon mon appétit et ton humeur. *As you wish, Johanna.* Ce sera donc une salade d'algues pour moi. Et pour toi, des *gyoza*? Parfait.

C'était bien, cette façon de partager, lui fourchette et moi baguettes, de commander à son rythme une nouvelle assiette, histoire de tenter quelque chose, de nous laisser séduire ou de nous étonner, sans jamais nous presser. Bienvenue à Tokyo! La serveuse opérait avec gentillesse, ajoutant ici et là dans un anglais approximatif quelque précision sur un poisson, un légume, un condiment. Mais où en étions-nous quand il a abordé le sujet? À la troisième ou à la quatrième assiette, je ne sais trop. Il gardait un œil acharné sur le menu quand il m'a déroutée en remettant sur le tapis sa grande difficulté à se lancer pour vrai dans l'écriture de *Paris Hilton*. Je savais bien, je savais trop. Il m'en avait glissé quelques mots dans ses derniers courriels, et je lui répétais chaque fois de ne pas trop s'en faire, que ça reviendrait. Mais pourquoi donc le mentionner précisément ce soir? Était-ce si important? Pourquoi donc était-il si anxieux?

Je comprends, Étienne, je te l'ai déjà dit, et tu le sais très bien. Tu ne l'as pas facile. Tu te mets trop de pression, je ne cesse de te le répéter. Ton début de carrière à l'université, c'est du sérieux, il me semble. Tu n'as plus cette charge de travail qui t'a permis d'écrire sans trop de problèmes tes deux premiers romans. On est bien d'accord? Tes nouveaux cours, ta présence à deux conseils d'administration, les articles que tu dois écrire, les demandes de bourses de recherche, à toutes les instances et à répétition, et puis cette conférence de samedi. Comment peux-tu trouver le temps d'écrire un roman?

À son sourire de soulagement, j'ai su que j'avais atteint la cible. Ne venais-je pas d'exprimer en peu de mots ce qu'il voulait bien entendre ? Il a laissé à la serveuse le temps de nous débarrasser de nos assiettes, puis a désigné le poisson et commandé deux autres bières. Tu m'étonnes, ai-je déclaré lorsque nous nous sommes retrouvés seuls, tu ne m'as pas habituée à ça. Tu ne me dois rien, Étienne, tu n'as pas de comptes à me rendre. Si tu veux faire une pause dans l'écriture de ton roman, c'est ton choix et ce n'est pas un drame.

Toi alors, a-t-il admis, tu as changé en pas mal plus qu'étrangement bien ! Tu as raison de me parler de la sorte, sauf que c'est un peu plus compliqué que ça. Enfin, c'est mon problème. La table était mise, c'était le moment ou jamais de le mettre au courant. Tu sais, Étienne, que depuis mon arrivée à Tokyo, contrairement à toi, j'ai un horaire de travail qui me permet d'écrire, et je crois vraiment à mon roman.

Eh bien ça alors ! s'est-il extasié. Tu m'épateras bien toujours. Allez, raconte. Sans plus attendre, je lui ai parlé de mes blocs-notes et de mes croquis, mais surtout de mes textes. Le plus souvent des textes courts, parfois plus longs, allant jusqu'à quelques pages quand les images se bousculent. J'ai aussi raconté que j'écrivais des haïkus. Ça me donne de la distance, et Dieu sait que j'en ai besoin. Sans l'écriture, Étienne, je deviendrais robotique, je n'aurais plus en tête que des colonnes de chiffres. Je ne pourrais plus m'en passer.

Le temps que la serveuse dépose les bières et nos nouvelles assiettes, j'ai fouillé dans mon sac pour attraper mon bloc-notes que je lui ai tendu. Celui-là date du début septembre, j'en ai trois autres bien remplis. À peine étonné, il tournait les pages d'un œil ravi, hochant parfois la tête pour afficher son contentement. Éditeur, critique ou directeur littéraire ? Dans les textes longs, il y avait plein de ratures. Plus loin, des tentatives de haïku sur un seul feuillet, des adresses en bas de page, ici le croquis d'un train qui entre en gare. C'était un peu n'importe quoi, sauf que je savais qu'il y avait là le matériel d'un roman. À temps perdu, ai-je avoué, j'ai commencé à réécrire des blocs. Une suite de fichiers datés, pas encore de structure, mais tout est là.

Ce n'était pas sa façon de travailler, mais nous avions tout de même des points en commun, entre autres l'idée de la ville devenue personnage. Oui, il aimait particulièrement, et il voyait très bien ce vers quoi je me dirigeais. J'aimais sa façon de tenir le bloc-notes, comme un objet rare, comme un précieux manuscrit trouvé dans quelque dépôt à atmosphère contrôlée. Il tournait les pages avec délicatesse pour s'arrêter un peu plus longuement sur une phrase. Je venais de le perdre, mais j'en souriais d'aise en pigeant dans mon assiette. C'est bien toi, répétait-il, ici, par exemple, et sache que ça ne me surprend pas du tout.

Il faut écrire ce roman, Johanna, ton roman de Tokyo, tu n'as plus le choix. Roman de Tokyo! Il venait d'employer ma formule. Je le lui ai dit et il ne m'a pas paru surpris. C'est dans l'ordre des choses, il me semble. En tout cas, c'est un excellent titre de travail. Étienne voulait lire tous mes textes, se saisir de mes états d'âme, se perdre dans mes croquis, lire et relire mes haïkus. Pouvait-il y jeter un œil à tête reposée? Pourrait-il profiter de ses prochaines heures de solitude pour s'y mettre? Bien sûr, Étienne, je ne demande que ça.

Tu sais, Johanna, sans être des best-sellers, mes deux premiers livres se sont bien vendus. Ma directrice littéraire met maintenant de la pression. Je disais tout à l'heure que c'était plus compliqué que ça pouvait en avoir l'air, c'était ça. La pression exercée par ma directrice littéraire. Maintenant, si tu le veux bien, je pourrais lui proposer quelque chose. Que dirais-tu si je lui parlais de ton projet? Pas de problème, ai-je conclu sans trop songer aux conséquences, je suis prête, Étienne, c'est comme tu le ressens. Alors écoute-moi bien. Dès mon retour, je te mets en lien avec elle. Quoi? C'était si énorme que j'en suis restée sans voix.

༄

16
SHIN-NAKANO

Toute la semaine j'étais restée captive de *La brocante Nakano*, roman d'atmosphère d'Hiromi Kawakami que j'avais emprunté à la médiathèque de l'Institut franco-japonais. Que ce fût sous ma lampe de lecture, à la pause du midi au parc Hibiya ou en fin de soirée un brin scotchée au *Globe Café*, chaque fois que j'avais refermé mon bouquin, je m'étais dit qu'il serait bien de pédaler ce dimanche du côté de Nakano, qu'il serait amusant de sonder ce quartier situé un peu plus au nord. Je savais bien que la brocante portait le nom de son propriétaire plutôt que celui de l'arrondissement, mais le prétexte était bon. Dimanche de mai à Nakano, m'insérer dans la fiction de Kawakami en toute intensité, me projeter dans la trame d'un roman au gré des méandres de la piste, des venelles et des avenues, parce que je comptais bien cadenasser ma bicyclette quelque part afin de gagner en liberté.

J'aimais le quotidien tranquille et sans histoire d'Hitomi et de Takeo, cette jeune fille et ce jeune homme qui animaient la brocante, tous les deux indolents malgré la jeune vingtaine, leur stoïcisme, cette relation ambiguë, amour ou amitié ; j'aimais M. Nakano, drôle de moineau dans la cinquantaine, sa double vie amoureuse, sa sœur artiste, géniale, portée aux confidences et un brin décalée, sa brocante pleine d'objets hétéroclites, du vieux rasoir électrique aux bottes de ski, sa camionnette de livraison toujours sur le point de lâcher. Bref, grâce à ce roman, j'aimais l'arrondissement Nakano sans jamais y être allée. Ce quartier-là était peut-être différent du

mien, de Setagaya, si possible plus intime, plus *petite ville périphérique*. À tout le moins, je pouvais déjà visualiser ses larges trottoirs
aux garde-fous de fer forgé, comme ici et partout ailleurs.

Dimanche matin, sous un ciel clair aux cumulus rassurants,
je grillais ma cigarette dans le *parc du premier café* en m'y voyant
déjà : je serai aujourd'hui cliente d'Hitomi, quitte à la déranger
dans sa lecture. Plans 54 à 56 de mon guide de poche, voyons voir :
sur la piste de la Kanda-gawa, je vais couper l'arrondissement
Suginami en direction nord-ouest jusqu'aux environs de la station
Kichijoji, peut-être un peu avant, on ne sait pas, et de là, il faudra
revenir franc est vers Shinjuku. Une quinzaine de kilomètres à
l'aller, de plats et faux-plats, retour prévu en fin d'après-midi.
Rouler sans autre but que celui un peu fou d'entrer dans un roman
qui se passe à Tokyo, mise en abyme propice à une éventuelle
rencontre avec Hitomi ou Takeo, vivre mon personnage de
femme seule avec tout le sérieux de la petite fille de Port-Alfred
qui avait décidé ce dimanche-là d'oublier ses amis pour aller
découvrir un quartier tranquille, sans usine ni gare de triage :
Grande-Baie, son îlet, ses battures et son centre de ski, le quai rouge
qui s'avance si loin vers le large.

Qu'est-ce que tu fabriques encore ? avais-tu gentiment râlé
alors que je fouillais dans ta remise tellement bric-à-brac pour
dégager du barda de vieilleries le vélo de Julien. Fin juin, début
des vacances, papa, j'avais besoin d'air. Besoin surtout de me
taper autre chose que les émanations acides de l'usine, ma ruelle
aux jeux stupides et cette petite cour d'école en asphalte. J'ai fini par
y arriver, et tu sacrais encore après le moteur de cette tondeuse
qui ne voulait rien savoir. Tu devrais peut-être changer l'huile,
t'avais-je hardiment proposé. Toi, ne te mêle pas de ça ! Enfourchant
avec fierté mon vrai *bicycle de gars*, je t'avais crié de dire à maman
que je reviendrais pour souper, que j'allais chez Anne-Sophie. Salut !

Je devais avoir sept ou huit ans, la piste cyclable n'existait pas
encore. J'aimais partir comme ça à l'aventure, me sauver de tous
pour entrer dans mon espace de liberté. Ça me donnait de l'air.

La tête pleine d'images, je pouvais rester des heures comme ça sur la grève à observer les bateaux en rade. Ils tournaient avec une telle lenteur sur leur ancre. Je visualisais de grandes villes portuaires, mes bouts du monde, mes ailleurs, mes antipodes à moi. C'était bon, ressourçant, j'en garderai toujours un merveilleux souvenir, mais voilà – j'y serai venue aux antipodes –, pédaler sur cette piste de la Kanda-gawa, le plus souvent sous les arbres et sans effort notable, c'est tout le contraire de mes expéditions en solitaire dans cette ville de fous où il y avait toujours devant moi une côte juste bonne à me tuer les mollets ou à m'arracher des larmes. Pire encore : la monter à pied à côté de mon vélo. *Looser*!

À la hauteur du parc Hamadayama, je saisissais les moindres subtilités de langage des corbeaux qui gueulent, qui jasent et racontent. *RRRAH, RRRAH, RRRAH.* Pas touche à mes affaires, disait l'un. Petit coup de sonnette avant de doubler la marathonienne au bandeau rouge. *RRRAH, RRRAH, RRRAH.* Toi, ma Carmen à plumes, disait l'autre, prends garde à toi, sinon je te vole tes limaces et je perce tes petits à grands coups de bec. Je ne ressentais pas encore la fatigue quand j'ai ciblé un banc. J'ai alors posé pied à terre sous un vieux cerisier aux branches orientées vers la tranchée bétonnée de la rivière pour extirper de mon sac mon stylo, mon bloc-notes, ma bouteille de thé et mes cigarettes.

Dire qu'un mois plus tôt, je pédalais sous les pétales sur une autre piste un peu plus au sud. Ma bicyclette avait belle allure, j'en étais fière. Elle avait dû rouler des centaines de kilomètres. Elle avait dû s'ennuyer des jours entiers, cadenassée au grand soleil ou sous la pluie dans un vaste stationnement de gare de banlieue, dans l'attente de son maître ou de sa maîtresse. De part et d'autre de la tranchée de béton, ça passait sans arrêt, tous genres et tous véhicules confondus, dans un sens comme dans l'autre, à intervalles irréguliers. Tiens, une vieille dame en chaise roulante au *buzz* électrique et petit drapeau – ou en *buzzante* chaise électrique à roulettes et petit drapeau? Vent léger agitant le feuillage d'un vert tendre, écureuil solitaire, un dérailleur de temps à autre. À peine audible, le ruissellement régulier de la rivière. Mon thé glacé était déjà chose du passé et j'en grillais une quand ça m'est venu.

> traverser la vie
> seule et sans frontières
> à bicyclette

Comme prévu, je me suis rendue à Kichijoji pour revenir sur quelques kilomètres vers Shinjuku. À la hauteur de la station Shin-Nakano de la ligne Chuo, j'ai trouvé une place libre dans l'un des quatre stationnements pour bicyclettes du carrefour. Je prenais tout mon temps pour verrouiller la mienne alors qu'une rangée plus loin, une grand-mère à la tuque bleue mettait toute son énergie à équilibrer dans son panier de treillis deux sacs de papier et un filet débordant. Sourire empreint de sérénité, nous sommes dans l'instant devenues complices et je suis allée l'aider. Elle a apprécié, m'a remerciée, et sans doute étonnée par ma présence en ces lieux – il y a si peu d'Occidentaux hors du centre-ville –, elle m'a souhaité dans une gestuelle compliquée la bienvenue dans son quartier. J'ai incliné le torse. Rien de plus parce que nulle discussion possible. Pas grave, j'avais déjà pris l'habitude. Frustrant ou libérateur ? Ça dépend. Frustrant quand j'éprouve le désir comme ici de m'engager un peu plus, mais le plus souvent libérateur lorsque je trouve mon bonheur dans le silence.

J'ai marché sans but dans la quiétude d'un dimanche ensoleillé sur cette artère qui me faisait penser à l'avenue du Mont-Royal. C'était beaucoup moins dense qu'à Setagaya. Coup de sonnette derrière moi, fallait se tasser. C'était bien de se fondre ainsi dans la multitude après des kilomètres de piste, là où les corbeaux prenaient toute la place. Comme chez moi, comme partout ailleurs, il y avait tous les commerces de proximité : *7 Eleven*, *Lawson*, boutique de mode, salons de coiffure, souks bourrés de bidules électroniques sans doute obsolescents, *curry shops*, fleuristes et *Mos Burger*, blanchisseries aux mille chemises, cafés. Crèmerie. Pourquoi pas un sorbet à la framboise ?

Quelques portes plus loin, le cornet à la main, je me suis dit voilà, ça y est, j'ai trouvé ma brocante. De part et d'autre de l'entrée, de menus objets étaient disposés sur un banc en guise d'attrape-clients. Numéro de téléphone et raison sociale en kanji sur l'enseigne. Peut-être était-ce réellement la brocante Nakano ? La jeune fille au comptoir était justement en train de lire. S'appelait-elle Hitomi ? Je n'ai pas ressenti le besoin de vérifier. Trois ou quatre clientes fouinaient plus loin entre les étagères. Je prenais plaisir à fureter au royaume de la bébelle rejetée. Vers l'arrière, un entassement de cendriers-réclames, colorés, en verre ou en alu. Kirin Beer, Coca Cola, Peace, Marlboro. Petite hésitation, mais ce ne serait d'aucune utilité dans mon studio… à moins que. Couverts ébréchés, ustensiles dépareillés, lampes de bureau de tous genres, pour la petite fille ou pour son père, clubs de golf, bottes de ski.

Tellement Plateau-Mont-Royal, absolument universel, plein de vie mais une aura de petites morts. Mille *coups de cœur des jours heureux* ne servant plus à rien. Dans le coin vêtements, classés selon la taille, tout un lot d'uniformes scolaires en excellent état. D'une belle efficacité, tous les articles aplatis sous une pellicule de blanchisserie : deux vestons, chandails, deux jupes, deux cravates, cinq chemisiers. Kit complet presque donné. Dire que quatre ans plus tôt, j'avais payé le gros prix sur le Web pour m'en procurer un. Mais quel uniforme ! Confection soignée, je n'ai jamais voulu m'en séparer. Maman, pas touche à mes affaires !

Côté accessoires électriques : bouilloires et autocuiseurs obsolètes, radios de comptoir sous toutes les formes et de toutes les couleurs. Ah tiens ! Stratégiquement posée sur la tablette plus bas, à portée de main, une jolie petite tortue. Moins de dix centimètres de diamètre, d'un poids surprenant, vert lime et petits pois orange. Déjà vu comme presse-papiers dans un manga. Allez, on passe à la caisse. La jeune lectrice – Hitomi ? – a posé son bouquin sur le comptoir pour effectuer la transaction. Petite tortue verte + un cendrier-réclame en verre bleuté d'une station thermale : 650 ¥. Le regard complice, elle a glissé le tout dans un sac de papier. *Arigato.*

Pleinement satisfaite d'avoir pu voir à l'œuvre dans son univers romanesque un personnage que j'aimais, je me suis mise à la recherche d'un *Excelsior Caffe* ou de son équivalent. Sur Ome Kaido Dori, les cumulus étaient toujours aussi rassurants. Montréal, Toronto ou Vancouver ? Je n'étais plus tout à fait certaine, sauf que je suis redevenue résolument Tokyoïte quand un beau jeune homme m'a subtilement dépassée pour m'ouvrir la porte du Veloce. Rare volubilité à la caisse, j'ai éprouvé le désir de m'engager un peu plus envers lui autour d'un café et d'une brioche. L'après-midi était encore jeune, ce ne fut pas frustrant du tout, *because* sa touchante débrouille en anglais !

17
OCHANOMIZU

É tienne me la rendait facile en se levant chaque matin avant l'heure pour ranger son barda et préparer le café. Trois jours maintenant que j'émergeais du sommeil sous le frémissement en basses fréquences de ma cafetière. Tel que stipulé dans mon contrat, j'avais signalé peu de jours avant son arrivée la présence d'un colocataire pour une durée de deux semaines. Dès le lendemain, un employé était venu livrer une couette, un oreiller et les pliables : matelas, table et chaise. Ce n'était pas le grand luxe, mais nous avions vu pire sur nos campus respectifs.

Depuis mon arrivée, je n'avais jamais pris congé samedi matin, mais celui-là et le suivant étaient prévus depuis longtemps. Je dois avouer que j'ai un faible pour les petits samedis matin tranquilles au bureau. J'aime quand ça tourne au ralenti, quand nous ne sommes plus que quatre ou cinq dans la salle et que je peux lever les yeux de mon texte ou de mes colonnes de chiffres sans crainte de déranger qui que ce soit. Je laisse errer mon regard sur les postes désertés pour terminer mon travelling sur le couloir ferroviaire et là, c'est sûr, ça ne tournera jamais au ralenti, à moins que nous tombe dessus le *Big One* encore plus dévastateur que celui qu'on attend à San Francisco. Jamais au ralenti, le ferroviaire, et sans le moindre accroc. Voilà, me dis-je alors, recevez ce matin ma petite contribution à la bonne marche des affaires. Ces décrochages ont le don d'augmenter mon rendement. À tout le moins, ils me permettent de lire la chose bancaire avec plus d'efficacité, de cibler la faille avec plus d'acuité.

Ce serait donc aujourd'hui un samedi campus, réveil une heure plus tard que d'habitude, quasiment la grasse matinée, fort bienvenue après cette nuit un peu folle dans les bars et les venelles de Shibuya à ne plus vibrer qu'au seul bonheur d'être ensemble. J'ai ouvert les yeux à regret – quoi, déjà l'heure? –, mais j'ai fini par sourire d'aise sous la couette. Mon conférencier du jour était déjà à l'ouvrage. Sans autre bruit dans la pièce que celui du sifflement évanescent de la cafetière qu'il venait de retirer du feu, il s'appliquait à répartir la dose de café dans chacune des deux tasses. T'as besoin d'être équitable, ai-je lancé pour tourner en dérision sa belle concentration. Il a tourné la tête pour m'envoyer un sourire endormi, et dans ce qui était en train de devenir un rituel, il s'est départi de ses mules pour chausser ses espadrilles avant d'attraper sa tasse. Tu sais où me trouver, a-t-il laissé tomber en refermant la porte derrière lui.

Aux petites heures, nous étions revenus à pied de Shibuya. Après un arrêt prolongé dans un *Lotteria*[13] pour étirer un thé glacé, nous avons emprunté ma voie piétonne. C'était magique de marcher en sa compagnie mon trajet quotidien en sens inverse, envoûtant de nous enfoncer dans le silence, chaque pas nous éloignant toujours un peu plus de l'*Expressway*. J'aurais aimé lui présenter ma retraitée à la casquette orangée. Je lui en avais tant parlé dans mes courriels, sauf qu'à cette heure-là, sans doute dormait-elle encore. Mais quoi, grand-mère, seriez-vous comme moi une indécrottable solitaire, vous arrive-t-il parfois de pleurer sous la couette?

Pas le moindre souffle de vent, ça confinait au fantastique. Pavés agencés pour rendre à la voie piétonne l'aspect du sentier forestier, grenouilles et crapauds jamais loin dans la mare. De part

---

13. Restauration rapide de type McDonald's.

et d'autre, sous la lumière crue des lampadaires, aménagements floraux, arbustes et kakis aux branches chargées de fruits. Sur notre droite, immeubles résidentiels aux multiples cordes à linge. Maisons unifamiliales à gauche, collées serré, de belles signatures, étonnamment diversifiées, avec tout juste assez d'espace pour la haie et un massif de fleurs, une auto sous sa bâche, deux ou trois bicyclettes. Dans les mares piquées de scirpes, les canards dormaient, la tête sur l'aile.

Je me suis habillée pour aller le rejoindre dans le parc en tenant ma tasse à deux mains. L'air songeur, il longeait la haie en des allers-retours étourdissants. Te voilà bien torturé ce matin, mon Étienne. J'ai posé ma tasse sur la strate de pierre polie pour sortir mon briquet et mon paquet de Peace. Allez, tu vas tous nous épater. Tu en as vu d'autres. Oui mais, répétait-il, oui mais. Oui mais quoi ? Cesse de tourner en rond, Étienne, tu m'énerves. Viens un peu par ici que je te masse le dos. Comme un enfant pris sur le fait, il a consenti à s'asseoir. Ça va bien aller, ai-je promis en lui imposant une pression des pouces de part et d'autre de la colonne. Dis-moi, qu'est-ce qui te chicote à ce point ?

Rien de particulier, Johanna, seulement le stress du premier cours. Un mélange de félicité et d'angoisse. Les plus anciens nous disent qu'on ne s'y habitue jamais. Ça n'a rien à voir avec ma présentation en elle-même. Je me suis bien préparé. C'est plutôt la logistique. La logistique ! Le canon va-t-il fonctionner ? Y aura-t-il compatibilité ? Et puis l'auditoire, surtout. Ce sont tous d'éminents professeurs, chacun dans son domaine. Je n'aurai pas devant moi des étudiants de première année du bac. Vais-je me buter à un mur de perplexité ? Pire encore : devrai-je baratiner mon topo sur la conservation du patrimoine religieux devant un auditoire amorphe, désintéressé, blasé, perdu d'avance ? Aïe, aïe, aïe ! Oublie ça, Étienne, veux-tu. Songe aux livres que tu as publiés sur le sujet, utilise-les sans crainte, c'est du concret. Aussi, n'oublie pas que les professeurs émérites sont partout pareils, peu importe le continent. Ils ne demandent qu'à en apprendre toujours davantage. *Fais ce que dois,* tout simplement, il n'y aura pas ici de second cours. *Fais ce que dois,* a-t-il répété, tu sais que c'est la devise du *Devoir* ? Non, mon grand, je ne savais pas.

Moins de deux heures plus tard, après un petit-déjeuner rapide dans un café de la gare de Shibuya, nous quittions la station Ochanomizu et puis, l'espace d'une seule rue, il est devenu mon guide dans MA ville à moi ! Librairie dédiée aux mangas, tu vois, boutiques d'instruments, Led Zep, c'était ici. Quelques minutes plus tard, je renouais avec M. Obata, le président de l'AJÉQ venu accueillir les participants dans le hall de Liberty Tower. Nous ne nous étions pas vus depuis avril, mais il se souvenait de moi. Avec délectation, nous nous sommes remémoré le cinq à sept consacré aux bienfaits culinaires et aux vertus bio-santé de la canneberge et du bleuet sauvage du Lac-Saint-Jean.

Venu en éclaireur trois jours plus tôt, Étienne connaissait déjà les lieux, et à le voir s'entretenir avec M. Obata, j'ai bien vu qu'il n'était plus question pour lui du moindre petit *oui mais*. Fébrilité typique du colloque multidisciplinaire, ai-je songé alors que notre hôte nous pilotait plus loin vers l'un des amphithéâtres du rez-de-chaussée. Le responsable technique s'est présenté à Étienne et ils se sont mis à régler certains détails : documents à distribuer, clé USB, réglage du *Power Point.* Ça m'a tiré un sourire. Lui qui détestait ce bidule au point de tourner en dérision ses utilisateurs, le voilà maintenant qui ne pouvait plus s'en passer. Je m'en amusais encore quand j'ai croisé le regard de l'agente culturelle de la Délégation du Québec qui m'avait présenté Nao au cinq à sept d'avril. D'une belle élégance, les cheveux noirs aux reflets bleutés, elle s'est approchée pour nous présenter une conférencière arrivée la veille de Montréal. Professeure à l'UQÀM, sa conférence allait porter sur la présence des femmes dans la littérature québécoise à la fin du vingtième siècle. Ça m'intrigue, ai-je avoué, ça m'intéresse au plus haut point.

Sur le programme de la journée, j'ai pu lire qu'une professeure rattachée à l'Université Kwansei Gakuin d'Osaka nous parlerait de l'héritage culinaire des Québécois depuis les débuts de la Nouvelle-France jusqu'à nos jours. Eh bien, ça alors ! Il faut dire que la dame en question était titulaire d'un doctorat en diététique de l'Université Laval. Arrivée la veille de Séoul, celle qu'on nous présentait maintenant était professeure à l'Université Kyung Hee et membre de l'ACÉQ[14]. En début d'après-midi, elle aborderait l'œuvre de Gabrielle Roy sous l'angle des récits de l'enfance. C'est beau quand même, la recherche universitaire, me suis-je dit, revisiter ici même à Tokyo l'enfance d'une romancière que j'ai lue au cégep. Intimidée par tant de savoir, j'ai laissé Étienne en grande discussion avec un jeune professeur pour aller prendre place plus haut vers l'arrière. À vue d'œil, il y avait là une bonne quarantaine de participants, tous et toutes des francophiles ayant un jour étudié en France ou au Québec, et d'autres plus jeunes sur le point sans doute de s'y rendre. Comme sa présentation était programmée avant la pause de midi, les détails techniques réglés, il est venu s'asseoir à mes côtés. Hiroshi enseignait à l'Université Waseda, et ils avaient échangé tout l'été de nombreux courriels. Ce dernier venait de lui préciser qu'en après-midi, de trois à cinq, tout se passerait en japonais. Table ronde sur la laïcité et le multiculturalisme au Québec et en France suivie de l'Assemblée générale annuelle de l'association. Vraiment pas pour nous. Il nous proposait donc une virée dans le Petit-Paris, et nous serions de retour pour le buffet de clôture. J'ai déjà roulé dans le coin, Étienne, c'est pas très loin de l'Institut franco-japonais.

Nous étions à des années-lumière de la gestion à court et à moyen termes de la petite entreprise nippone, mais quel plaisir d'être là, entourée de tous ces experts amoureux du Québec et de la France. Je nous revoyais à Moscou deux ans plus tôt au colloque portant sur les défis de la Communauté européenne face à la nouvelle réalité russe. Aucun stress alors, quasiment les vacances ; nous n'étions qu'auditeurs, mais ce matin ! C'était bon

---

14. Association coréenne des études québécoises.

d'entendre parler de littérature québécoise au féminin, du régime alimentaire en Nouvelle-France et de l'apport des communautés britanniques après la Conquête, thé, cheddar et *gravy* devenu *tite sauce brune*, et quand Hiroshi a présenté Étienne avant de l'inviter à prendre place, le stylo en main et le bloc-notes ouvert, je me suis résolument mise en mode *totale écoute*. J'avais vu juste, il était épatant et particulièrement à l'aise avec son bidule. Le pointeur laser se promenait d'un clocher à l'autre, et j'ai ressenti un léger pincement quand il a projeté l'image de l'église Saint-Marc de Bagotville pour illustrer les débuts du courant moderniste. C'était l'après-guerre, les trente glorieuses, et personne n'aura su prévoir la chute imminente de cette Église catholique jusqu'alors si prospère.

Bagotville, ce sera toujours un quartier de ma ville aéroportuaire que je croyais si bien connaître, mais à l'instar des autres participants dont l'intérêt était manifeste, j'en apprenais encore. Que ce soit en ville ou dans un village, disait Étienne, et c'est surtout le cas dans les villages, l'église est érigée au centre de la vie communautaire et elle est toujours monumentale. Jusqu'à la fin des années 1960, les fabriques qui géraient ces temples s'en tiraient plutôt bien, mais aujourd'hui, trente-cinq ans plus tard, à la suite de la désaffection généralisée, ces monuments sont devenus obsolètes. À la grandeur du territoire, on assiste depuis plus d'une décennie à la fusion des fabriques, et toutes ces églises se sont transformées en problème de société. Qui doit s'en occuper, mais surtout, qui doit payer ?

La présentation ayant duré un peu plus d'une demi-heure, la période de questions fut écourtée et nous nous sommes tous retrouvés dans le hall de Liberty Tower. Chapeau, Étienne, lui ai-je glissé à l'oreille alors que ça parlementait autour de la liste des restos des environs, tu étais beau, crédible, c'était passionnant. Champion du bidule en plus! *Power Point* génial, laser précis, *Top Gun*! T'as changé pour vrai, toi, m'a-t-il marmonné en me regardant de travers.

Au cours de l'été, on avait mis la dernière main à un vaste programme de restauration du temple Yasukuni, et Hiroshi nous a proposé une visite des lieux avant de nous rendre dans le Petit-Paris. Nous ne pouvions rater ça, c'était réglé. Tous les deux du même âge, en début de carrière dans leur université respective et ayant appris à se connaître via courriels, ils étaient de connivence. Hiroshi occupait le siège avant du taxi, et il devait chaque fois se casser le cou pour s'adresser à l'un de nous deux.

La période de questions qu'on avait dû écourter se prolongeait dans le taxi, et Étienne a avancé que la monumentalité même des églises était le nœud du problème. S'il est vrai que cette monumentalité ostentatoire s'inscrit dans notre histoire architecturale, il faut surtout savoir qu'elle a un prix. Dans les villes et les villages, les églises sont souvent les seuls édifices dignes d'intérêt. Avec le temps, elles sont devenues des repères dans la trame urbaine. Même si la plupart sont fermées depuis très longtemps, les gens y tiennent. Mais voilà, ces temples ont été édifiés alors que l'Église était à son apogée. C'était l'époque où les curés prenaient beaucoup de place. Au cours des siècles, ces paroisses ont prospéré, se sont multipliées, se sont enrichies, particulièrement dans les villes industrielles qui ont essaimé un peu partout.

Maintenant, la donne a changé : les fidèles ont massivement déserté leurs églises. À la grandeur du territoire, des paroisses jadis prospères ont dû fusionner pour survivre, et ces nouvelles entités se retrouvent parfois avec quatre ou cinq temples. À l'heure où le concept de paroisse ne veut plus rien dire pour les moins de quarante ans, les coûts d'entretien grimpent en flèche. Tu vois le problème! C'est ainsi qu'on a dû démolir des chefs-d'œuvre d'architecture, puis on s'est mis à en reconvertir en musée ou en bibliothèque. Dans certains cas, on a choisi l'intégration architecturale, par exemple au cœur de l'ancien Quartier latin de Montréal où on a conservé le clocher de l'église Saint-Jacques et certains autres éléments pour les intégrer au pavillon Judith-Jasmin de l'UQÀM.

Étienne pigeait dans les deux bouquins qu'il avait publiés sur le sujet, et nous avions la chance d'assister à une conférence complémentaire à celle du matin. Tout s'est enclenché au début des années 1960 avec le concile Vatican II, disait-il, alors que le Québec était en pleine ébullition. À la grandeur du Québec, on se battait pour une école et des hôpitaux laïques, contre l'hégémonie de l'Église catholique romaine. C'est ce qu'on a appelé notre *Révolution tranquille*. La santé et l'éducation sont devenues des affaires d'État. En parallèle, les temples se sont graduellement vidés, mais ils sont toujours là. Ces églises-là sont nos plus beaux joyaux. Elles affirment toujours avec ostentation notre enracinement en Amérique du Nord, sauf que la société québécoise a bien changé. Le plus grand drame, Hiroshi, c'est la perte des savoir-faire que les artisans se transmettaient de père en fils : menuisiers, charpentiers, ébénistes, sculpteurs, plâtriers, vitraillistes, facteurs d'orgues, tailleurs de pierre.

C'est bien différent chez les protestants. On les retrouve surtout à Montréal et à Québec, là où les temples sont tout aussi ostenta-toires, mais ailleurs sur le territoire, on parle de sobriété. Mais en France? En France, Hiroshi, le problème est moins criant. Chez les catholiques, c'est la richesse et la force du nombre. Quant aux temples protestants, sauf exception, le problème de conservation est inexistant. Un expert l'a bien cerné cet hiver lors qu'un colloque : à la fin des guerres de religion, dans l'idée de passer inaperçus et de se fondre dans la masse, les protestants de France ne pouvaient se permettre, comme en Angleterre, d'ériger de magnifiques cathédrales gothiques conçues pour défier le Pape et écraser toute velléité papiste.

Les portières du taxi n'étaient pas encore refermées que le *torii* de vingt-cinq mètres du temple Yasukuni s'imposait déjà par sa sobriété... ou son ostentation? Après ce discours d'Étienne, je ne savais trop. En ce premier samedi d'octobre, nous avons franchi le grand *torii* pour avancer en silence dans cette vaste nef constituée de cyprès. La force de l'arbre, recueillement automatique, solitude en forêt, mais nous étions des centaines. Je ne suis pas *temple*, vraiment pas. Tout ça me laisse indifférente, même si je sais reconnaître la beauté d'un vitrail, d'un clocher, d'un minaret, d'une pagode et d'une colonnade. Quelle que soit la latitude, peu importe la croyance qui l'aura inspiré, le temple sera toujours d'une édifiante beauté, sauf que pour employer la formule du père d'Étienne, disons que moi, je suis le pur produit d'une certaine révolution. Je me souviendrai toujours de cette vérité qu'il a doctement proférée lorsque nous étions allés lui rendre visite. Les grandes religions monothéistes ont été créées par l'homme dans le double but de mater la puissance des femmes et de contrôler leur sexe, disait-il, et le comble du machisme revient au dogme de l'Immaculée Conception. Tout à fait d'accord, beau-père! Suffit d'ouvrir les yeux pour voir ce qui se passe sur cette planète.

Nous sommes restés longtemps devant le temple Yasukuni. Encouragé par Étienne, Hiroshi s'amusait à relever certains détails de construction, une colonne, la courbure d'une pagode. Contrairement à ce temple-ci et à quelques autres classés monuments nationaux, pour une raison ou pour une autre, certains finissaient par sombrer dans l'oubli et tomber en ruine sans qu'on s'en offusque ou qu'on en fasse un drame. J'entendais parfaitement leur discours de professionnels, mais je songeais à toi, papa. En compagnie d'Atsushi, n'étais-je pas allée me recueillir un mois plus tôt devant un temple bouddhiste pour souligner l'anniversaire de ta mort? Je méditais devant ce magnifique temple comme j'avais pu le faire l'année précédente au cimetière communautaire où maman avait enterré tes cendres. Le *cours* terminé, ils ont fini par se recueillir à leur tour alors que je sortais justement de ma bulle.

Un peu plus tard, nous arpentions une rue en pente douce du Petit-Paris sans trop savoir ce que nous faisions là quand Hiroshi nous a entraînés dans un café où ils ont repris le fil de leur conversation. Temple bouddhiste, cathédrale gothique, minaret et mosquée, synagogue new yorkaise; tout y passait. C'était en train de devenir rasant quand ils ont bifurqué sur leur campus respectif et leur vie de professeur. Parfait, les gars! Il était temps, vous étiez sur le point de me perdre, sauf que sur une minuscule terrasse située un peu plus haut, en réponse à une question d'Étienne, Hiroshi est revenu à la charge. Chez les bouddhistes, a-t-il affirmé, le temple en lui-même est souvent de peu d'importance; il n'est que la résidence d'un ou de plusieurs moines. Pas de nefs monumentales. Rien de tout ça. S'il n'y a pas de relève dans un village, si tel ou tel quartier se redéfinit pour une raison ou pour une autre, c'est terminé, on passe à autre chose. Ce qui compte, c'est le savoir-faire des artisans. Je vois, a admis Étienne, mais dis-moi, Hiroshi, vivons-nous sur la même planète? J'ai songé à ce que Nao m'avait confié au cours de l'été. En plus d'être forestier, son père construisait des meubles et des maisons, principalement à Tokyo, mais aussi des temples, à la grandeur du territoire.

Dans le taxi du retour, c'est maintenant de baseball qu'ils parlaient. Toute à mon observation du quartier, je les laissais s'étendre sur les clichés du sport. Ça allait de la nomenclature des équipes aux grandes vedettes, aux joueurs japonais qui commençaient à percer un peu partout à la grandeur de l'Amérique, sur la côte Est comme sur la côte Ouest, et j'ai pu constater au fil des hésitations de l'un et de l'autre qu'Hiroshi était beaucoup plus calé qu'Étienne en la matière.

Sur Sotobori Dori, pas très loin de l'Institut franco-japonais, Hiroshi a pointé sur notre gauche le monumental Tokyo Dome – monumental et ostentatoire, temple ou stade, église ou aréna ; ça me disait quelque chose –, et il s'est attardé un peu plus longuement sur le complexe hôtelier et le parc d'amusement. Le stade de ses Giants. Il y aurait une partie en soirée et les fans occupaient déjà toute la largeur des trottoirs aux feux de circulation. Nous étions à l'arrêt, le chauffeur était toujours aussi impassible, et mes deux experts hésitaient encore. Cleveland ou Baltimore, laquelle était laquelle ? Ça bloquait la discussion. Géographique, cartographique, topographique, je suis. Sortant du coma, j'ai fouillé dans mon sac pour aller aux sources sur le Web. Aux dernières nouvelles, messieurs, nous avons toujours dans l'État du Maryland les Orioles de Baltimore, et en Ohio, beaucoup plus au nord, sur le lac Érié, les Indians de Cleveland. *Hug!* C'était pertinent, ils étaient interdits. Merde ! Interdit de fumer, ai-je décodé sur le pictogramme, et ce fut bien malheureux.

19
MEGURO

La première image à se cristalliser fut celle de mon melon sur la table basse. Oui, je savais, chez Nao, chambre d'ami. Lendemain de veille, dimanche matin. Ou bien dimanche après-midi? Posés à plat sur le bureau, d'épais dossiers. Ordinateur de table, recueils de lois alignés sur les rayons de la bibliothèque. Fenêtre ouvrant sur un édifice rapproché, mais quelle heure est-il? Légers chocs de porcelaine. Nao s'affairait dans la cuisinette. À peine audible, une musique traditionnelle semblable à celle entendue la veille au resto de son ami. Il était temps de se lever. J'ai enfilé ma robe que j'avais laissée sur le dossier de la chaise.

Hello! Vêtue d'un long t-shirt aux fines rayures qui venait sans aucun doute de chez *Uniqlo*, elle a levé les yeux : bonjour, a-t-elle prononcé dans un français joliment accentué. Pour accompagner les croissants qu'elle venait de disposer dans une assiette, il y avait l'essentiel du parfait petit-déjeuner en ville sur napperons bleus. Sur le comptoir traînait toujours un mot qu'elle avait pris soin de me laisser au cas où avant de descendre à la pâtisserie. Cappuccino ou café au lait? a-t-elle proposé. Laisse, ai-je ordonné en lui retirant des mains le sac de café, je m'en occupe.

Maintenant désœuvrée, les bras croisés et le sourire aux lèvres, elle s'amusait de me voir m'activer comme une pro. Je me sentais bien dans cet appartement lumineux au luxe discret. Espace calculé au centimètre près, électroménagers high-tech, aucun rapport avec mon studio de Sangenjaya. Une note de *koto* de temps à autre, minimaliste. Dans un état second, je lui ai préparé son café au lait dans un bol aux motifs provençaux jaunes et bleus, prenant la peine de rehausser la mousse d'un soupçon de cannelle. Voilà ! De toute beauté chez toi, lui ai-je accordé alors que je préparais maintenant le mien, et puis cette table, elle est magnifique ! Dire que je n'ai rien vu ce matin !

En fait, j'avais bien vu, mais sans vraiment m'y arrêter, alors que là, sous cette lumière diffusée par un module de blocs de verre, elle était digne d'un musée d'art contemporain. La strate massive de quatre centimètres faisait bien deux mètres de long sur un peu moins d'un mètre de largeur. Avec ses bancs latéraux eux aussi un peu plus bas que le standard occidental, elle dégageait une telle légèreté. Était-ce le grain du bois, les anneaux de croissance ou bien le fait qu'on avait mis en évidence les inégalités du tronc dans sa longueur plutôt que de se contenter de tracer une coupe droite ? Avec un tronc d'une telle envergure, cet arbre-là était sans aucun doute plus que centenaire.

Posant mon bol sur la soucoupe, j'ai pris place devant elle et je me suis attardée à caresser du bout des doigts les courbes satinées. C'est d'une sensualité, non ? Elle a acquiescé dans un bel éclat de rire. Cette œuvre d'art sortait d'une manufacture appartenant à son père, et on la lui avait livrée quelques semaines plus tôt. Viens voir, m'a-t-elle intimé en s'agenouillant. Marquée au poinçon pirograveur, il y avait, sous la table, toute l'information. Elle a traduit : cyprès, 290 ans. Abattu le 11 octobre 1992, préfecture de Gifu, tel lot, longitude et latitude. Débité le 15 mars 2000. Montage achevé le 6 juin 2003. Mes hommages à ton père, ai-je articulé, la traçabilité jusque dans l'industrie du meuble, c'est ce qu'on appelle respecter la forêt. Un peu shinto, non ?

Oui, a-t-elle avoué alors que nous parlions plus tard d'appartement en ville et de maison à la campagne, de séjours à l'étranger et de perspectives d'avenir, oui, ma carrière est prometteuse. Elle en était bien consciente, mais tout de même. Ses parents étaient derrière elle, sinon elle n'aurait jamais pu se payer un pareil appartement. Deux ans plus tôt, son père avait profité de la fin de ses études en Colombie-Britannique pour acheter ce studio très bien situé, à mi-chemin entre les stations Meguro et Ebisu. C'est une question d'investissement, avait-il avancé pour ne pas trop heurter la *nouvelle indépendance* de sa fille. Trop heureuse de se retrouver enfin chez elle après avoir passé deux ans dans une chambre de campus, elle ne s'était pas objectée, et il lorgnait maintenant un terrain du côté de Suginami pour y ériger une autre maison modèle. Celle-ci serait essentiellement construite pour elle. Ce serait sa deuxième à Tokyo, mais elle serait beaucoup mieux située que la première érigée quelques années plus tôt tout près de la station Shin-Kiba. Avec cette nouvelle maison, il accroîtrait la visibilité de son entreprise tout en se rapprochant de sa clientèle.

Forestier, propriétaire d'une scierie à Gifu, constructeur de temples et d'habitations tout bois, fabricant de meubles ; c'était la prospérité. Toute une vie consacrée à la passion du bois. Investissement vertical pour le marché intérieur, me disais-je alors que Nao en était à la nomenclature de ses réalisations. Investissement vertical, comme deux de mes clients : pêche en haute mer et filière de transformation pour l'un, culture de fraises en serre et confection de tartelettes pour une chaîne de restaurants pour l'autre. Sous les exhortations de son épouse, il laissait Nao entièrement libre dans ses choix de carrière – à moins de trente ans, n'était-elle pas déjà avocate dans une prestigieuse étude de la capitale ? –, mais dans ses plus beaux rêves, c'est sa fille unique qu'il voyait un jour prendre sa relève. Tout à fait légitime, disait-elle, d'autant plus que son bilinguisme et sa formation en droit des affaires la rendaient pour ainsi dire incontournable.

La maison de Shin-Kiba est vraiment bien, tu sais, construite sur deux étages, avec comme ici des électroménagers et la salle de bains haut de gamme, la literie et tout l'équipement. Le seul problème, c'est qu'elle est située au sud-est, dans le *no man's land* portuaire, sur des terrains gagnés sur la mer et juste en face de l'atelier. À deux minutes de la gare et de la station de métro, c'est bien, mais elle est un peu perdue dans cette partie du port consacrée essentiellement aux activités relatives au bois. Déroulant sa serviette humide, elle a ajouté que nous pourrions aller la visiter un de ces quatre, disons avant la fin de l'été ? Si elle me plaisait, son père serait heureux de me prêter les clés pour toute la durée du séjour d'Étienne.

Ce n'était pas rien comme proposition. C'était d'une belle générosité, et si je m'étais écoutée, j'aurais accepté sur-le-champ. C'est plus que gentil, me suis-je contentée de dire, c'est sûr que je veux voir. C'est quand tu voudras, Nao, aussi tôt que la semaine prochaine, si tu veux, mais dis-moi, cette musique qu'on distingue à peine, ce ne serait pas celle qu'il y avait hier chez ton ami ? J'étais tombée pile. Takeo lui avait offert une copie de cette trame sonore qu'il avait longuement travaillée pour ajouter à l'ambiance de son resto. Eh bien, ai-je songé sans oser l'affirmer, le timide garçon de Gifu ferait-il déjà partie des plans d'avenir de la fille du forestier ? Pourquoi pas. Je les voyais parfaitement : deux vieilles âmes bien assorties, mais je n'ai pas ressenti le besoin de vérifier.

Elle travaillait le lendemain, moi de même, mais j'ai accepté son offre d'un deuxième café. Après avoir tout rangé, nous nous sommes installées dans les causeuses avec vue sur les gratte-ciel de Shibuya. C'était le moment choisi pour m'annoncer la chose : au cours de la semaine, elle avait contacté son maître du *shibari*, et il était ouvert à une initiation. Je suis restée sans mots. C'était donc aussi simple que ça ! Il pouvait nous accueillir dans son studio, si possible le mardi ou le mercredi, quartier Asakusa, pas très loin de la station du même nom et des rives de la Sumida. Comme elle lui avait spécifié que je travaillais dans une banque, il lui avait proposé un *Office Lady Shibari*.

Ne t'inquiète pas, a-t-elle précisé en toute connaissance de cause, il sait y faire. Il est très attentionné, très à l'écoute. C'est à la fois sensuel et pas trop déstabilisant. *Office Lady Shibari*, ça veut dire que tu choisis des vêtements et des souliers que tu ne portes plus. Un costume trois pièces, par exemple, je sais que tu en as de très beaux. Escarpins, nylons à motifs, chemisier de ton choix, tu en as aussi de très beaux. Cravate ou nœud papillon, si possible des boutons de manchette. Ça tient dans un sac, tu t'habilles sur place. Ça dure près de trois heures, et si tu le veux, pour un surplus de 10 000 ¥, son épouse prend des photos. Après la séance, je t'emmène dans un petit bar jazzé des environs. Vendu, ai-je tranché, mais pas avant deux ou trois semaines.

J'étais sur une autre planète, elle était particulièrement souriante, j'étais prête à tout. J'enfilais plus tard mes bottillons lorsqu'elle s'est soudain éclipsée dans la chambre d'ami. J'ai compris quand elle est revenue avec le colifichet et mon melon qu'elle tenait à deux mains au niveau des épaules. Légère hésitation, puis elle s'est approchée pour me le poser sur la tête et chercher l'angle parfait. Super, a-t-elle convenu en m'entraînant devant le miroir. *Hola*! Vrai que c'était bien. Vrai aussi que nous étions pas mal, comme ça, côte à côte. Au son du *koto* et du *shamisen* millénaires, nous nous sommes amusées à nous effleurer les tempes, le front, les sourcils. Bouche contre bouche, je l'ai doucement plaquée contre le mur. Je lui aurais bien relevé le t-shirt mais fallait partir… et vite. Ne pas coller outre mesure, me répétais-je, ne pas se coller outre mesure. *Office Lady Shibari* chez un grand maître en compagnie de Nao. Tout de même, quand je suis montée dans le bus, j'avais le melon léger.

20

YAMASHITA

Je veux bien croire que la gestion des déchets soit ici compliquée pour le commun des mortels, mais quand même, nous
ne sommes plus des enfants! Vrai qu'il y a un jour précis pour le
burnable, qu'on doit surtout savoir ce qui entre et ce qui n'entre
pas dans cette catégorie *burnable*. Vrai qu'il y a d'autres jours
consacrés à la récup, cette fois-ci toutes les deux ou trois semaines,
selon que ce soit du papier, du métal ou du plastique; vrai qu'on
doit trier, qu'il ne faut pas mettre n'importe quoi n'importe où
n'importe comment dans ce plastique. Bref, plein de trucs
comme ça. On est en droit de se poser des questions, mais il y
aura toujours l'affiche bien en vue sur le frigo, avec des illustra-
tions et des pictogrammes pour mieux saisir certaines subtilités.
Très bien, sauf que ça semble trop compliqué pour nous, les tarés
de Casa Aregle venus de la planète J'AIME MES ORDURES, je suppose,
pauvres imbéciles que nous sommes dans nos continents Europe,
Afrique, Amérique, Australie, *whatever!*

Peut-être compliqué tout ça, me suis-je dit ce mercredi-là au
retour de mon *parc du premier café*, mais ce n'est pas une raison
pour que notre coin des venus d'ailleurs soit la honte du quartier.
Ça m'a sauté en plein visage. Non mais quelle soue! Mine de
rien, j'ai jeté un œil sur les terrains de nos voisins, tous impeccables
de propreté, mais chez nous, quelle misère, quasiment le tiers-
monde. Baguettes de bois, cannettes et plastique jetés pêle-mêle;
circulaires roulés en vrac dans le conteneur du *burnable*, pas

même foutu de rabattre le couvercle ; un peu partout du carton, des bouteilles, des bouchons et des bouts de papier de toutes les couleurs ; mégots de cigarettes jusque dans les plates-bandes et dans la haie. Non mais, quelle bande de barbares ! Honte à nous, *shame on us !* À renier l'Occident et ses valeurs, à vomir sur cet Occident qui ose s'afficher comme vecteur de civilisation.

Allons, me dira-t-on, faut pas exagérer, faut pas s'inquiéter pour si peu, c'est pas si grave. Elle est anecdotique et sans intérêt, ton histoire de poubelles. Un brin démago aussi, ton discours. Peut-être bien, mais tout de même. Dépitée, je songeais à cette anecdote qui m'avait bien amusée. Je ne me souviens plus du roman, de l'essai ou du journal en question. On y lisait qu'à l'époque du comptoir hollandais, du dix-septième siècle au dix-neuvième, les gens de Nagasaki poussaient un soupir chaque fois que les Hollandais se rendaient dans la capitale Kyoto pour raison d'affaires, soulagés de voir les mouches se fondre dans leur sillage. Mépris de l'étranger, peut-être, mais qui en dit long sur l'hygiène des uns et des autres.

Dès mon arrivée dans le quartier, tout comme à Nottingham, j'avais adopté les coutumes locales. Depuis maintenant près de deux mois, je profitais chaque jour des bienfaits de ce communautarisme qui devient palpable quand on prend la peine de s'enfoncer dans le réseau labyrinthique de venelles. Ma décision était donc prise : j'allais agir. Je n'ai plus rien à attendre de ces tarés, me suis-je dit, et si par hasard l'un d'eux me voit en train de ramasser sa merde, il aura eu beau lever le nez, rire dans mon dos ou râler son mépris dans son dialecte, je me ferai ce grand plaisir de lui lever le doigt. Par respect pour mes voisins, je me suis donc munie de sacs pour amorcer le grand ménage autour de la haie et du conteneur. Un pour le plastique, un autre pour le papier, un troisième pour les cannettes et un dernier pour le *burnable*. Tellement simple, si facile à trier, pas éreintant pour deux sous, et moins d'une heure plus tard, je ne reconnaissais plus l'endroit. Eh bien, le coin des *gaijins* ne jurait plus dans le décor, nous étions comme par magie devenus de véritables communautaristes.

Fière représentante d'une *toute petite civilisation* perdue au nord des USA, j'ai déposé les sacs aux bons endroits, laissé tomber celui du *burnable* dans le conteneur et rabattu le couvercle. J'étais mûre pour me laver les mains, et quand je suis revenue dans le stationnement pour en griller une sous le ciel sans nuage – elle était méritée, n'est-ce pas, cette clope démonisée en vos contrées tellement civilisées –, j'ai posé un regard de contentement sur la haie d'un vert profond. En face, une dame étendait des vêtements sur le réseau de cordes tendues à proximité d'une vieille Mercedes, chemises et t-shirts. Dans sa façon de travailler toute en douceur, d'étendre en tenant compte de la taille et de la couleur, elle m'a rappelé maman. Ne pas oublier de laisser tout à l'heure mes effets à la blanchisserie, me suis-je dit.

Elle était située un peu plus bas, en direction de la voie piétonne et cyclable. C'était décidé depuis la veille : après avoir déposé mes vêtements, j'allais emprunter cette voie tranquille pour aller déjeuner dans les environs de la station Sangenjaya, si possible dans un resto que je ne connaissais pas encore. Je comptais bien monter plus tard dans le tram de la ligne Setagaya pour me rendre à la station Yamashita, et de là, pourquoi ne pas aller fureter encore plus à l'ouest. J'avais toute la journée, et je pourrais me payer un *katsudon* quelque part dans le coin pour revenir en début de soirée.

J'ai éteint ma cigarette le cœur léger et je refermais d'un coup de pouce mon cendrier de poche quand la dame que j'avais pour un instant oubliée a délaissé ses chemises pour s'avancer d'un pas. Elle m'a alors adressé un sourire. Ça, me suis-je dit en inclinant le torse, c'est beaucoup plus qu'un simple sourire. Plutôt le lumineux visage d'une mère fière de sa fille, et sans plus attendre, j'ai exprimé d'un petit geste de la main mon plaisir d'être là. À ma grande surprise, elle a elle aussi incliné le torse pour ouvrir les bras en direction de la haie et du conteneur. Message reçu, chère voisine, très bien reçu. Sous le coup de l'émotion, je ne savais plus où me mettre ni comment réagir, je me suis contentée de joindre les mains au niveau du menton. Il était temps d'aller prendre ma douche. Encore sous le coup de l'émotion, je revoyais la scène en boucle en retirant plus tard mes chemisiers de la malle à linge, avec méthode, vérifiant pour chacun l'état du col et des manchettes. Tous de marque *Uniqlo, Cecile* ou *CorLeonis*; portait-elle les mêmes? En tout cas, j'avais pu voir sur sa corde à peu près les mêmes teintes. Moi, c'était trois blancs, des bleus, unis ou à fines rayures, bourgogne. Huit en tout, plus un costume anthracite.

Sur place, je n'ai eu qu'à déposer le tout en vrac sur le comptoir. Mes coordonnées étant déjà dans le gestionnaire, la jeune employée m'a vite tendu mon ticket. J'aimais bien l'endroit, et depuis peu, la propriétaire prenait plaisir à exercer son anglais. Un idiome pour chaque semaine, et il m'arrivait de tenter une formule en japonais. Ce matin-là, la patronne s'est montrée plus volubile que de coutume, et j'aurai appris qu'elle était de mon âge et qu'elle avait pris la relève de sa mère un an plus tôt. J'en ai profité pour l'initier au Canada et au Québec dont, bien évidemment, elle n'avait jamais entendu parler. *Also speak French in Canada, you know, and Montreal is a sweet City. Your name is Sakiko from Tokyo.* Maintenant, c'était à elle d'y aller : *your name is Johanna from Canada.*

Yes, Sakiko! And now, please, listen to me : watashi wa joana to môshi-masu. Bien, ce n'était pas si mal, et la jeune fille qui préparait une brassée de chemises riait tout autant que nous, mais peut-être aussi riait-elle de nous? Bonheur de femmes à la blanchisserie. Au pays de la chemise blanche immaculée, il y en avait partout, partout, partout, en raison de la proximité de trois ou quatre lycées. Je ne le lui avouerai jamais, on ne dit jamais à un commerçant que ses prix sont trop bas, mais un peu plus de vingt dollars pour le tout, c'était deux fois moins cher qu'à Montréal! Pas de quoi écrire un haïku, dirait Étienne en bon défenseur du prolétaire qu'il sera toujours, mais je l'entends déjà proclamer qu'en ce pays maniaque de la propreté, voilà le juste prix pour un service essentiel.

J'ai finalement trouvé un tout nouveau café à deux pas de la station, et j'ai choisi la terrasse délimitée par des arbustes en pot. Quatre tables, pas une de plus. Une rareté, la terrasse à Tokyo, malgré un climat idéal. Manque d'espace, sans doute. Faudra poser la question à Nao. Un jeune homme au tablier bourgogne est rapidement venu prendre ma commande. Dans l'attente de mon bol de café et d'un croissant, un œil sur les piétons et les cyclistes, je songeais à ma voisine et à sa corde à linge bien ordonnée, je jonglais surtout avec les syllabes. Quasiment du sudoku, le haïku, je l'ai déjà dit.

brise irisée
javel dans la venelle
calme et propreté

Mon bol de café prenait tout le soleil, j'étais en vacances, je serais restée là toute la journée. J'ai dû me faire violence pour quitter l'endroit et monter dans le tram de la ligne Setagaya, sauf que toute la matinée, descendant sur un coup de tête et remontant quand bon me semblait, j'ai erré dans ces quartiers populaires jusqu'alors inconnus pour m'enfoncer toujours un peu plus dans le labyrinthe. Le *katsudon* que je me suis payé en fin d'après-midi dans un resto familial était un pur bonheur, et à mon retour vers 19 h, il n'y avait plus rien sur la corde de ma voisine.

Je m'apprêtais à sortir mes clés lorsque quelqu'un m'a hélée. *Hello! Hola!* Je me suis retournée. Je n'avais jamais vu cette femme qui s'amenait avec ses deux sacs aux couleurs du *Lawson*. Présentations d'usage dans le stationnement : Ingrid et Johanna. Elle habitait Casa Aregle B depuis une semaine. Suédoise, maîtrise en arts visuels, vingt-trois ans, cinq de moins que moi, elle était à Tokyo jusqu'à la fin juin. Aïe, aïe, aïe! Mousson, mousson, mousson! Ce n'était pas de mes affaires et je me suis bien gardée de lui en glisser un mot. Peut-être était-ce voulu. Échange de cartes, moi de la Citi, elle d'une galerie d'art ayant pignon sur rue à Uppsala. Si elle m'avait hélée, c'est qu'elle voulait savoir si j'allais être là vendredi soir, à Ikebukuro, au dîner organisé par l'équipe de *Sakura House* pour les locataires étrangers. J'avais bien reçu le courriel d'invitation, mais non, ai-je déclaré, je n'ai vraiment pas le temps.

Elle avait déjà attrapé ses sacs pour s'en retourner un brin déçue vers son studio quand elle s'est retournée pour me demander si j'avais un compte *Facebook*. Histoire de ne pas trop la décevoir, je me suis forgé le plus beau des sourires pour lui répondre par la négative. Mais il était sincère, mon *sourire forgé*, sans arrière-pensée. Elle était gentille, Ingrid, fraîche et d'un rare entregent, et puis comme tous ceux et celles des arts visuels que je connais, elle me semblait être de cette folie décapante qui donne de l'air à la gestionnaire que je suis.

Un tête-à-tête au Globe, pourquoi pas. Un simple mot sur la porte ou un courriel, et c'est bouclé. Mais non, incapable de supporter le grégarisme des *perdus au bout du monde*. Ça me tue. Encore moins *Facebook*. Belle invention, mais si je m'y investissais pour la peine, si j'y passais mes soirées, me resterait-il seulement du temps pour lire? Où trouverais-je celui d'écrire?

> j'y suis moi aussi
> tu entres dans ma bulle
> où donc allons-nous

21
ASAKUSA

M e croirais-tu, Johanna, si je disais que j'aurai fait deux ans
de droit au Canada pour une question de sexe ? Oh là !
ai-je sifflé, ça me semble un peu fou, mais pourquoi pas. Je crois
surtout que tu es capable de bien belles choses. Délectation,
libertinages et petites perversions, ça peut vous mener loin. Au
Hub British Pub d'Asakusa, c'était le bric-à-brac sur la table : verres,
cendrier aux mégots écrasés, effets personnels étalés n'importe
comment. Investie que j'étais dans la recherche du paquet de
Peace que je venais tout juste d'acheter au *7 Eleven* d'à côté, je lui
adressais maintenant un regard oblique, perplexe, scrutateur,
puis elle a rompu le silence pour ajouter que la situation était
alors si tendue que, de l'avis de son père, c'était devenu une question
de vie ou de mort. J'ai marqué un temps d'arrêt : alors là, c'est du
sérieux.

Nous venions de passer plus de trois heures dans l'antre du
maître, et nous en étions à notre deuxième pinte de Kirin. Ça
parlait de sexe, évidemment, de fétichisme et d'autres violences,
et comme pour combler un trou alors que je fouillais dans mon
sac, elle m'avait envoyé ce pavé : entreprendre des études de droit
au Canada pour une question de sexe. Le sexe ! On ne s'en sorti-
rait donc jamais. Dire qu'une heure plus tôt, dans l'idée de combler ce désir irrépressible de toujours m'aventurer un peu plus
loin dans la sensualité hors normes, je jouais le rôle de la femme

fragilisée entre les mains du maître. Le rôle d'objet fragilisé, devrais-je dire, n'ayons pas peur des mots.

Mardi soir, des images plein la tête, nous décantions ce qu'il fallait bien décanter, en toute amitié, en toute confiance, et le plaisir était grand d'être ensemble dans ce pub parce que je n'entrais pas au boulot le lendemain. Le corps en état de plénitude avancée, je ne remettais pas en cause les paroles de Nao, bien au contraire, mais il m'aura fallu un peu de temps pour en admettre l'énormité. J'ai finalement trouvé mon paquet de cigarettes sous deux cravates entremêlées et mon nœud papillon. Je lui en ai offert une qu'elle a refusée. J'ai pris le temps d'allumer la mienne, puis j'ai posé mon briquet : allez, Nao, j'écoute.

Sur la scène basse, la saxophoniste au t-shirt noir et aux cheveux grisonnants présentait la prochaine pièce qui nous mènerait tout droit au Brésil, et je suis arrivée à saisir quelques mots. Excellente idée, avait eue Nao de venir décompresser en un pareil endroit. Le pub pouvait à vue d'œil accueillir tout au plus quatre-vingts personnes, mais quelle chance inouïe, c'était à moitié vide. Clientèle du mardi soir portée sur la discussion, le quartet nous déclinait en sourdine des standards. Voilà un bel endroit à faire découvrir cet automne à Étienne, m'étais-je dit dès notre arrivée quand j'avais laissé à Nao le soin de choisir une table. Ce pub était dans le plus pur style du *Bistro Victoria* qu'Étienne avait assidûment fréquenté lorsqu'il était venu écrire son premier roman à Port-Alfred, mais en beaucoup plus raffiné.

Tu veux vraiment tout savoir ? m'a-t-elle demandé pour vérifier mon degré d'intérêt. Et comment, si je veux savoir ! Je ne demande qu'à tout savoir de toi ! Alors voilà, a-t-elle chuchoté en se forgeant un sourire : si j'ai parlé de vie ou de mort, c'est que c'était vrai, et si j'ai réussi à me sortir de cet enfer – parce que c'était réellement le cas –, c'est grâce à mon père. C'est grâce à ses contacts, à sa perspicacité, et il aura pris les grands moyens pour me tirer de là. J'étais devenue zombie, Johanna, je n'étais plus là, je n'allais plus nulle part. C'est lui qui m'a sauvée, mais j'avoue que c'est le grand maître que tu as rencontré ce soir qui m'a le plus aidée, mais d'une façon différente, disons plus incisive. Lui, à la différence de mon père, il avait vécu cet enfer de l'intérieur. Très bien, Nao, mais encore...

Attends, j'y arrive. C'est un être extraordinaire, son épouse aussi, tu peux me croire. Ça s'est passé ici même quand j'ai décidé un bon soir de leur raconter mon histoire, de A à Z, et tu sais ce qu'il m'a dit ? Nao-san, si tu veux te réaliser dans ta plénitude, si tu veux conserver cet équilibre que je sens encore bien fragile, cultive les images de ton enfance, je sais qu'elle a été heureuse, tu nous en as parlé si souvent, mais surtout, choisis bien tes amis. Ainsi, la spirale délétère des stups n'aura plus jamais d'emprise sur toi. Ton père avait raison, Nao : ton histoire aurait pu se terminer d'une façon extrêmement violente. Ces gens-là ne font pas de quartier, tu peux me croire. Remercie ton père et ta mère qui se sont montrés attentifs et compréhensifs. Ils avaient les moyens de te sortir de là, Nao ; ce n'est pas donné à toutes les filles.

Paroles de maître du *shibari* ! Fallait-il en rire ou en pleurer ? La confession de Nao était pour le moins déroutante. Ça me donnait le vertige ; j'étais sur le point de la mettre en garde. SOS police ! Nier les stups, très bien, fuir les *yakuzas* et choisir ses amis, magnifique mais encore. Je me voyais le torse ligoté par le maître sous le regard de son épouse qui prenait des clichés en rafale. De plus en plus serrée au niveau des seins, de temps à autre une syllabe dans les basses fréquences que Nao me traduisait sur le même ton. Craintive au départ, à des années-lumière du fétichisme que Julie et moi avions exploité, j'avais fini par me détendre. Je l'avais laissé *travailler* en professionnel et puis oui, j'avais aimé. J'avais particulièrement apprécié cette expérience toute en finesse, mais ça tenait à quoi ? Déjà lu quelque part qu'entre individus issus de cultures différentes – pour simplifier, entre l'Orient et l'Occident, mais ce pourrait tout aussi bien être entre différentes religions –, s'il est facile d'échanger des notions scientifiques, il en va tout autrement quand vient le temps de passer aux concepts philosophiques. Le *shibari*, sordidité occidentale devenue art en Orient. L'Asie est une sexe-planète que j'aime explorer à petites doses, mais le maître de *shibari* et son épouse photographe : véritables amis ou couple infernal ? Amis, a-t-elle chuchoté pour me rassurer, tu peux me croire. Tu as remarqué, Johanna, qu'elle n'est jamais sortie du local et qu'elle a insisté pour que tu voies bien sa caméra quand elle t'a rendu la carte mémoire. Aujourd'hui, je suis heureuse de leur avoir accordé ma confiance, et leur site est tout ce qu'il y a de plus légal. Approche, m'a-t-elle intimé alors qu'elle surfait déjà dans ses favoris.

La page ouverte, elle a cliqué sur chacune des rubriques, et puis oui, c'était bien. Nous étions beaucoup plus ici dans l'art du nœud que dans le kitsch et l'extrême vulgarité des sites de bondage opérés en Europe et en Amérique par et pour les fétichistes du cuir. L'honorabilité du couple d'amis étant désormais acquise, elle s'est mise à me raconter son histoire dans le détail. Débarquée à Tokyo à dix-huit ans, provinciale dans cette capitale de tous les excès, elle n'étudiait pas dans une grande université, mais la vie de campus étant ce qu'elle est… Au début, c'était bien. C'était festif et exaltant, ces virées du samedi soir entre amis de toutes les provinces connus à la résidence. Ça se passait du côté de Shibuya et de Shinjuku, mais assez rapidement, après quelques week-ends sans trop d'excès, à la suite de quelques accros qui voulaient vivre quelque chose de plus intense, elle s'était transportée un peu plus vers le nord, dans le quartier chaud d'Ikebukuro. C'est là que ça s'était corsé et que la spirale s'était enclenchée. Alcool, ecstasy, amphétamines, coke, héroïne. Tu vois le genre ? Évidemment que je voyais, ma pauvre Nao.

En moins d'un an, la fille à papa était devenue cette jeune et trop belle universitaire à la dérive qui ne trouve plus aucun intérêt au droit constitutionnel et qui prenait plaisir à sécher ses cours pour s'investir en des jeux de rôle hautement dangereux mais tellement lucratifs. *Golden shower* et *bukkake* dans les rôles de geisha, d'*Office Lady* et de *schoolgirl*. Ça demandait une bonne dose d'abnégation et de courage, elle en avait, puis elle était passée très vite au SM *hardcore*. Viol et torture *sous consentement* peut-être bien, mais d'une telle violence, et des séances de plus en plus *hard* et douloureuses qui ne suffisaient même plus à payer sa dope. Piège infernal, les dealers devenaient nerveux. Intoxiquée, les veines éclatées, perdue dans ma tête et dans mon corps, je croulais sous les dettes, ma descente aux enfers aura été rapide. Moins de six mois, Johanna, mais j'ai eu la chance d'avoir un père perspicace.

Chaque fois qu'il venait en ville pour la conduite de ses affaires, il passait voir sa fille. Un courriel et c'était réglé. C'était bien, il était fier de la voir se débrouiller si facilement dans cette ville tentaculaire qui lui donnait toujours le vertige. Lorsque son épouse l'accompagnait, c'était encore mieux : dîners dans les grands restaurants pour casser la rigueur et l'austérité de la cafétéria. Si tout l'automne ils n'y avaient vu que du feu, ce fut bien différent en février lorsque son père était tombé par hasard sur le bulletin de notes qui traînait tout près de son ordinateur. Longue période de questions sans réponses, atmosphère à couper au couteau, sa fille unique se dirigeait tout droit vers l'échec. Après de vaines tentatives pour nier l'évidence, elle avait fini par craquer en relevant rageusement les manches de son chemisier, et il avait pu voir l'état pitoyable de ses avant-bras. Les yeux exorbités, incapable du moindre mot, il était tombé de haut. Le visage décomposé, il s'était mis à tourner comme un dingue dans cette chambre exiguë avant de s'aplatir la face contre la fenêtre, les lumières de cette capitale en perdition venues le narguer jusque sur ce campus si tranquille. T'as vu tes bras, criait-il plus tard en la secouant comme un bout de chiffon, c'est une question de vie ou de mort, Nao, tu m'entends, une question de vie ou de mort.

Sans plus attendre, il aura tout mis en œuvre pour la sortir de là. Dans un premier temps, il avait embauché un détective, histoire de régler au plus vite la question monétaire : prenez ça, jeune homme, et dites-leur d'oublier cette fille. Pour le reste, ça pourrait se résumer par une totale prise de contrôle. C'était bien fini, les études à Tokyo. Plus question d'y remettre les pieds. On va te sortir de là, ta mère et moi, et avant toute chose, on va te mettre en sevrage, au village, n'importe où, mais loin d'ici, et si tout va bien, tu entreprends en août prochain des études au Canada. Oui, tu m'as bien compris, des études au Canada, dans une université anglo-saxonne, là où tu auras la chance d'apprendre l'anglais, là où on te suivra partout à la trace. Sur tous les campus, il y a des professionnels pour ça. Il suffit de payer, nous allons payer. Bref, la seule liberté qu'on lui aura consentie, sa mère y avait tenu, ce fut le choix de la faculté. Elle pouvait continuer en droit ou bien s'investir dans un autre champ d'études. J'ai choisi de continuer en droit, a-t-elle conclu, mais cette fois en droit des affaires, et je ne le regrette absolument pas. Sinon, tu te rends compte, nous ne nous serions jamais rencontrées. Voilà, c'est mon histoire.

Et quelle histoire, Nao ! Selon ma lecture toute personnelle, lui ai-je lancé, tu viens ce soir de passer d'un Murakami à l'autre. Elle est restée sans mots, je pouvais comprendre, et je me suis expliquée : toi, cette brillante avocate que j'aurai toujours associée jusqu'à ce jour à l'univers d'Haruki Murakami, tu viens de passer tout droit à celui de Ryu Murakami. Ce n'est pas tout à fait la même chose, n'est-ce pas ? À son sourire, j'ai bien vu qu'elle avait compris. Cela dit, nous sommes revenues sur mon expérience.

C'était moins *hard* que je ne l'avais prévu, Nao. J'ai frissonné quand il a entrepris de découper ma jupe et mon beau veston pour ne garder intact que mon chemisier et le nœud papillon. Oui, Nao, il y a quelque chose de libérateur dans l'idée d'être à la merci d'un pervers qui s'amuse à vous découper vos plus beaux vêtements sur le dos. C'est fou. J'ai aimé être suspendue à l'horizontale. Je ne tenais plus dans le vide que par ses nœuds qui me faisaient juste assez mal, mais quand il a resserré mes liens et que tu as inséré les doigts dans mes nylons pour les déchirer…

Et puis quand tu t'es mise à m'embrasser sauvagement et à me chiffonner le chemisier avec du gel translucide… oh là là! Que c'était bon! J'aurais voulu que ça dure, que ça dure, toute le nuit, mais avec son *Exacto*, il avait déjà entamé la patte boutonnage près du col. Un si beau chemisier! Vraiment, aucun rapport avec notre site. Nous étions si candides, Julie et moi. Comment dire? Oui, un peu naïves, disons. Ce soir, Nao, dans ce pub, avec toi, je me sens libérée. C'est fou, tu ne trouves pas? Aussi, j'ai l'impression que tu étais là pour me protéger et que la présence de sa femme était ton idée, histoire de me sécuriser. Ai-je tort ou raison?

Tu n'as pas tort, a-t-elle avoué en pigeant dans mon paquet de Peace, tu as même tout à fait raison. Je tenais à ce que tu vives une expérience érotique qu'on ne peut oublier. Tu étais prête, mais il n'était pas question de te traumatiser pour autant. Je crois avoir bien agi, et puis tu sais, j'ai aussi pris mon plaisir. Ce soir, j'ai vraiment abusé de toi, et j'y songeais depuis un bon moment. J'ai réalisé mes fantasmes : te lécher tout partout en dirigeant tes doigts, Johanna, te prendre la bouche et mettre en pièces ton si beau chemisier. Tu étais irrésistible, Johanna, absolument irrésistible, et puis merci pour les boutons de manchette. C'est rien, Nao, tu les porteras avec grâce, j'en suis assurée, et j'en ai toute une collection.

22
SHIN-KIBA

L e sommeil profond, tu avais tout du gars amoché. Lendemain de veille, y a pas de presse, me disais-je en me déliant les muscles, tu peux bien dormir encore. Étienne, ce dimanche au ciel limpide, aux cordes à linge déjà remplies, il n'appartient qu'à nous, je te donne ce matin congé de café. C'est à mon tour, mais laisse-moi t'observer encore un peu. Je me pose la question : auras-tu agi de la sorte à Paris, à Prague, à Dublin, à Moscou ? Te seras-tu arrêté un moment pour me regarder dormir ?

En position du lotus, je me sentais d'attaque et prête à tout. J'étais la mère qui veille sur le souffle de son fils, j'étais la courtisane admirant Genji. Tes joues étaient piquées d'une repousse bleutée, et dans la mince haie des voisins, les oiseaux étaient bien bavards. Je me retenais. J'aurais bien étiré le bras pour enfouir mes doigts dans ta tignasse et t'ébouriffer pour la peine. Il n'est vraiment pas grand, mon studio, n'est-ce pas, Étienne. On est loin du palace. Je songeais à cette fois où j'avais fait jouer mon passe-partout pour entrer dans ta chambre avec sous le bras mes torchons et ma bouteille de désinfectant. Hôtel Plaza, quatre ans déjà. Pas mal du tout. Je ne savais pas encore que tu étais venu à l'hôtel pour écrire et que tu travaillais surtout la nuit, et je t'avais surpris au lit. Oups, prière de ne pas déranger, s'cusez-moi.

Tu as émis une longue plainte qui m'a tiré un sourire. Allez, Genji, tu peux dormir encore un peu. Moi, mercredi prochain, je serai en vacances. Je me sens déjà en vacances. Toute une semaine rien qu'à nous, jusqu'au jour de ton départ. Tu n'en sais encore rien, mais je te rends cette semaine le *coup de Moscou*. À mon tour de t'offrir une virée, mais à Kyoto. Je sais, je sais, dans tes derniers courriels, tu me répétais qu'à choisir entre les deux villes, tu préférais maintenant Kyoto à Hiroshima parce que tu t'étais tapé *Le Dit du Genji*. C'était logique, compréhensible. Tu n'avais plus en tête que l'ancienne cité impériale, tu voulais voir la rivière, arpenter avec moi la sixième avenue, si elle existait toujours, mais dans le but de bien te décevoir et si possible de te faire rager, j'avais fini par te dire qu'il fallait oublier ça en arguant le manque de temps. C'est tellement loin, Kyoto, Hiroshima encore plus. Contentons-nous donc de Tokyo. Tu n'en sais encore rien, toi qui te lamentes ce matin dans ton sommeil – maudite boisson, disait papa –, mais j'ai déjà en main les tickets. Il ne sera pas question de train de nuit, dommage, mais c'est déjà tout scénarisé et je te réserve la surprise pour mardi soir au *Cotton Club*.

C'était bon de te voir récupérer de la sorte après toute une journée consacrée aux nouveaux concepts et aux belles rencontres. Je te voyais en grandes discussions avec M. Obata et Hiroshi, aussi bien en avant-midi sur le campus que plus tard dans le taxi et sur cette terrasse du Petit-Paris. C'est en soirée que ça s'était corsé côté alcool, n'est-ce pas, Étienne, après le buffet de clôture qui s'était étiré jusqu'au club privé d'une amie de M. Obata. Ce n'était pas très loin du campus, cinq minutes de marche, dixième étage d'un banal immeuble de bureaux. Nous nous étions rapprochés du coup de la station Jimbocho. Madame nous avait reçus avec toute la grâce voulue, nous nous étions sentis privilégiés et nous l'étions. Dans ses présentations, M. Obata avait tenu à préciser que son amie était propriétaire d'une chaîne de librairies. Ce club privé était sa petite folie, son havre de paix à deux pas du campus. Voilà un beau personnage murakamien, m'étais-je dit.

Quand la serveuse nous avait servi une troisième consommation, ou bien une quatrième, je ne sais plus, tu n'avais d'yeux que pour elle et je pouvais comprendre. Aussi belle que Nao, nœud papillon sur col cassé et boutons de manchette, je m'étais surprise à humer son subtil parfum. Bref, elle avait été un charmant prélude à ce qui allait bientôt se passer. Après un conciliabule avec Madame, elle s'en était retournée au bar alors que M. Obata nous priait de jeter un œil derrière nous sur les deux cadres vitrés solidement fixés au mur. Qu'est-ce que c'est que ça ? Je m'étais rapprochée pour mieux voir. Deux pages écrites en *hiragana*. Oui, très bien, mais encore. Après un regard d'intelligence à Madame, il avait précisé que nous avions là deux pages manuscrites du dernier tome de *La Mer de la fertilité* de Yukio Mishima. J'étais restée sans mots, mon cœur avait cessé de battre. J'avais lu la tétralogie quand j'étais au bac, tu connaissais Mishima et tu savais tout de sa fin tragique. Ces deux pages prenaient valeur d'autel, il ne manquait que les bâtons d'encens. J'avais effleuré la vitre du bout des doigts avant de regagner ma place. Sonnée, et ce n'était pas dû à l'alcool.

Je songeais au suicide de Mishima quand tu as replié la jambe dans un geste brusque. Oui, Étienne, il y aura des suites à ce colloque, je n'en doute pas une seconde, il y a tant d'affinités entre vous. Lorsque nous sommes sortis de là, nous étions pas mal éméchés. Salutations à n'en plus finir dans la venelle, nous avions après coup marché en direction de la station et je me souviens de presque tout. Dans les couloirs du métro, tu m'avais répété que tu inviterais Hiroshi à l'INRS. Tu m'avais répété que c'était déjà réglé : conférence sur l'impermanence des choses et sur la prépondérance des savoir-faire. Tu m'avais répété que M. Obata était déjà invité par la professeure du groupe de recherche en littérature féminine. Tu m'avais répété tout cela, Étienne, Dieu que tu me l'avais répété !

Je me suis rapprochée pour me mouler à ton dos. Ronronnant comme un matou, tu t'es laissé envahir puis tu t'es retourné. Moi qui croyais t'avoir perdu pour la journée. Le café pouvait bien attendre. Kama… Kamasu… Kamakoi? Tokyo, Tokyo, Tokyo! Sur l'étagère, ma petite tortue verte piquée de petits pois jaunes que j'avais baptisée Nakano en aura vu pour la peine, et plus tard, bien plus tard, dans le *parc du premier café*, je tenais ma tasse à deux mains et je te volais du temps. La clope au bec, tu m'en volais aussi. Je sais, c'est notre rituel. Peu importe la ville, nous nous amusons à réinventer nos personnages. Mais qui donc étions-nous ce matin-là? Le *yakusa* et sa protégée? Du côté de l'*Expressway*, quatre lycéens occupaient maintenant toute la largeur de la venelle, et le plus grand jonglait avec deux balles de baseball.

À notre hauteur, le plus audacieux nous a servi quelque chose de joyeux qui sonnait à peu près comme un *hello, have a good day!* J'ai répondu par un *Ohayô gozaimasu*, et ce fut bien assez pour l'encourager. Douze ou treize ans, il était beau dans son veston bleu marine, la cravate dénouée, trop heureux de tenter quelques phrases devant ses amis plus réservés. *Where you come from? Come from Montréal, Canada. Oh, Canada, like my teacher!*

Ils se sont rapprochés, puis nous nous sommes retrouvés au centre de l'attroupement à deviser sur les lycées japonais qui suscitent un si bel esprit d'appartenance et sur les études tous azimuts *in French America*. L'un rêvait d'aller en Allemagne, un autre en Australie, chacun son pays, en somme, mais ils pouvaient tous y arriver s'ils le voulaient vraiment, leur disais-tu en joignant le geste à la parole. Ils n'avaient qu'à étudier, étudier, ne jamais cesser d'étudier, et les portes s'ouvriraient comme par magie. Le leader a précisé que leur professeur d'anglais venait de Sudbury, Ontario. Il enseignait dans leur lycée dans le cadre du *JET Program*. Alors là, j'étais en pays de connaissance. Quelques années plus tôt, j'étais tombée sur le site du *JET Program* et j'y avais sérieusement songé.

De retour au studio, mon *yakusa* était d'attaque et je lui ai vendu l'idée des sushis au marché aux poissons de Tsukiji. Incontournable, à deux pas du Hama-Rikyu Garden, pour ainsi dire à Ginza. Aujourd'hui, il y aura sans doute une bonne file, mais ça vaut le coup, mais avant, j'aimerais te montrer quelque chose qui devrait t'intéresser au plus haut point. Cet été, Nao m'a fait visiter la maison modèle de l'entreprise de son père. Elle nous l'a offerte pour la durée de ton séjour, mais j'ai jugé bon de m'en tenir à mon studio. Au cas où je changerais d'idée, elle m'a laissé un double des clés.

Nous y sommes allés directement, et au sortir de la station Shin-Kiba, les structures ferroviaires à l'épreuve des tremblements de terre nous ont semblé particulièrement lourdes sous le ciel limpide. Comme un silence d'après bombardement dans le *no man's land*. Terminus sud-est de la ligne Yurakucho, je savais que ce serait tout autre chose le lendemain matin à l'heure de pointe. Sans rencontrer âme qui vive, nous étions en moins de cinq minutes devant la maison érigée dans le cul-de-sac de l'atelier et des entrepôts. Sympathique, aérienne, mais pour ainsi dire construite sous le viaduc ferroviaire. J'ai sorti mon trousseau de clés. Dans le lumineux *genkan*[15] piqué de bambous et de plantes en pot alignées sur la dalle de granite, nous retirions nos chaussures pour enfiler les mules à la disposition des visiteurs et tu étais déjà sous le charme. *My God*!

La lumière diffuse émanant des puits accentuait les tons de miel, et les jeux d'ombres auraient comblé d'aise n'importe quel photographe. Pas un seul meuble hormis la table et les quatre chaises posées comme lieu de convivialité au centre de la pièce. Et quelle table! Encore plus belle que celle de Nao. Devant la baie vitrée qui donnait sur une plate-bande, quelques coussins jetés pêle-mêle sur le tatami. Panneaux coulissants, crème ou pastel,

---

15. Vestibule.

portes au verre dépoli, tout pour mettre en valeur la charpente et les murs porteurs.

Adossée contre le comptoir de la cuisinette high-tech avec son évier conçu pour apprêter les gros poissons, je me sentais tout de même un peu chez moi. Je me délectais du choc culturel que tu étais en train de vivre. Comme l'architecte découvrant une nouvelle planète, tu ne cachais pas ton émotion. Remarquable, laissais-tu tomber de temps à autre. Tu empoignais un montant de la charpente aux veines bien mises en évidence, tu laissais glisser le panneau d'un placard, un deuxième plus loin, espace de rangement pour la literie. L'escalier menant à la chambre des enfants te rappelait ta cabane dans un arbre.

Remarquable, répétais-tu, un petit côté scandinave, mais résolument différent. J'ai vu des maisons semblables à Magog, face au mont Orford, mais celle-ci est vraiment dans une classe à part. Moi, je vois partout des bibliothèques. Si on se mettait à construire chez nous de cette façon, c'en serait bien fini de la crise forestière. Seuls tous les deux dans cette maison lumineuse, tout pour le bonheur de la petite famille. J'ai soudain été prise de vertige. D'une beauté rare tant qu'on voudra, petits enfants souriant au soleil, propriétaires d'une maison au Québec, en Suède ou au Japon. Vertigo, ô vertigo! Pas capable. Pas capable de m'imaginer une autre réalité que le studio ou la chambre d'hôtel.

Il voulait voir la *Flamme d'Or* de Philippe Starck, l'incontournable, disait-il, une étonnante pièce de design urbain qu'il
n'avait pu admirer jusqu'alors qu'en photo. J'ai dit : c'est quoi ça,
moi pas savoir. Nous étions presque en tête de file au bar à sushis
du marché aux poissons de Tsukiji. Il a sorti son iPhone pour me
vendre l'idée. Photos à l'appui, survol rapide du site de l'architecte
et designer français, icône rouge repérée sur *Google Map*. Vraiment
beau, cette coulée d'or flottant sur l'*Expressway*. Le mieux sera
d'y aller par la navette fluviale.

Au kiosque de débitage installé en vitrine, un employé au
long couteau venait de séparer un thon en quatre parties, et il en
grattait maintenant l'arête à l'aide d'un coquillage afin d'offrir
des bouchées aux badauds. Tenant fort la main de sa mère, une
petite fille plissait le nez devant la chair rouge que lui présentait
l'employé, mais face à son refus obstiné, il a ciblé Étienne qui a
tendu la main. Deux places venaient de se libérer au comptoir.
Nous pouvions y aller, on viendrait bientôt prendre la commande.

Étonnamment volubile et visiblement heureux de côtoyer
deux *gaijins*, le voisin d'Étienne le conseillait, histoire de la lui
rendre facile, histoire sans doute de s'exercer à l'anglais. C'était
rafraîchissant, sympathique. Dans le prolongement du comptoir,
le préposé à la caisse inscrivait les commandes qu'on lui assénait
de partout comme des ordres militaires. La pagaille, la foire aux
sushis, ça se sustentait sans chichis, et Étienne n'a eu qu'à lever

le petit doigt pour qu'un employé à la bouteille aérienne vienne lui servir un deuxième verre de saké. Depuis un moment, il me tenait son habituel discours à saveur socio-économique. Il n'était pas trop rasant, quand même, plutôt amusant. Tokyo, l'une des villes les plus chères au monde? Faites-moi rire, raillait-il. C'est peut-être vrai pour ces pauvres millionnaires du showbiz ou ces politiques incapables de sortir sans escorte blindée, mais ici, on repassera. Depuis mon arrivée, Johanna, je mange santé, je bouffe divinement, et c'est toujours moins cher que partout ailleurs. C'est pas beau, ça? T'as bien raison, mon Étienne, me suis-je borné à dire, et puis ce fut un peu n'importe quoi. Le seul plaisir d'être là, enfin seuls tous les deux au bout du monde, au coude à coude dans une atmosphère de fête.

Après coup, nous avons quitté ce quartier des affaires devenu pour un temps espace communautaire pour nous rendre à la navette fluviale du Hama-Rikyu Garden. Prochain départ dans vingt minutes, le temps de relaxer un peu, et on venait à peine de larguer les amarres que la brise jouait déjà dans nos cheveux.

Les mains sur mes hanches, il observait la manœuvre, et lorsque nous avons quitté le bassin pour nous engager sur la Sumida, la ville s'est mise à tourner et nous avons laissé dans notre sillage les buildings de Ginza. Peu de passagers à bord, entre autres un Occidental solitaire. À première vue, il semblait être dans la cinquantaine avancée, stylo et bloc-notes à la main. D'où venait-il, de quel continent, journaliste ou romancier? Habitait-il comme moi Tokyo? Une dizaine d'ados venus d'une autre planète, chacun son *look* et son bidule. Pour profiter de la brise, nous sommes montés sur le pont supérieur avant et là, nous avons vu prendre de l'ampleur les piliers d'un premier pont qui se rapprochait à bonne vitesse. À côté, une petite fille au rire cristallin était dans tous ses états. Elle pointait du doigt la structure du tablier sous le regard de sa mère.

Dans une suite sans fin d'immeubles à bureaux et de tours d'habitation surtout concentrées sur la droite, nous remontions en direction nord sous un ciel d'une étonnante clarté. Sur les deux rives, il y avait les embarcadères d'entreprises exploitant les bateaux-mouches et les parcs linéaires aux larges pistes cyclables. Je savais que d'ici le terminus d'Asakusa Dori, nous croiserions comme ça une bonne douzaine de ponts. Selon notre habitude, nous nous sommes subtilement éloignés, histoire de nous donner de l'air. Prendre ses distances envers l'autre, loi non écrite que nous prenons plaisir à observer depuis maintenant quatre ans. Le plus souvent, ça se passe autour de l'eau : Moscova, Neva, Vltava, Seine, Tamise, Hudson, Saint-Laurent, maintenant la Sumida. Étienne, pourrai-je un jour me passer de ça ? Vaille que vaille, coûte que coûte, toi et moi, nous exerçons ce talent fou de nous rejoindre dans une chambre d'hôtel, entre deux sessions, entre deux envolées ou deux contrats.

Moi, je n'en vois pas la fin. J'imagine le Bosphore, le Pirée, l'Amour, le grand lac Tanganyika. Je veux te voler du temps en Afrique. On dirait un égaré du campus, un ti-cul solitaire dans son bac à sable. Intello en vacances, serais-tu dépassé par tes hypothèses ? Tu interroges ma ville, tu questionnes cette puissante mégalopole qui s'étale et qui s'étire, pieuvre qui s'étend et qui siphonne toute l'énergie vitale de ses longs tentacules ferroviaires. Imagine seulement l'Ara-kawa qui coule encore plus à l'est. Ce sera pour une autre fois, Étienne. Sur ta gauche, vois-tu, c'est l'arrondissement Chuo, à droite ceux de Koto et de Sumida. Tu peux me croire ; je suis géographique, cartographique, topographique. Premier dimanche d'octobre sur la Sumida alors qu'une semaine plus tôt, tu profitais d'une vue sur le château Frontenac.

Je vis mes aventures comme je l'entends et tu vis les tiennes à ta manière. Trouveras-tu à Québec celle qui osera un jour te donner un enfant, une petite fille comme celle-là qui t'observe timidement, qui te regarde comme si tu étais devenu cet oncle pas comme les autres un jour allé se perdre quelque part dans les forêts de l'Hokkaido. Dis, mon oncle, raconte-moi comment c'était, les arbres et les oiseaux, comment ils sont ? Je te vois bien avec un enfant, Étienne, tu serais généreux et attentif. Pourquoi pas, mais pas avec moi. Pas possible, tu sais bien. Trop pleine que j'étais de mes monologues, je n'ai pu tenir le compte des ponts que nous avons croisés, sauf que je savais que nous nous rapprochions de cette Flamme d'Or que tu semblais chercher sur ta gauche. Selon ce que j'avais cru comprendre d'après la photo, à la manière de la Statue de la Liberté, elle s'étirerait plutôt sur ta droite, dans l'axe de l'*Expressway*. Regarde, t'ai-je crié : elle se rapprochait, sur la droite, bien arrimée sur le toit du Asahi Beer Hall.

Nous venions de glisser sous l'arche bleu pastel de l'avant-dernier pont, mais c'est plus en amont, à l'approche à vitesse réduite du pont vieux rose d'Asakusa Dori qu'elle est devenue photogénique. Elle trônait maintenant sur le Asahi Beer Hall transformé en piédestal, dominant de plusieurs mètres le long serpentin de l'*Expressway*. Spermato en or massif. Oui, Étienne, ça valait le coup. Au sortir du débarcadère, nous nous sommes perdus dans les venelles débouchant sur les voies de desserte, plus loin dans la cour d'un temple séculaire, et nous sommes arrivés comme ça au *Hub British Pub*. Oui, il se sentait à Londres, il visait déjà le bar. Tokyo n'est peut-être pas la plus belle ville au monde, a-t-il avancé en posant sa pinte de stout sur le comptoir, pas de grandes perspectives comme à Rome, Saint-Pétersbourg, Londres ou Paris, mais elle est tellement facile à vivre. Et tous ces parcs au cœur du centre-ville. Tout à l'heure, sur la navette, je songeais à un article retracé cet hiver dans une revue d'urbanisme. Dans la problématique d'une redéfinition du centre-ville de Détroit pour le rendre plus convivial, l'auteur se réfère au modèle utilitariste de Jeremy Bentham. Je me disais que s'il avait pu voir la ville qu'est devenue Tokyo après les périodes de reconstruction consécutives aux tremblements de terre et aux bombardements, Bentham aurait pu affirmer sans l'ombre d'un doute que nous avons ici le parfait modèle de l'utilitarisme. Tous ces ponts qui ont résisté aux bombardements, ces grands réseaux routiers et ferroviaires ; c'est formidable.

J'aime quand il prend position de la sorte, et pour la forme, je me suis montrée un peu plus perplexe que de coutume : Jeremy Bentham ? Très exactement, Johanna. On le considère comme le père de l'utilitarisme. En Europe, et plus particulièrement en Angleterre, ce concept est directement lié à la Révolution industrielle. Fin dix-huitième, début dix-neuvième, Bentham a remis en question la ville, les cités minières et ouvrières qui se développaient de façon sauvage sans tenir compte du bien-être des masses ouvrières. Mines de charbon, hauts fourneaux, aciéries, métallurgie ; c'était un peu l'enfer. Il s'est donc penché sur le bonheur des ouvriers. Comment rendre les villes plus saines, comment les structurer, comment occuper l'espace d'une façon un peu plus intelligente pour créer un lieu convivial où il ferait bon vivre. Pour une question de santé publique, c'est alors l'époque des grands parcs urbains, des égouts et de l'eau courante, électrification, trains et tramways, artères commerciales, services de proximité et cités-dortoirs. C'est l'urbanisme éclairé qui mènera plus tard aux villes de compagnie. Devine un peu quelle était la devise de Bentham ? *Imaginer le plus grand bonheur pour le plus grand nombre...* et nous sommes toujours à la fin du dix-huitième siècle.

Cela dit, il est revenu sur le cas de Tokyo, sur le grand tremblement de terre de 1923, la pluie de bombes incendiaires larguées par les B-29, bien avant Hiroshima et Nagasaki. Tokyo a été en grande partie reconstruite il n'y a pas si longtemps, et on peut déceler dans la pertinence de ses infrastructures l'utilitarisme qui a prévalu lors de la reconstruction. Pas la plus belle ville au monde, Tokyo, mais certainement la plus conviviale.

Il s'est tourné vers le barman pour commander deux autres bières, et je n'avais rien contre. Changement de sujet, ce serait bientôt pour moi l'occasion de l'entretenir sur les amours nécessaires et les amours contingents, sur ce livre étonnant dont Nao m'avait parlé, celui de Simone de Beauvoir publié il y a déjà si longtemps : *Le Deuxième Sexe*. Ce serait pour moi l'occasion de lui avouer qu'il était mon amour nécessaire, mais alors là, qu'il l'était absolument.

Lundi tranquille au bureau après ce dimanche rien qu'à nous. Pas de réunion d'équipe, chacun travaillait ses dossiers dans un rigoureux silence. Quant à moi, après ma pause de fin d'après-midi, j'en étais à une analyse poussée du dernier bilan mensuel d'un client de l'arrondissement Saitama. C'était pour ainsi dire l'état d'urgence. L'entreprise avait un sérieux problème de liquidité, situation que j'avais vu venir, sauf qu'on ne suit pas toujours à la lettre les propositions d'un gestionnaire de comptes. Bien, faudra calculer au yen près la valeur des comptes à recevoir, me disais-je quand ça s'est mis à trembler pas mal plus que d'habitude. J'ai levé les yeux vers l'horloge la plus rapprochée : 17 h 43. Cerveau reptilien, le sens de la vue sollicité : *EXIT*, première à gauche.

Ça se balançait puissamment, le plancher oscillait de gauche à droite. Ça s'entrechoquait partout, chaises, lampes, paravents, classeurs à dossiers, le bordel du côté des imprimantes, crissement de structures métalliques. Nous n'étions plus que des jouets instables en quête d'équilibre, à la merci de l'élément terre. Les tuiles acoustiques allaient-elles se mettre à nous tomber dessus ? Tout comme moi, Atsushi restait figé devant son écran, les doigts en suspens à cinq centimètres du clavier, dans l'attente de... Oui, c'est l'expression appropriée. Nous étions tous dans l'attente de la plus forte secousse, celle qui tue, le *Big One*, la tragédie qu'on devra bien vivre ici un jour ou l'autre. Les appels personnels sont interdits au bureau, peut-être bien, mais on s'en fout. Où es-tu ?

Dis-moi vite ! Avec difficulté, maudit clavier, je me suis appliquée
à texter un bref message à Étienne : T'es où ?

Ça bougeait toujours, mais avant même que je ne reçoive de
lui une réponse, nous avions déjà l'information sur les écrans
muraux câblés sur la NHK[16], ces mêmes écrans qu'on finit par
oublier et qui affichent les cours boursiers. Carte du Japon à l'appui,
on nous apprenait que l'épicentre était situé dans le Pacifique
Nord, à quelques centaines de kilomètres des côtes. Les chiffres
clignotaient en rouge, en bleu et en jaune, alerte au tsunami en
vigueur sur les côtes du Kanto. Forte secousse d'incertitude qui
aura duré une bonne vingtaine de secondes, interminables, et
puis soudain l'accalmie, comme si de rien n'était. Peu après,
c'était à l'écran : Tokyo, force 3 à l'échelle Shindo. Séisme
modéré, mais elle n'était pas encore tombée, l'alerte au tsunami
– ça viendrait une demi-heure plus tard. Nous pouvions maintenant nous remettre au travail, et mon cellulaire a réagi : Quelque
part dans le métro. Méchante secousse, une dame m'a pris
en charge. T'en fais pas, ça roule. À+.

Il est mûr pour l'Islande, ai-je songé, mais quand même,
disons que j'étais soulagée de le savoir hors de danger. Cette fois,
j'ai pu lui texter quelques mots avec plus de facilité : Ça va.
force 3 à l'échelle Shindo. 20 heures au Dubliners. Bip.
Atsushi savait qu'Étienne n'était ici que depuis peu. Le regard
inquiet, il m'a demandé si ça allait. Oui, ai-je confirmé, il était
dans le métro, on s'est occupé de lui. Tout est normal, ça roule déjà.
Ce n'était pas mon premier séisme, mais de cette force ! Quelle
puissance ! Tout près, on pouvait encore voir osciller certains
buildings, les plus hauts, les plus récents. Je n'avais plus la tête
aux colonnes de chiffres, mais alors là, vraiment pas. De toute
façon, je tenais la solution pour mon client de Saitama, et j'y verrais
plus clair le lendemain matin lorsque j'aurais reçu et analysé ses
comptes à recevoir mis à jour. Non, je ressentais plutôt le besoin

---

16. Nihon Hoso Kyokai, télévision nationale japonaise.

de parler. Première constatation : nous n'avions pas perdu l'électricité. C'était ça de pris. J'ai rectifié la position de ma lampe et rangé mes dossiers qui avaient migré un peu partout, puis j'ai demandé à Atsushi s'il se souvenait de celui de la mi-juillet. Plus faible que celui-ci, il avait été d'un type bien différent. Plus court aussi, pas plus de dix secondes, mais j'avais ressenti une forte cassure de la croûte terrestre. Oui, il s'en souvenait très bien. Moi, jusque-là, ç'avait été mon plus sérieux, mon plus stressant, sauf qu'à mon étonnement et à ma grande déception, on n'en avait même pas parlé à la télé et dans les journaux.

Réveillée en sursaut, j'avais regardé ma montre : 4 h 25. Fortes vibrations accompagnées d'un sourd grondement venu des profondeurs qui s'amplifie, et puis crac ! J'ai roulé sur ma droite, comme si un chauffeur de bus avait donné un brusque coup de frein. Je te jure, Atsushi, j'ai senti bouger la plaque. Il riait de son rire d'enfant, mais riait-il de la néophyte que j'étais en matière séismique ou de ce que je venais d'affirmer ? Lui, il ne l'avait pas ressenti de la même façon. Il y avait eu bien évidemment le grondement suivi du choc, sauf qu'il n'avait pas roulé dans son lit. Mais il me comprenait ; ça lui était déjà arrivé. Question purement physique. Dépendamment des plaques en présence, l'onde de choc ne se propage pas toujours selon le même axe, disait-il. Aussi, les lits et les futons ne sont pas tous orientés dans le même sens. Le schéma qu'il me traçait était plein de petites flèches dans toutes les directions, et pour ce séisme-là, mon futon avait tout simplement été dans l'axe idéal, sinon je n'aurais pu rouler de cette façon. Oui, maintenant, je comprenais.

Nous sommes passés à autre chose, entre autres sur son week-end qu'il avait essentiellement consacré à la relecture d'un des premiers romans de Kenzaburo Oe qu'on avait reçu quelques jours plus tôt en réédition à la librairie de son épouse. Oui, je connaissais l'auteur qui s'exprime très bien en français, et j'ai à mon tour glissé quelques mots sur le colloque de la fin de semaine, là où j'avais appris des tas de choses sur les temples japonais. À la nuit tombée, après avoir longuement parlé littérature – chose assez rare et qui nous a fait oublier la notion du temps –, nous avons quitté le bureau pour nous séparer dans un couloir du métro, Atsushi pour retourner vers sa banlieue nord alors que moi, selon mon habitude, j'ai emprunté la ligne Ginza pour gagner Shibuya.

Arrivée plus tard que prévu à la hauteur du *Dubliners*, j'ai constaté qu'ils y étaient déjà tous les deux. De ce côté-ci de la rue, perdue que j'étais dans la foule, je les voyais en contre-plongée à la terrasse du premier. J'ai éprouvé une certaine fierté à les voir enfin ensemble. Regardez-moi ça : à leur toute première rencontre, ils étaient déjà en grande discussion alors qu'une jeune fille leur servait à chacun une pinte de bière, mais de quoi donc pouvaient-ils jaser ? De la grande beauté de la maison de Shin-Kiba que nous avions visitée la veille, de la Flamme d'Or, de temples ou de musées ? Eh bien non, essentiellement du tremblement de terre.

Arrivé dix minutes plus tôt, Étienne n'avait pas eu le temps de prendre place que Nao l'avait interpellé. Facile à repérer, lui avait-elle avoué, d'autant qu'elle l'avait déjà vu en photo. Ainsi donc, alors que nous étions toutes deux au travail, monsieur se l'était coulée douce toute la journée. Ben quoi, a-t-il râlé, je ne vois pas le problème. Me semble que c'était écrit dans le contrat ! En début d'après-midi, il était donc passé à l'Institut franco-japonais pour une rencontre prévue depuis longtemps avec le directeur de la médiathèque. Après coup, il en avait profité pour commander un croque-monsieur à la terrasse du bistro et avait jasé un bon moment avec le serveur. Le type de Marseille ? S'ennuyait-il toujours à Tokyo ? Quoi, a-t-il demandé alors que nous étions tout sourire. Pourquoi cette question ? Laisse faire, Étienne, c'est sans intérêt. Bon, il terminait donc sa bière sur la terrasse lorsque deux jeunes filles qui étiraient leurs cafés l'avaient timidement approché. L'une d'elles avait reconnu l'accent limpide des Cantons de l'Est qui lui rappelait de beaux souvenirs, mais pouvaient-elles s'asseoir à sa table ? Faites, mesdames, mais faites donc.

Elles avaient toutes deux étudié au Québec, l'une en communication à Montréal, Université Concordia, et l'autre en histoire, à l'Université de Sherbrooke. Revenues un an plus tôt, elles étaient nostalgiques de l'art de vivre à la française, de la langue en général et du Québec en particulier. Assurées d'y rencontrer chaque fois des *parlants français* d'ici ou venus de tous les continents, elles participaient régulièrement aux activités de l'Institut. L'une d'elles avait déjà entrepris des démarches pour un doctorat en France. Il avait plus tard marché jusqu'à Shinjuku, et selon ses explications, j'ai compris que la secousse s'était produite lorsqu'il revenait vers Shibuya via la ligne Yamanote.

C'était bien de nous retrouver tous les trois sur la terrasse de ce pub irlandais. Étienne flottait à Tokyo, c'était l'évidence même. Il aimait tout de ma ville, avec un fort penchant pour les *Office Ladies* dans notre genre qu'il trouvait absolument séduisantes avec leurs coupes de cheveux toutes simples et leurs costumes qui mettent la jambe en valeur. Tout de même, c'était beaucoup plus que ça. Ne l'avait-on pas pris en charge un peu plus tôt pour lui expliquer dans un anglais approximatif la marche à suivre en cas de séisme ? Il s'en était étonné, mais peut-être était-ce parce qu'il était facilement repérable dans la foule qu'on l'avait ainsi rassuré. Par contre, il n'était pas sûr que s'il avait été Coréen, Chinois, Vietnamien, Innus ou Wendat, on se serait montré aussi gentil et attentionné. Lucide bémol. Il comprenait mieux maintenant mon attachement pour le pays et pour ce peuple policé à l'extrême. Mais il n'avait encore rien vu, parce que Nao avait réservé une table chez Takeo. Ce dernier serait cette fois avec nous, et il avait selon elle préparé quelque chose de vraiment bien.

Je n'y étais pas retournée depuis cette soirée où nous nous étions éclatées à l'*Air-Tokyo*, mais j'ai encore une fois craqué sous le charme de l'endroit. Le calme provincial à deux pas du grand carrefour de Shibuya, la musique traditionnelle qui vous prend dès votre arrivée. Étienne était enchanté, et puis oui, ça m'avait manqué. Je m'en suis confessée à Takeo qui, contrairement au jour de notre première rencontre, rayonnait maintenant de toute sa prestance de chef propriétaire. Ayant décidé de laisser pour l'occasion toute la place à son aide-cuisinier, il nous accompagnait dans l'alcôve, et c'était bon de les voir. Nao traduisait, et il s'aventurait parfois à lancer quelques mots d'anglais, deux ou trois en français. Il était fier de son resto, et quel service recevions-nous ! Touchant Takeo, parce que j'en savais maintenant un peu plus sur le rôle qu'il avait joué lors du retour de Nao à Tokyo. Elle s'était bien douté qu'il avait constitué la pièce maîtresse dans l'élaboration du plan de surveillance rapprochée orchestré par son père. Oh, elle avait été mise au parfum de cette stratégie bien plus tard – il n'y avait pas si longtemps, d'ailleurs, mais c'est une autre histoire –, et elle ne leur en avait pas tenu rigueur, ni à l'un, ni à l'autre.

Cette expérience gastronomique alliait le raffinement de la présentation aux saveurs les plus fines. Il y avait aussi ces images d'une autre époque, et sous l'effet de l'alcool, nous nous sommes amusés à remonter le temps jusqu'aux shogunats. Inoubliable, et après avoir remercié un Takeo qui n'a rien voulu savoir lorsqu'est venu le temps de régler l'addition, nous les avons laissés seuls. Allez, ces deux-là étaient partis pour une discussion qui s'éterniserait sans doute jusqu'à la fermeture. Dans l'idée d'ajouter au choc des cultures et pour mieux revenir au troisième millénaire, je me suis dit qu'il serait bien de remonter Aoyama Dori aussi loin qu'à la station Omote-Sando, histoire de nous gaver de grandes marques françaises et de fantasmes occidentaux.

Les trottoirs étaient toujours aussi bondés, comme en plein jour, et les taxis n'en finissaient plus d'étinceler sur six voies de large. Encore un jour de travail et je profiterais de toute une semaine de congé. Une première depuis mon arrivée en mars. Je suis en vacances, Étienne ! Nous dégrisions sagement, en amoureux un brin impudiques. À la hauteur d'une boutique Givenchi, il m'a plaquée contre la vitrine. N'y tenant plus, il voulait des détails sur mon expérience avec le maître de *shibari*.

Jusque-là, je m'étais montrée laconique. Depuis que je lui en avais glissé quelques mots, il avait beau me supplier, me dire qu'en tant qu'acteur dans une série RIP que nous avions bouclée quatre ans plus tôt à l'hôtel Plaza[17], il y avait bien droit, je m'obstinais à lui répéter d'aller voir sur le Web et qu'il trouverait là de très belles photos. Allez, a-t-il insisté cette fois avec beaucoup plus d'ardeur, dis-moi comment c'était. Ça m'intrigue, ça m'excite. C'était superbe, Étienne, lui ai-je finalement concédé, tout le contraire du kitsch mais ça ne se raconte pas dans la rue. Et puis tu as raison, Étienne, tu mérites bien d'en savoir plus. J'ai une série de photos sur clé USB, je te les montrerai en temps et lieu. Ça te va ? Et comment !

---

17. Voir *Port-Alfred Plaza*, son premier roman.

25
HANZOMON

Sous une pluie fine et constante, je pédalais dans le parc Yoyogi en direction des grands jardins du Palais impérial. Chaque fois que je rencontrais une autre fille comme moi sous sa cape luisante, je me disais que nous avions toutes un peu l'allure du Petit Chaperon. Il y en avait des bleu ciel, des vert forêt, des jaunes, des rouges, unies, à pois ou transparents. Moi, c'était bleu marine. Un bref coup de sonnette pour annoncer mon approche au piéton : allez, on se tasse. J'aime le chant du pneu sur l'asphalte mouillé, pas comme sur le trottoir de ciment. J'aime, en longeant la haie sous les grands arbres, entendre sa trace. La grosse goutte se détache de la feuille du mûrier platane pour venir me frapper l'épaule, nous ne sommes pas très loin du paradis, papa, et puis nos corbeaux. Bavards et colériques : *RRRAH, RRRAH, RRRAH.*

J'avais la tête pleine d'images d'Hiroshima arpentée quelques jours plus tôt. À pied, en bus et en tram. J'avais vu la ville sous deux facettes, pluie et soleil, mais pourquoi donc avais-je choisi de m'y rendre en pleine mousson plutôt qu'en avril aux cerisiers fleuris ? Sans doute pour me complaire dans le tragique ou pour accroître l'intensité de ma démarche géopoétique, aurait dit Étienne, la ville devenue alors ce personnage qu'on aborde sous un angle différent dans le but d'en saisir l'âme. Oui, j'aurai marché Hiroshima sous la pluie, parce que dans ma tête à moi, malgré les décennies qui finissent par se stratifier et le temps qui use la montagne, avec sa jumelle Nagasaki, cette ville sera toujours synonyme de grande tragédie humaine.

La veille, quand j'avais annoncé à Atsushi que j'allais consacrer mon congé du mercredi à une super *ride* de bicyclette du côté des grands jardins du Palais impérial et que j'allais peut-être remonter comme ça jusqu'au parc Ueno, il avait levé la tête pour me dévisager, l'air de se demander si je n'étais pas devenue un peu fêlée. Je me suis expliquée. Comme les Montréalais le sont pour le mont Royal ou pour le parc La Fontaine, même chose pour les New-Yorkais et leur Central Park, les Tokyoïtes sont peut-être amoureux et fiers de leurs parcs et de leurs grands jardins au cœur du centre-ville, mais le dimanche, toute la ville s'y promène. On y est solitaire, en amoureux, en groupe ou en petite famille, d'autres choisissent de se taper la grande boucle en marathonien ou en triathlète, quand ce n'est pas la famille aux quatre vélos. Atsushi, le dimanche transforme les pistes en autoroutes du conformisme. Ça me tue. Alors demain, ce petit mercredi tranquille sous la pluie sera un pur bonheur. Oui, a-t-il concédé, ça peut se défendre.

J'avais quitté mon studio vers 9 h dans l'idée de déjeuner cinq ou six kilomètres plus loin du côté d'Harajuku, à l'est du parc Yoyogi. Comme je préfère de beaucoup vérifier mon parcours en feuilletant l'atlas de poche plutôt que de m'en remettre à l'application GPS pas très futée de mon cellulaire, j'avais pris la peine de l'insérer dans sa pochette de protection pour l'avoir toujours dans mon panier à portée de main. Carrefour Meiji Dori et Omote-Sando, la nouvelle façade du *Lotteria* d'Harajuku a eu le don de me plaire par son design. Je me suis dit pourquoi pas, mais lorsque j'ai cadenassé ma bicyclette devant la vitrine, j'étais loin de m'imaginer que cette décision basée sur une seule question d'esthétique allait permettre une si belle rencontre.

Je me suis offert une crêpe fourrée de crème anglaise et de petits fruits, et j'étirais maintenant un deuxième café en feuilletant mon atlas de poche. Je passais comme ça d'une carte agrandie à l'autre des quartiers du centre lorsqu'une main aux doigts effilés s'est posée près de mon assiette. J'ai levé la tête et suis restée un bref instant interloquée avant de sourire. Oui, oui, oui. J'avais oublié son nom, mais oui! Je connaissais cet homme, nous avions discuté lors du cinq à sept d'avril à la Délégation du Québec. Je lui avais même présenté Nao que je venais tout juste de connaître avant d'échanger nos cartes professionnelles dans l'idée de garder le contact. Mais bon, pas toujours le temps, et ça m'est revenu. Monsieur Carpentier! Eh bien, ça alors!

Je tassais déjà mon plateau et rangeais mon atlas pour faire de l'espace quand il m'a demandé s'il pouvait prendre place. Bien évidemment qu'il pouvait. Il a posé son plateau, puis il a à peine fléchi l'épaule pour laisser glisser la courroie de son porte-documents. Je me suis alors rappelé qu'il travaillait à la NHK dont les studios étaient situés pas très loin. Il m'avait déjà aperçue de l'extérieur lorsqu'il rangeait sa bicyclette, et comme sa réunion d'équipe n'était programmée qu'à onze heures, il avait tout son temps. Allons voir, s'était-il dit, allons donc voir comment se porte ma banquière favorite. J'ai aimé l'expression. Eh bien, elle allait très bien, cette gestionnaire de comptes au service de la petite et moyenne entreprise, elle se portait même à merveille et elle profitait de son mercredi de congé pour sortir sa bicyclette. Malgré cette pluie? Oui, monsieur, malgré la pluie. En bien peu de temps, m'a-t-il gentiment certifié, vous serez donc devenue une véritable Tokyoïte. C'est bien, vous savez, c'est vraiment bien.

Sympathique, et c'était bon de parler français, de s'étendre sur les rares nouvelles du pays, même si, à vrai dire, c'était loin de ses préoccupations et des miennes. C'est si rare que je parle français, a-t-il avoué. En cours de discussion, il a précisé qu'il me trouvait maintenant un accent franco de Vancouver, un peu plus décelable qu'en avril. Tiens, il m'en faisait soudain prendre conscience, mais je pouvais comprendre, parce que mis à part de brefs échanges avec les gens de l'Institut et mes discussions via Skype avec Étienne ou ma mère, je n'avais aucune occasion de parler français. Franco de Vancouver, donc, mais lui ! Un véritable cas. Lui qui avait fait carrière dans les communications et les médias à Montréal, Toronto et Vancouver, lui qui travaillait en anglais et habitait Tokyo depuis plus de dix ans, il n'avait pas le moindre petit accent. J'avais l'impression de m'adresser à quelqu'un récemment arrivé de Sherbrooke ou de Rimouski.

J'ai compris plus tard quand il a apporté quelques précisions. Son travail à la NHK consistait à accompagner les lecteurs et lectrices de nouvelles du réseau asiatique parce que, justement, l'accent anglais n'est pas le même à Mumbai qu'à Singapour, et ainsi de suite. CNN, BBC ou NHK, chacun tient à soigner son image, et lui, il traquait les accents locaux. Eh bien, j'étais sciée. J'étirais mon café en compagnie d'un Québécois qui, à Tokyo, travaillait à améliorer la qualité de la langue anglaise des lecteurs et lectrices de nouvelles du deuxième plus grand réseau de télé-vision public au monde ! Je comprends, maintenant, monsieur Carpentier, je comprends maintenant votre intérêt pour mon accent. C'est une question d'expertise. Pour toute réaction, il m'a adressé un sourire entendu.

C'était bien tout ça, mais par quels méandres en était-il arrivé là ? Il a gentiment répondu à mes questions et j'ai pu visualiser sa trajectoire remplie de grands détours. Co-fondateur de Musique Plus au début des années 1980 – ce n'est pas rien –, plusieurs émissions à la radio de Radio-Canada, entre autres *Sept heures bonhomme* et *Le cri du caméléon*, producteur et réalisateur de documentaires[18]. Parcours enviable, vraiment hors du commun, mais c'est son amour de Tokyo et du pays tout entier qui me le rendait si touchant. Malgré le fait que nous habitions le même quartier de Setagaya, nous ne nous étions jamais rencontrés. Vaste est la plantation de thé, ai-je laissé tomber, et comme il ne pouvait saisir cette allusion à ma vision toute personnelle de la ville, je lui ai parlé de l'image qu'on peut se faire de Tokyo, sur

---

18. On lui doit, entre autres, le documentaire *Robert Lepage : de Québec à Tokyo*.

Google Earth, quand on prend la peine de zoomer sur un quartier donné pour découvrir son réseau de venelles. Tissé serré, n'est-ce pas, vu du ciel, on dirait une plantation de thé. Pas mal de tout, l'image lui plaisait.

Il se sentait bien ici, dans cette ville tellement plus zen et facile à vivre qu'on voudrait bien nous le laisser croire. Il se sentait si bien dans son quartier qu'il appréhendait le jour où il lui faudrait le quitter pour une autre affectation ou un brusque changement de carrière. Il se refusait même d'y songer. Avec le temps, il avait trouvé ici cette qualité de vie qu'il avait tant recherchée partout ailleurs. Calme, communautarisme, gentillesse, efficacité, raffinement, coût de la vie, douceur du climat. Il avait trouvé dans la mégalopole son équilibre. Et puis, a-t-il poursuivi, quitter Tokyo pour aller où, vous pouvez me le dire ? J'ai perçu dans le ton une forte dose d'angoisse, celle du battant qui se refuse à tout retour en arrière par crainte de voir s'éteindre la flamme, l'intensité, cette peur viscérale aussi de la petite mort consécutive à la retraite. J'ai songé à toi, papa, et pour lui donner de l'air, j'ai avancé le nom de cette autre capitale qui m'obsède depuis l'enfance : pourquoi pas Berlin ? Moi, vous savez, si j'avais vécu dix ans à Tokyo, je crois bien que j'irais me perdre à Berlin, nulle part ailleurs.

Berlin ! Ça l'a laissé songeur, puis il m'a demandé si je connaissais le pianiste André Gagnon. Oui, évidemment, ma mère et ma grand-mère en sont accros depuis longtemps. À l'époque des vinyles, son piano a habité mon enfance. Peu importe l'occupation, bricolage, coloriage, leçons ou devoirs dans ma chambre, sa musique avait le don de m'envelopper. Au chalet de grand-mère, on aurait dit que le piano d'André Gagnon accentuait la force de la marée et la recherche d'équilibre du vol des bernaches. Ravi d'entendre ça, il m'a révélé un secret que le pianiste lui avait un jour confié : le regret d'être venu se produire au Japon un peu trop tardivement. Oui, ai-je rajouté, je peux comprendre. J'ai bien vu qu'il est très connu au Japon, beaucoup plus que je ne l'aurais cru. Imaginez, en mars, à peine débarquée au pays, un collègue ayant appris que j'étais Canadienne m'a posé la même question. Bien sûr, il m'avait auparavant parlé du Cirque du Soleil et de Céline Dion, c'est connu, c'est planétaire, mais André Gagnon ! Il avait plusieurs CD de lui, il aimait sa musique. Attendez que je me souvienne : oui, il disait qu'elle le faisait planer, en ville comme en forêt. C'est beau, n'est-ce pas ?

Omote-Sando
André Gagnon n'est pas loin
j'entends son piano

J'ai poursuivi vers l'est en empruntant des ruelles moins passantes et suis arrivée dans les environs du Palais impérial à la hauteur de la station Hanzomon. De là, je n'ai eu qu'à m'engager en direction nord sur Uchibori Dori. Il y avait un peu plus de cyclistes que prévu, mais nous étions loin de la folie du dimanche. Tout juste assez pour rouler sans crainte de perdre le rythme. Sur ma droite, à la cime des grands arbres, les corbeaux étaient aussi occupés qu'au petit matin à Setagaya – *Rrrah, Rrrah, Rrrah* –, et fière de ma bicyclette, je pénétrais l'âme de la ville en rasant les douves. Edo millénaire, *Tokyo mon amour*. Jamais personne devant pour me ralentir, mais je n'ai pu m'empêcher de donner un bref coup de sonnette à la piétonne au parapluie : *kon'nichiwa!*

J'avais peine à croire que l'odomètre indiquait déjà seize kilomètres virgule deux pour cette course. Je ne ressentais même pas la fatigue quand j'ai retiré ma cape beaucoup plus tard dans un *Excelsior Caffe* de Chiyoda. Comme toujours, la musique d'ambiance était sans aspérité, et je levais parfois la tête vers le vestibule vitré où chaque nouveau client retirait du distributeur un sac effilé pour y insérer son parapluie. Belle invention en pays de mousson. Le *Japan Time* parcouru assez rapidement, rien de neuf dans le beau monde de la finance nipponne, j'ai sorti mon stylo et mon bloc-notes. Incapable du moindre haïku, par désœuvrement et pour le plaisir de la chose, je me suis mise à tracer des croquis que je résume ici en quelques lignes : lycéenne souriant à la dame aux épaules voûtées ; rangée de bicyclettes sous les arbres ; cigarette fumant dans mon cendrier ; bol de café à moitié vide ; taxi en attente droit devant.

Magique mercredi, ma solitude à moi. Lorsque j'ai rangé stylo, bloc-notes et atlas, j'avais pris la décision de descendre du côté du parc Hibiya pour me rapprocher de Shibuya plutôt que d'aller me perdre encore plus haut vers le parc Ueno. Ne pas exagérer, quand même. À trop vouloir, disait maman, le plaisir devient corvée. Dans cette dernière partie du parcours, les faux plats étaient plus en descente qu'en montée, et comme nous étions déjà en fin d'après-midi et que j'avais plus tôt résisté à une petite douceur, à l'approche de Shibuya, je me suis payé dans un *Sukiya* de Roppongi une miso et un *gyudon*[19] accompagnés d'une Kirin.

Les idées ne m'étaient peut-être pas venues à l'Excelsior, encore moins au *Sukiya* sous les néons agressifs, mais quand j'ai retrouvé la quiétude de mon studio, c'en fut bien autrement. Il faut dire qu'à Shibuya, je m'étais attardée dans une arcade à vous étourdir pour la vie. Silence, silence, silence, sauf la pluie monotone dans la haie d'à côté. Je me suis installée au lit avec mon ordinateur sur les genoux et les mots se sont mis à se bousculer comme des billes de *pachinko*.[20]

> nihon pachinko
> ça se joue dans ma tête
> comme une symphonie

---

19. Émincé de bœuf et oignon sur riz, servi avec un œuf.
20. Flipper japonais.

26
NAGOYA STATION

L e rapide *Nozomi* était en gare depuis peu et nous n'attendions plus que l'ouverture des portes. Nao avait su faire les choses en m'invitant chez elle en cette période de canicule. C'était bon de quitter cette grande chaleur dans la certitude de trouver en fin de soirée la fraîcheur d'un village de montagne. Nous serions à Nagoya dans moins de deux heures, et de là, ce serait un train de ligne régulière jusqu'à Nakatsugawa où son père viendrait nous cueillir. Sur les quais, à gauche comme à droite, il y avait beaucoup plus de voyageurs que lors du petit matin de mousson où je m'étais embarquée pour Hiroshima.

Sur les rails, le smog était palpable, et l'humidité nous clouait sur place, nous mouillait la chemise. Toujours pire en août qu'en juillet, m'a lancé Nao, et je sens donc venir la saison des typhons ! Avec d'autres voyageurs, nous attendions en ligne l'ouverture de la porte 14, et si je penchais un peu la tête, je pouvais voir la préposée à l'entretien qui remontait l'allée. Elle relevait ici ou là un dossier, retirait des filets les journaux, les cartons, les cannettes vides. Sa tâche terminée, elle est venue se placer en faction sur le quai. Je savais, c'était du déjà-vu. Même procédure qui m'avait étonnée en juin par son petit côté militaire. Le timbre ne retentirait que lorsque chacune dans son wagon respectif en aurait terminé. Son uniforme rose gomme avec casquette et volants aux épaules n'était pas la trouvaille du siècle – ça ne peut pas toujours être parfait –, *maid* totale, un peu manga, pas de quoi mettre la femme en valeur. Le timbre a annoncé l'ouverture des portes.

Nous roulions à basse vitesse à la hauteur de Ginza quand j'ai entrevu un bref instant le logo de la banque. À cette heure-ci, Atsushi était toujours au travail, et j'ai eu pour lui une pensée, subtil mélange de connivence et de compassion. Pas question de MP3 pour cette fois, que la douce voix de Nao dans ce wagon étrangement silencieux malgré qu'il fût occupé à pleine capacité. Sa semaine au bureau avait été longue et difficile, mais pas nécessairement pour une simple question de lourdeur de tâche. De relations de travail, plutôt. Elle se confiait et je visualisais parfaitement la chose. Seule femme dans cette prestigieuse étude, elle se voyait depuis un certain temps trop souvent mise de côté, disait-elle, un collègue se montrant plus incisif que les autres à son égard. Oui, je pouvais voir, je pouvais très bien comprendre. Elle était avocate dans une firme de Tokyo et non pas dans une petite boîte perdue en province. Elle était dans les ligues majeures alors que pour moi, à la banque, c'était bien différent. J'y étais peut-être la seule Occidentale, mais je ne me sentais nullement rejetée, et il n'y avait pas de cette guerre des nerfs. L'atmosphère était nettement plus décontractée, au point qu'on pouvait y développer de véritables amitiés.

Vous verrez, m'avait confié le type de Toronto lorsqu'il était venu me rencontrer à Montréal, l'entreprise offre un milieu de travail tout à fait unique. La banque investit dans le bonheur des membres de son équipe, c'est planétaire. C'est une question de culture d'entreprise, avait-il tranché, et dès mon arrivée, j'avais pu le vérifier. Plusieurs de mes collègues plus âgés avaient déjà œuvré ailleurs dans le réseau, avec des stages plus ou moins longs aux États-Unis, en Europe ou en Australie, et les petits nouveaux au charmant sourire comptaient bien un jour en faire autant. Façon comme une autre de découvrir d'autres cultures, en somme, d'autres pays.

Je percevais le malaise de Nao, mais sans trop l'afficher. Bref, sans m'apitoyer sur son sort, je la plaignais. Oui, je la plaignais, pour la simple et bonne raison que dans ce type de boîtes séculaires et hiérarchisées, il sera toujours difficile de trouver sa place ou d'instaurer le moindre changement. Pas facile de tasser l'alligator à l'affût, le boa repu, et si une nouveauté ouvre un peu trop la voie aux jeunes en général et aux femmes en particulier, alors là! D'une certaine façon, selon ce que je pouvais comprendre, son avenir était bouché, et comme par hasard, le rapide entrait dans un tunnel. Tout noir, tout noir, avec pour un temps le pointillé d'une rame en sens inverse filant vers Tokyo. Près de trois cents kilomètres à l'heure multipliés par deux.

Moins de quinze secondes plus tard, c'était l'éblouissante sortie sur une autre vallée piquée de villes et villages. Rizières deltaïques et alignements sans fin de serres jusqu'au prochain contrefort forestier, le retour des routes de montagne et des talles de bambous à l'approche du tunnel. PFFFFFFI-OU. Tout noir, tout noir, sauf que moi, me semblait-il, j'étais côté lumière. Une hôtesse au costume parfaitement coupé s'est placée en tête de wagon, a incliné le torse et s'est attelée aux commandes, ce qui eut pour conséquence de couper net le monologue de Nao sur les bassesses et petites lâchetés. Le bidule en main, suivie d'une préposée au charriot tout aussi efficace, la dame notait le tout, encaissait la somme, s'inclinait encore une fois et passait à l'autre rangée. Pour nous, ce ne serait pas compliqué : bières et bentos, et comme deux lycéennes en route vers un quelconque musée, nous avons échangé champignons contre condiments. Quelques mots prononcés ci et là, sans réelle importance, puis le silence, et j'ai bien vu que Nao devenait soudain songeuse. Pour un moment, je me suis prise à l'observer de biais, et je lui ai trouvé un profil anxieux. Du jamais-vu. Nous en étions au dessert quand je me suis avancée : ça va, Nao? Oui, a-t-elle répondu, pourquoi cette question?

Je ne sais pas, Nao, mais je ne t'ai jamais vue dans un tel état. Tu me parles du bureau, de tes collègues, de ce qui ne va pas, mais ce discours qui se veut plein de distance… ça cloche quelque part. Écoute, on va passer le week-end chez tes parents, je sais que tu les adores, mais on dirait que c'est une corvée. Tu es pleine d'hésitations, Nao, tu me caches quelque chose, je sais que tu me caches quelque chose. J'ai l'impression que tu as quelque chose à me dire mais que tu n'oses pas. Ne crains rien, je serai toujours avec toi, je suis capable d'en prendre.

Dans un mouvement coordonné, comme pour nous préparer au pire, nous avons rangé nos baguettes et replié nos boîtes, puis avons inséré le tout dans les filets. Un temps d'arrêt, puis elle a penché la tête sur mon épaule. Bien, Nao, c'est un bon début. Revenant du fumoir ou des toilettes, un homme au complet anthracite nous a jeté un regard amusé. Drôles de cousines, devait-il se dire. Les fins cheveux de Nao me chatouillaient la joue, et je me suis perdue dans la zone urbaine qui défilait depuis un bon moment, mais où donc étions-nous ? Celle que nous traversions était pareille aux autres avec ses buildings à l'approche de la gare, puis le retour des grandes surfaces et des parcs industriels piqués près de la voie dans la morne banlieue qui s'étire entre la mer et la montagne. Le mont Fuji était déjà loin derrière, mais nimbé qu'il était de brouillard, nous n'avions pu le voir. J'ai senti qu'elle pleurait. Allez, Nao, qu'est-ce qui te chagrine tant ?

Nous serions à Nagoya dans moins d'une demi-heure, elle était mûre pour tout me raconter, c'était maintenant ou jamais. Elle a lentement émergé de sa torpeur pour attraper son sac et en sortir une enveloppe grand format qu'elle m'a tendue comme à regret. En *rōmaji*[21], son nom et la fonction qu'elle occupait dans la boîte. J'ai eu un pressentiment lorsque j'ai glissé la main, et j'ai trouvé une série de photos qui m'ont rappelé celles du site fétichiste que nous avions exploité, Julie et moi, sauf que maintenant, j'avais sous les yeux des photos vraiment dégueulasses. Dans un mouvement de rage, j'aurais voulu tout déchirer mais je devais

---

21. Alphabet romain.

me contenir. Il fallait me garder d'un possible regard indiscret du voyageur d'à côté. Garder ma réserve et rester de marbre. Ne rien laisser paraître et ne rien laisser voir. Aucun rapport avec les photos de notre site. J'en avais maintenant la preuve : Nao avait *vraiment* expérimenté dans son corps le SM de tous les extrêmes. Six images d'une rare violence, du type qu'on peut voir sur les pires sites du Web, trois en *Schoolgirl* et trois autres en *Office Lady*, et même si on avait chaque fois plaqué une cache sur ses yeux, je pouvais sans effort la reconnaître.

Le soir de mon expérience avec le maître de *shibari*, elle m'avait bien parlé du site Web en question, et de retour à mon studio, j'étais allée vérifier. J'y avais vu des photos un peu plus acceptables, disons beaucoup moins troublantes que celles que je tenais entre les mains. Celles-ci, je savais qu'il fallait payer pour y accéder et les télécharger, et le client en avait alors pour son argent, comme on dit. Sordide. Nao avait eu beau me préciser alors qu'elle avait encaissé de grosses sommes pour ces séances, il reste que c'était dégueu, à vomir, à hurler d'impuissance. *Gang Bang* et *Golden Shower*? Allons donc, de la petite bière! Ici, c'était le viol pur et simple, c'était scatologique, c'était à pleurer. Par quelle gymnastique intellectuelle ou tare congénitale des hommes peuvent-ils en arriver à faire subir à une femme de telles atrocités? Et puis surtout, comment cette femme-là peut-elle retrouver son équilibre après de tels outrages? Ça s'est mis à scintiller. Par quel enfer seras-tu passée, lui ai-je chuchoté, par quel enfer! Dans un filet de voix, elle m'a annoncé qu'elle avait reçu cette enveloppe le matin même au bureau, un peu avant midi.

Il y avait aussi un mot qu'elle m'a traduit : MADAME L'AVOCATE, QUE DIRAIENT VOS PATRONS S'ILS TOMBAIENT LÀ-DESSUS? RÉFLÉCHISSEZ, JE VOUS LAISSE ENCORE UN PEU DE TEMPS. À BIENTÔT. Je ne voyais plus que nos cannettes de bière et nos boîtes dans les filets, chacune d'elles étant en soi une petite œuvre d'art. Éthique et esthétique, ai-je songé, mais jusqu'où vont-ils aller?

Je me suis appliquée à tout fourrer dans mon sac. Allez, viens, Nao, j'ai comme une rage de nicotine.

Le fumoir! Drôle d'endroit. Elle s'en voulait d'avoir réservé nos sièges dans un wagon non-fumeur. Mais non, ai-je dit, c'est le parfait *nowhere* pour deux femmes en colère. Puis ce fut le silence. Pour se refaire des forces, assumer le présent, interroger l'avenir, et le feu de nos cigarettes qui s'agitait à grande vitesse. Droit devant, la pénéplaine urbanisée. Ils se terrent tous ici ou là, c'est planétaire, ils sont insaisissables. Participions-nous de cela, Julie et moi, quand nous opérions notre site qui se voulait d'une grande qualité esthétique? Mais non, me répétais-je, mais non, Johanna, ce n'était qu'un jeu. Nous y prenions un tel plaisir. Et chez le maître de *shibari*, ça pourrait sembler cruel, mais c'était si bon.

Nous serions en gare de Nagoya dans peu de temps, fallait penser vite. Tempête d'idées pour élaborer un scénario, ne pas rester là à ne rien faire, ne pas laisser faire. Il ne t'aura pas, Nao, crois-moi. Cette enveloppe constituait la mise en place d'un chantage, mais agissait-on pour une seule question d'argent? Était-ce un pur inconnu en lien avec le crime organisé ou un collègue de travail envieux? Était-ce seulement un homme? Si c'est un collègue, me disais-je, c'est un moindre mal, ça peut toujours s'arranger. La solution serait, disons, à portée de main. Par exemple, on veut tasser Nao pour prendre sa place. Minable, risible et franchement idiot. Sinon ça se complique. As-tu une idée, Nao, as-tu une idée d'où ça vient?

Elle a pris le temps d'inhaler avant de répondre. Peut-être bien, a-t-elle avancé, c'est dans le domaine du possible. Ces derniers temps, il s'est passé de drôles de choses au bureau. Bon, ai-je laissé tomber, tu vas sans doute me trouver naïve, mais allons-y : c'est peut-être moins pire qu'on pourrait le croire. Elle me toisait maintenant d'un œil dubitatif. J'ai pris le temps d'écraser ma cigarette, et pour qu'elle m'entende bien, j'ai articulé chaque syllabe : Nao, après tout ce que tu as vécu, après avoir réussi à t'en sortir, après t'être exilée au Canada pendant deux ans pour devenir la femme que tu es, ce n'est pas vrai que tu vas te laisser faire. Tu n'es pas sans ressources, tu n'es pas seule au monde. Bizarre, Nao, mais si tes parents nous ont invitées à venir passer le week-end à la maison, peut-être n'est-ce pas pour rien.

Elle s'est rapprochée pour se mouler à moi. Joue contre joue étions-nous maintenant dans le fumoir. Elle me serrait fort, si fort, tellement fort que j'avais de la peine à respirer, et nous restions là, femmes fortes, les joues humides. Lorsqu'une rame a croisé la nôtre dans un souffle d'enfer, nous avons été prises d'un grand rire fou. T'ai-je déjà dit, ai-je réussi à articuler, t'ai-je déjà dit, Nao de Gifu, que les trains me font de l'effet? Fou rire de femmes qui ne s'en laisseraient pas imposer, fou rire à indisposer le solitaire chauve tirant à côté sur sa clope. Rire rauque de sorcières, de walkyries ou de kamikazes, nous ne savions trop, mais il était contagieux. N'est-ce pas, voisin? Il nous a jeté un regard complice, a écrasé sa cigarette et s'en est retourné en amont.

De retour à nos sièges, il nous restait à mettre en place une stratégie à court et à moyen termes. Premièrement, Nao ne devait en aucun cas laisser voir au bureau la moindre trace d'abattement. Surtout, elle ne devait rien changer à ses habitudes, travailler ses dossiers de jurisprudence comme si de rien n'était. Si possible, tenter d'en savoir un peu plus sur son collègue par un subtil jeu d'alliance. Oui, ça pouvait toujours se vérifier.

Les édifices gagnaient en hauteur, signe que nous entrions dans la proche banlieue de Nagoya. Malgré sa résistance, j'ai tenu à conserver l'enveloppe dans mon sac. Pièces à conviction, sait-on jamais. Et puis, ma belle Nao, faudrait surtout pas que ton père ou ta mère tombe là-dessus.

27
NAKATSUGAWA STATION

Nous y étions enfin, au pays de Nao, fief de montagne intégralement voué à l'industrie forestière jusqu'à l'ultime transformation : chutes de bois d'une fabrique de meubles qu'un vieil oncle métamorphose dans sa boutique en baguettes pour une chaîne de restaurants. Le domaine de son père, bien évidemment, industriel, constructeur et mécène, mais c'était aussi le tien, papa, par sa géomorphologie et la pureté de l'air. Tu peux zoomer sur la préfecture de Gifu. Observe ce village qui s'étire dans la vallée de la Shiragawa. Vraiment pas pareil, me diras-tu, aucun rapport, mais ça me rappelle Petit-Saguenay, le village de ton enfance. Entre la rivière de galets et la montagne, la vallée est ici beaucoup moins encaissée, plus évasée, plus lumineuse, de type alpin. Cinq mille habitants, vie communautaire et culturelle intense, écoles et services de proximité, rizières, micro-entreprises, la Nationale à quatre voies.

Arrivées la veille à la tombée du jour, je n'avais rien vu de la vallée ni du village alors que là ! Douce fraîcheur et belle luminosité. Les nuages se découpaient dans le bleu du ciel, c'était plus frais que la veille à Tokyo, beaucoup moins humide, surtout. Sur le pont de la Shiragawa, la rivière Blanche, j'entrais, les cheveux au vent, dans le petit monde de Nao avec la certitude de la saisir dans toute son essence. Nao la rurale, Nao la sérieuse petite pianiste aux gammes incertaines, elle avait sans doute fredonné sa solitude tout près d'ici comme dans ces venelles par là-bas. En ce début d'après-midi, elle me semblait bien fragile dans son silence obstiné. Elle s'activait sans doute à tisser des liens entre l'affaire des photos et la teneur de la discussion que son père et elle avaient en matinée longuement étirée. Je n'attendais rien d'elle, je me perdais dans son paysage. Pas question de la brusquer, elle saurait bien se confier en temps et lieu. Vraiment beau, ai-je admis, cette vallée est une part de toi qui m'échappait hier encore à Tokyo. Je te vois, Nao, je t'imagine en toute saison, toi et tes amies, toi, ta bicyclette et ton piano.

Une centaine de mètres sur notre droite, au carrefour de la Nationale, les autos et camionnettes glissaient sur l'asphalte. Un motard a fait rugir son engin d'enfer le feu passé au vert, et le silence revenu, une mobylette d'ado a hurlé à l'univers entier son manque de puissance. Nao m'a pris la main pour m'entraîner vers le centre culturel construit par son père et qu'elle tenait à me faire visiter. Après, ce serait le trekking que nous nous promettions depuis deux semaines. *My God*! C'était 100 % bois. Au cœur du village de cinq mille habitants, un centre culturel comme on peut en retrouver chez nous dans des villes de plus de deux cent mille! Pur hommage à la forêt environnante, source de richesse inépuisable. Bien mise en évidence dans le grand hall, il y avait la coupe transversale du tronc de l'arbre sacré qui était devenu un siècle plus tôt la poutre principale d'un temple de la région de Nara. Plus d'un mètre d'envergure. Ses anneaux de croissance qu'on avait marqués par endroits au crayon feutre nous permettaient de remonter le temps jusqu'au début du quinzième siècle. Pin, cèdre ou cyprès? Elle ne le savait pas plus que moi.

Dans le couloir menant aux bureaux, à la cuisine communautaire et à la vaste salle à dîner, des photos prises lors de l'abattage. Elles dataient de la fin du dix-neuvième siècle. Tout y était, de l'hommage des moines et des bonzes du village rendu à cet arbre sacré qui avait poussé dans un terreau accidenté jusqu'à la chute finale. Sous différents angles, on pouvait voir toutes les étapes de l'abattage par une équipe de forestiers. Touchantes archives.

Tu peux me dire, Nao, comment on s'y est pris pour livrer une telle pièce dans une région aussi éloignée que Nara et Kyoto ? Elle ne s'était jamais posé la question, fallait plutôt demander à son père. Avant le trekking, elle voulait maintenant me montrer l'école primaire et le lycée de son enfance, et nous nous sommes rendues du côté du théâtre en plein air où elle avait stationné la Honda de sa mère. Son père était venu nous accueillir la veille à la gare de Nakatsugawa. Au volant de sa camionnette, les yeux rivés sur la route sinueuse tracée dans la vallée, il s'était borné à poser quelques questions, visiblement heureux de revoir son avocate de fille et de connaître enfin l'amie d'Amérique qu'il semblait déjà apprécier. Timides regards dans le rétroviseur, il laissait à Nao tout le temps de traduire. Même chose à table un peu plus tard, à peine quelques syllabes, sans plus, alors que sa mère s'était révélée une hôtesse enjouée et pleine d'attentions. Vers la fin du repas, il avait été pris d'une endormie. Dure journée, avait-il répété, bris d'équipement majeur à la scierie. Il nous avait laissées entre femmes. Il serait plus en forme le lendemain, c'était promis, et nous étions passées au vivoir pour le thé.

Sous une lumière bien dosée, équilibrée, j'avais pu voir le piano de Nao. J'avais imaginé un petit Yamaha comme le nôtre, mais celui-là était un Steinway à queue, parfaitement orienté dans l'angle de la baie vitrée, et j'avais vite compris que c'était surtout le piano de sa mère. Le thé en toute simplicité parce qu'elle avait prévu une cérémonie dans sa forme la plus pure pour le lendemain soir chez une amie. Kimono pour l'invitée et tout le rituel. Moi, avait-elle avancé alors qu'elle maniait tout de même la théière avec grâce, je n'y connais absolument rien, et dans la seule façon qu'avait eue Nao de traduire, j'avais senti leur degré de complicité. Jusqu'alors, Nao m'avait surtout parlé de son père, mais d'elle, de sa mère, jamais. Raffinée sans pour autant être affectée, ouverte d'esprit, rock'n'roll dans son jean moulant et son chemisier ouvert sur une fine camisole, elle jouait l'autodérision, elle était d'un charme fou.

J'avais nagé dans l'inquiétude quand était venu le temps de lui présenter mon cadeau, et j'ai pu respirer un peu mieux quand j'ai vu sa joie de découvrir mon choix de deux CD d'André Gagnon ! J'avais visé juste, mais je dois avouer que je m'étais renseignée auprès de sa fille. Je les avais achetés deux jours plus tôt dans un grand magasin de Ginza et j'en avais confié l'emballage à l'experte en papiers fins et origami du comptoir de l'étage. Comme Nao me l'avait précisé, elle connaissait André Gagnon pour l'avoir déjà vu en concert à Nagoya. On peut entendre sa musique sur les radios spécialisées, vous savez, mais impossible de trouver ses disques au village. Peut-être à Nakatsugawa ou Takayama, mais encore. Quant au téléchargement, c'est vraiment trop compliqué. Dans ce vivoir aux baies ouvrant sur la cour intérieure aux lumignons complices du gravier, des plantes vertes et des massifs de fleurs, nous avions parlé de notre vie mouvementée à Tokyo et de ses mille occupations communautaires au village, accompagnées en cela par une musique d'André Gagnon. Mais où donc étais-je ? Comme aux premiers jours d'une aventure ?

Elle avait soudain voulu voir des photos de famille. Je lui avais tendu celle du chalet où vous exhibez vos prises, puis une autre de Julien. Solo d'harmonica sur une scène en plein air. Comme Nao au printemps, elle s'était extasiée sur les poissons et nous avait trouvé des traits communs. Bien après le thé, nous étions allées prendre l'air toutes les deux sous les lanternes, dans la douce pénombre du vieux quartier qu'on pourrait classer site protégé pour son architecture typique du début de l'ère Meiji. Ton père est un modèle de réserve, avais-je lancé comme ça à Nao. Un modèle de réserve et de contrôle, avait-elle précisé alors qu'un chaton sortait de sous un bosquet pour s'approcher.

Nao a coupé le moteur dans le stationnement qui surplombe la cour de récréation, et on pouvait voir du côté de l'école primaire des élèves en uniforme. Pas de surveillance dans les alentours, vraiment pas comme à Tokyo où il faut montrer patte blanche à la guérite. Cette cour de récréation était l'endroit idéal pour tester les souliers de marche que sa mère m'avait prêtés. La première rendue à la clôture, ai-je crâné alors que nous descendions les marches, et nous nous sommes mises à courir comme des folles sous les cerisiers pour arriver à la limite du terrain à peu près en même temps. Ouf! Beaucoup plus essoufflant que prévu. Le dos contre la clôture grillagée, je reprenais mon souffle en contemplant les deux bâtiments de l'école primaire et du lycée. Sobriété, légèreté, luminosité, comme ça sur trois étages. Le drapeau du Japon frémissait là-haut. Il se découpait sur le bleu du ciel et la crête des montagnes. C'est donc dans cet environnement de rêve que tu auras fait ton primaire et ton secondaire. Moi, mon primaire, c'était au cœur de la ville, près de l'usine de pâte et papier, entre la 5e avenue et la 6e. Plus massive que la tienne, mon école, en briques rouges, avec l'église néogothique et le parc d'amusement juste à côté. Trois étages aussi, cour asphaltée, entourée d'arbres, les autobus scolaires qui s'alignent dans les rues en fin d'après-midi. Autobus scolaires, a-t-elle répété, comme dans les films américains? Pas de ça par ici, Johanna, on se rend à l'école à pied ou à bicyclette.

C'est beau, cette perspective de cerisiers. Je t'imagine très bien dans cette cour, en avril, disons, quand tout est en fleurs. Tu devais être une charmante petite fille, Nao. Elle m'a longuement regardée, s'est lentement rapprochée, et elle s'est mise à lécher les gouttelettes de sueur qui perlaient dans mon cou. J'ai fait pareil, c'était bon, sucré/salé, mais considérant les possibles regards d'enfants tournés vers nous, filles de Tokyo un brin perverses, nous en sommes restées là pour retourner bien sagement à l'auto. Après quelques pas, elle m'a confié que son père m'appréciait beaucoup : élégante, belle et racée, réservée, attentionnée. Oh là, Nao, tu heurtes ma modestie. Elle s'est mise à rire, puis elle a continué. Non, sans blague, Johanna, il voit bien qu'à nous deux, nous formons une équipe redoutable. Ça le réconforte de nous savoir ensemble, ça le rassure. Alors voilà : ce matin, tu as bien vu que nous étions en grande discussion sur la terrasse. Il m'a proposé quelque chose de très gros. Oh, il me laisse du temps pour y songer, et il m'a dit surtout que je pouvais m'en ouvrir à toi.

Elle s'est installée au volant en se gardant de mettre le contact. En gros, son père était sur le point de l'acheter, ce terrain dans le quartier Suginami. Une affaire de succession, elle m'en avait déjà parlé. La famille du défunt voulait se débarrasser au plus vite de cette masure délabrée qui déparait le quartier. Il faut dire aussi que ce terrain vaut une petite fortune. Stratégiquement situé, à deux pas de la station Hamadayama de la ligne Inokashira. Je connais, ai-je avoué, je suis passée dans le coin quand je me suis rendue ce printemps à Nakano. Bref, si tout allait bien, si l'expert qu'il avait mandaté réussissait à mettre la main dessus, il prévoyait libérer le terrain et entreprendre la construction d'une nouvelle maison modèle avant la fin de l'année, et elle pourrait donc l'habiter quelque part au printemps. Mais il y avait plus. Dans la mesure où les affaires allaient nécessairement prendre de l'ampleur, il lui proposait un groupe d'actions et une fonction capitale dans une nouvelle entreprise encore à créer. Avocate en droit des affaires dans une étude prestigieuse, sa fille était la personne idéale pour occuper le poste de vice-présidente.

Je ne sais plus, Johanna, depuis ce matin, ça se bouscule dans ma tête, que ferais-tu à ma place ? Je ne serai jamais à ta place, Nao, mais je peux comprendre ton angoisse. Pas fou, ai-je laissé tomber après un long silence, ton père bouge parfaitement ses pions. Mais, tu sais, je comprends aussi qu'il puisse t'offrir une telle chose. Tu es quand même sa fille unique. Avec l'affaire des photos, on pourrait dire que ça arrive à point nommé. Tu acceptes et tu lèves les pattes, mais c'est trop facile. Je te sens fragile, Nao, je ressens ta panique. Ce n'est pas rien. Être obligée comme ça envers ton père, travailler avec lui et lui devoir constamment des comptes. Avenir prévisible, la vie toute bien réglée, casée une fois pour toutes, et tu n'as pas trente ans. Étourdissant. Je ne sais pas comment j'agirais à ta place, mais sache que je te comprends parfaitement.

Merci, a-t-elle articulé, tu me donnes de l'air. Il me faut du temps pour réfléchir, et je vais le prendre. Ce n'était pas très loin, et l'idée du trekking, c'est qu'elle voulait me montrer quelque deux kilomètres plus haut un temple qui finissait de pourrir dans l'humidité. Nous avons plus loin laissé la Honda dans le stationnement réservé aux marcheurs et avons entrepris la montée sous les cyprès et les bambous. Le sentier devenu assez vite plus étroit, je l'ai laissée prendre une bonne avance. Je voulais m'imprégner des sons et des odeurs. Champignons, pourriture, bouleau, sapin et épinette, longtemps que je n'avais pas marché en forêt. Ça remontait à plus de deux ans, au chalet de pêche. Ici, c'était cyprès et talles de bambous, les troncs qui s'entrechoquent dans les hauteurs au moindre souffle. Douce percussion qui vous donne de l'énergie mais qui devait rendre fou le moine pris au cœur de la tempête. Percussions qui me ramenaient des siècles en arrière. Innus, Aïnous, Inuits, qui êtes-vous, où êtes-vous ? Dans la pénombre, j'ai fini par voir poindre une pagode à travers les troncs et les branches. La marche avait été aisée dans ce sentier somme toute fort bien entretenu, mais c'est quand même avec satisfaction que je me suis affalée près de Nao, sur une longue pièce de bois. La poutre était encore en bon état, le temple aussi, me semblait-il, et le silence... tout relatif. Plaisir d'être là avec elle, dans cette forêt d'une enfance heureuse, épuisées que nous étions toutes les deux. Plaisir d'entendre le souffle régulier de la fille à papa, moi, la fille sans son père. Les corbeaux se répondaient d'une cime à l'autre : *RRRAH, RRRAH, RRRAH.* Elle s'est mise à pleurer sur mon épaule.

JR

28
OTEMACHI

Après avoir passé la dernière demi-heure avec Atsushi dans l'idée de le renseigner sur quelque dossier susceptible de lui être confié en cas d'urgence – éventualité presque nulle mais toujours possible –, c'est l'esprit en paix que j'ai quitté le bureau, sauf que dans le métro, je suis tombée sur l'heure de pointe. Pas grave, me disais-je, froide et stoïque, ce sera toujours un moindre mal de se muer pour un temps en petit poisson cherchant son air quand on part en vacances. De Ginza à Shibuya, le porte-documents me rentrait dans les genoux, je recevais les effluves d'un parfum que je n'arrivais pas à nommer. C'était bon, c'était frais, mais coincée à l'extrême, une main volage un peu trop bien appliquée sur ma hanche, j'avais hâte de sortir de là.

Correspondance pour la ligne Den'en-Toshi, couloirs utilisés à pleine capacité, en tout et pour tout, l'espace d'une quarantaine de minutes, je serai passée de la *sardine coincée* à la *feuille de thé* quand j'ai retrouvé ma venelle. J'approchais du lycée quand je l'ai vu dans le parc. La chemise blanche sur t-shirt noir aussi acheté deux jours plus tôt dans un kiosque du bazar de la gare Ueno, il tenait sa cigarette comme un chef d'orchestre sa baguette, et je me suis retenue pour ne pas lui crier que j'étais en vacances.

Il a sorti son cendrier de poche pour éteindre sa cigarette avant que j'arrive à sa hauteur, et j'ai laissé tomber mon porte-documents pour l'enlacer de toutes mes forces d'*Office Lady*.

Ses cheveux étaient encore mouillés, la douche avait été, semble-t-il, particulièrement tonique après des kilomètres de vélo, le col de sa chemise sentait bon, sentait le neuf. Tu fais *Salaryman* perdu, ai-je ironisé, tu me troubles et ça m'excite. C'est fou, le vélo dans cette ville, a-t-il avoué en attrapant mon porte-documents.

Je savais qu'il en aurait long à dire, et je me suis contentée d'écouter. Tu peux délirer en français autant que tu voudras, me disais-je, dans une semaine, ce sera par ici le retour de mon silence habituel. Ça roule tellement bien, a-t-il continué, un petit coup de sonnette par-ci, un petit coup de sonnette par-là ; on se laisse porter. On se dit que l'air est bon, qu'on a le temps, qu'on a toute la journée, sauf qu'il faut bien songer un jour à revenir sur ses pas. Si t'oublies ça, tu te ramasses épuisé au bout du monde et puis là, t'as l'air fin ! Dis, ça t'est déjà arrivé ? Ben non, ai-je répliqué, pour qui tu me prends !

Bref, s'il n'y avait pas eu d'obstacle majeur, il serait tombé dans le piège qui guette le cycliste du dimanche – ce qu'il est effectivement. Il avait emprunté Setagaya Dori en direction de la Tamagawa, et n'eût été d'un pont interdit aux cyclistes, il se serait bien rendu comme ça jusqu'à Yokohama. J'ai jeté un œil à l'odomètre : plus de trente kilomètres. Belle *ride*, mon grand, j'espère qu'il te reste un peu d'énergie. Ça devrait aller, a-t-il crâné alors que je sortais mes clés. Alors viens, j'ai besoin de relaxer avant le spectacle.

Pat Martino Organ Trio. J'avais réservé les billets quelques jours plus tôt, et comme les portes du *Cotton Club* n'ouvraient qu'à 20 h 30 pour le repas-spectacle, nous avions encore du temps devant nous. Quand je lui avais confirmé que c'était dans la poche, que tout était réglé, il m'avait texté son incompétence en la matière : Aucune idée mais je fais confiance. Tu connais la musique. Et comment, Étienne ! Pat Martino ; si je connais la musique ! Grand fan de jazz, c'est Atsushi qui m'avait parlé du *Cotton Club* vers la fin mai. J'avais vérifié le calendrier des spectacles sur le site Web, et je m'étais payé le samedi suivant

Inger Marie Gundersen. Groovy, intimiste, un brin latino mais d'une sonorité toute européenne. J'avais choisi le coin des solitaires, section C, espace surélevé séparé de la scène par le parterre de tables à quatre. Service discret, raffinement dans l'assiette, saké et scotch de l'Hokkaido.

Un couple sur ma gauche, venu d'Osaka, dans la quarantaine, lui prof de musique à l'université et elle graphiste dans une maison d'édition consacrée aux recettes culinaires. Pur ravissement, brefs échanges et quelques mots sur Montréal, mais après le spectacle, je ne sais trop pourquoi ni comment, je m'étais retrouvée dans une *brasserie parisienne* des environs de la gare à discourir sur l'Angleterre avec une Norvégienne pas mal bourrée qui s'ennuyait pour mourir à Tokyo – la tombe, la tombe. Surtout, pas de suite. D'un œil sévère, j'avais jaugé cette salle pouvant accueillir au mieux deux cents personnes, et je m'étais juré d'y revenir avec Étienne. Je voulais vivre ce bonheur-là avec lui. Top Tokyo, bouffe raffinée, urbaine boîte à jazz dans la pure lignée du *Cotton Club* de Harlem… où je n'étais jamais allée.

Avant de songer à me retirer les bas et le chemisier, en bon athlète qui songe à tout, il a attrapé mon petit réveil jaune pour le régler à 19 h, et c'est ce qui nous a sauvés. Comme à Montréal lors de nos plages d'intimité dans mon studio du centre-ville entre ses arrivées au terminus où j'allais le cueillir et le resto en fin de soirée, il aura été d'une *exquise lenteur de chambre d'hôtel*. Je comprends, disait-il après coup en laissant errer ses doigts sur mes lèvres, je saisis mieux maintenant ton idée de la feuille de thé. Je l'écoutais sans rien ajouter, sans velléité de dialogue, tout bonnement, comme on se laisse porter par une petite musique qui vous fait du bien. Cette façon de densifier les quartiers comme une plantation de thé, chuchotait-il, c'est pas mal du tout. Il s'exprimait sur un ton posé, et je sentais que cette méditation à haute voix constituait pour ainsi dire le premier jet d'un article à paraître un jour prochain dans une revue spécialisée en urbanisme. Je savais que cette prise de contact avec mon quartier deviendrait tôt ou tard l'objet d'une présentation lors d'un colloque organisé par l'INRS.

Dès que je quittais la grande artère et ses commerces de proximité, continuait-il, j'entrais dans le labyrinthe de venelles intimes. L'accalmie soudaine, la vie qui semble s'être arrêtée. Unités d'habitation à grande densité sur l'artère principale, comme partout ailleurs, mais la venelle ! Maison unifamiliale occupant 90 % du terrain, le reste pour les fleurs et les arbustes, parfois un stationnement. Et puis quelle qualité de construction ! Sobre architecture mais jamais rien de banal. Brique, pierre, crépi, bois, plusieurs dans le style de celle de Shin-Kiba. Bercée par ses paroles, je somnolais, je savais, je savais. Je savais que j'allais bientôt sombrer pour me réveiller plus tard au timbre de mon petit réveil jaune. Dans ma tête se bousculaient les images un peu floues d'une chambre d'hôtel à Prague... wagon-lit fendant la steppe... parc à Saint-Pétersbourg en fin d'après-midi... je savais que...

Après être passés au vestiaire pour y laisser parapluies et impers – il s'était mis plus tôt à tomber une pluie étale et monotone –, nous avons rejoint la file. Comme en mai, pas le moindre éclat de voix, quasiment le salon funéraire. À peine quelques chuchotements, un rire contenu un peu plus haut, à se croire dans le métro. À première vue, nous semblions bien être les seuls Occidentaux. Une jeune fille nous a entraînés vers nos places réservées. Que dire de cette soirée ?

Oui, Étienne était bien là, à mes côtés, mais c'est surtout à toi que je songeais, papa. Je réalisais l'un de tes plus grands rêves en me tapant à Tokyo Pat Martino. Toi qui rêvais d'aller un jour au Chicago Blues Festival, toi et ton groupe versé dans le blues de Chicago. William Street Blues Band. Les gars de la rue William. Tu avais de lui quelques vinyles, je me souviens de la pochette de *We'll Be Together Again*. Quel titre ! Tu ne trouves pas ? *Days of Wine and Roses*, c'était dans votre répertoire, j'entends ta guitare.

Les années 1980, tu étais au début de la trentaine et je n'étais encore qu'une enfant. J'aimais ton chapeau, celui que tu avais volé à ton père et que tu m'enfonçais parfois jusqu'aux oreilles, j'aimais ta guitare, j'aimais la batterie, les cymbales. Mais qu'est-ce que t'as, ai-je entendu, qu'est-ce qui se passe, Johanna ? Pour toute réponse, j'ai levé la main à la hauteur de mon verre et il a tout compris. Silence… pour jouir pleinement de la pièce, jusqu'à la toute fin. Après les applaudissements à la japonaise, pleins de retenue, je me suis prise à lui raconter la belle histoire d'un drôle de petit chapeau musical qui se passe dans un vieux garage de la rue William, Hammond B3, guitare basse, batterie et harmonica.

Au sortir du spectacle, nous avons louvoyé dans un état second autour des grandes gares. Sous nos parapluies, nous remontions vers la station Otemachi quand nous sommes tombés sur l'*Excelsior Caffe* où il m'arrive de temps à autre d'aller relaxer. Tout autour de nous, c'était chacun son portable, son cellulaire ou son bidule. Quelques couples d'amoureux aussi, comme nous, un groupe un peu plus bruyant vers le couloir menant aux toilettes.

Excelsior Caffe
feuilles de thé *on the Web*
chacun sa lueur

Les coudes sur la table, chacun se perdait dans les yeux de l'autre. C'était parfait, nul besoin d'y mettre des mots. Sur la table, un cendrier, paquets de cigarettes, mon eau minérale, sa bière et un verre aux couleurs de la Stella Artois. La fatigue, très certainement. Le taux d'alcool aussi. Il a ressenti le besoin de sortir son iPhone pour vérifier certaines informations. Il a fini par trouver ce qu'il cherchait. Regarde!

William Street Blues Band! Touchée, Étienne. C'est le moment que j'ai choisi pour lui dévoiler ma surprise. Je n'ai pas cherché bien longtemps dans mon sac avant de trouver les enveloppes aux couleurs de la *Japan Railways* que j'ai déposées sur la table : voilà, Étienne. Tickets pour Kyoto, et en Shinkansen! Surprise totale. C'était bon de voir sa réaction, parce que j'avais si bien joué mon jeu dans les semaines précédentes qu'il avait fini par en faire son deuil. Demain, ai-je précisé, c'est jour de repos. Départ jeudi matin pour arriver à Kyoto en début d'après-midi. Une pointe à Nara est toujours possible. Deux nuits à Kyoto, répétait-il, je n'en reviens pas. Mais t'es folle, Johanna. On n'est pas en Russie, ici, on est au Japon. Ça doit coûter une petite fortune! Ça, ai-je tranché, c'est pas ton problème. Il mimait toujours l'incrédulité quand j'ai ajouté qu'un gars qui se tape *Le Dit du Genji* en moins d'un an mérite bien de déambuler dans l'ancienne cité impériale. Kyoto est quasiment devenue TA ville, n'est-ce pas, Étienne? Peut-être là-bas seras-tu mon guide.

Dehors, ça scintillait sous les lampadaires, mais ici, à l'heure des derniers métros et trains de banlieue, on pouvait entendre une ballade nostalgique. Lumière tamisée pour noctambules impénitents, ça entrait toujours, ça sortait tout autant, ça tournait au ralenti dans les alentours de la gare, des douves du Palais impérial et de l'hôtel Imperial. Taxis en maraude et grappes de piétons aux parapluies fermés. Kyoto en tête, il s'est mis à siffler le standard interprété plus tôt par Martino.

ⴹ

Mi-septembre, deux semaines avant l'arrivée d'Étienne, croyant que c'était réglé, sûre et certaine que l'épisode n'avait été qu'une mauvaise blague de bureau qui ne méritait rien de plus qu'un sourire de désolation, Nao était sur le point de tout oublier quand elle a reçu une deuxième série de photos accompagnée cette fois d'un billet pour le moins sinistre. C'était donc beaucoup plus sérieux que nous avions bien voulu le croire. Sous le coup de la panique, elle avait momentanément fui le bureau pour me lancer un appel de la rue. Je pouvais entendre passer les autos, motos et mobylettes, la clochette d'une bicyclette qui avait dû la frôler de près. Qu'est-ce que je fais, Johanna, qu'est-ce que je fais ?

Je la sentais fragile comme l'orchidée, sur le point d'éclater en sanglots alors que j'étais moi-même plongée dans l'analyse d'un bilan mensuel bourré de surprises. Bon, fallait laisser ça, occulter les colonnes de chiffres, penser vite, réagir vite, commencer par la calmer. Allez, Nao, reprends tes esprits. T'es dans la rue, là, j'entends tout. Écoute bien : pas de panique, surtout pas de panique. Faut rester de marbre. Rappelle-toi ce qu'on s'est dit dimanche dernier : il ne nous a pas eues ! Alors maintenant, répète après moi : il ne nous aura pas ! Allez, allez, un petit effort.

Ouais, ai-je pensé, facile à dire, on jurerait deux petites naïves du primaire. Sur l'écran à haute résolution défilaient sans faille les cotes de la Bourse de Tokyo. Pour un peu, j'aurais voulu y voir clignoter la carte du pays après un bon séisme de force 4 à l'échelle Shindo. Trois semaines sans nouvelles de ce type, tout semblait s'être tassé, nous nous en étions même amusées : il est passé sous un train, ou bien il s'est fait descendre dans une ruelle. Ça lui apprendra.

Elle a fini par répéter sur le ton d'une élève du primaire pas très sûre d'elle : il ne nous aura pas ! C'était à tirer les larmes. Images récurrentes d'une école de Gifu, d'une sage petite fille grondée par l'institutrice. J'aurais voulu être là avec elle dans cette rue encombrée, histoire de l'entraîner de force dans le premier café, histoire de la réconforter, lui dire qu'à nous deux, nous formions une formidable équipe, inattaquable, invulnérable. Mais je n'y étais pas. J'étais à mon dossier d'entreprise et à mes écrans de cotes boursières. Mais je tenais une solution pour faire baisser d'un cran la tension : tu as toujours la carte professionnelle de ton détective ? Évidemment, nul besoin de monter au douzième pour vérifier dans ses affaires, mais sous le coup de l'affolement, alors qu'elle me l'avait montrée dans le train du retour, elle avait oublié cette possibilité. Maintenant, Nao, tu vas remonter à ton poste de travail sans rien laisser paraître, et ça, je crois que tu en es capable, n'est-ce pas ? Il n'y a rien d'autre à faire pour le moment, et puis surtout, ça ne sert à rien de te monter un scénario catastrophe.

Elle était déjà plus calme. Ça paraissait dans le ton de sa voix et dans son débit lorsqu'elle m'a avoué qu'elle respirait un peu mieux. Quant à moi, je me félicitais d'avoir conservé en lieu sûr l'enveloppe, les photos et le premier message. Dire qu'elle avait songé dans le train à tout mettre ça en mille miettes. Nous aurions donc deux séries de pièces à conviction à soumettre à son détective, c'était ça de pris. Sauf qu'après cinq ans, était-il toujours en affaires ? J'ai pris les devants : écoute bien, Nao, je prends deux heures de pause ce midi pour te rejoindre à Shinjuku. Midi trente au *Doutor* du carrefour Shinjuku – Meiji. Ça va ? Non, il ne fallait pas. J'ai dit, Nao ! OK, a-t-elle fini par concéder. C'était gentil, au-delà de ses espérances, mais aujourd'hui encore, je sais que c'était la seule chose à faire. Ne pas la laisser seule trop longtemps. Calcul rapide : de Ginza à Shinjuku-Sanchome, stations M16 à M09 de la ligne Marunouchi, ça se traduisait en tout et pour tout par une vingtaine de minutes.

Je savais que son étude était située pas très loin du *Doutor*, un peu plus haut sur Yasukuni Dori. Elle en grillait une dans l'ombre des gratte-ciel quand je suis arrivée, et elle n'a pu s'empêcher de crier mon prénom lorsqu'elle m'a vue surgir de la masse de piétons. Pas très habituel, cette effusion de sentiments. Deux jeunes hommes en costume trois pièces ont tourné la tête dans sa direction alors qu'elle éteignait sa clope dans le cendrier plaqué argent que je lui avais plus tôt offert. Nous voir ainsi à l'heure du midi, c'était une première, et ça nous a fait tout drôle de nous mettre dans la file pour commander à la caisse. Nous avons choisi essentiellement la même chose, et après avoir pris place, nous avons soufflé un peu, puis nous avons parlé de stratégie. C'était bien, c'était parfait, nous étions dans l'action, mais quand elle a sorti de son porte-cartes celle de son détective, ça n'a pu que lui remémorer une bien mauvaise période. Sale type qui la tenait sous sa coupe, séances de photos à vomir, diurnes errances et avant-bras couverts de bleus.

Première question : son privé était-il toujours en affaires ? Il le faut, il le faut, il le faut ! Et si on tentait un coup de fil, comme ça, tout de suite, pourquoi pas ? Deux coups seulement, parce que lui aussi, il cassait une croûte quelque part. Peut-être même mangeait-il son kebab dans le restaurant marocain d'en face, va savoir. Oui, madame, nous sommes toujours en affaires. Après un court moment d'hésitation et quelques précisions de la part de Nao, il se souvenait maintenant d'elle et de son père, surtout son père, un homme charmant, originaire de la préfecture de Gifu, n'est-ce pas ? Rendez-vous le lendemain soir à 19 h, si possible chez elle. C'était réglé et il n'exprimait aucune réticence à ce que j'y sois, bien au contraire. Aussi simple que ça !

Je me suis levée d'un trait pour aller commander deux cappuccinos, et une heure plus tard, je n'en revenais toujours pas quand nous nous sommes quittées à l'édicule du métro. Tout l'après-midi, je me suis surprise à analyser mes chiffres avec une rare acuité, d'une grande efficacité étais-je, et l'insoluble problème de mon client s'atténuait comme par magie. Rubrique des comptes à payer, mon cher, parce que ce mois-ci, vous avez eu tendance à liquider vos dettes un peu trop rapidement. Relaxez, Maxime, n'hésitez pas à utiliser vos délais de paiement et tout va rentrer dans l'ordre.

Le lendemain soir, je me suis rendue chez Nao à bicyclette. Besoin de me libérer l'esprit avant cette première rencontre. L'air était bon sur la piste cyclable et dans les venelles de Meguro, la ville tournait au ralenti à la tombée du jour. Nous nous sommes retrouvés tous les trois à discuter sous une lumière tamisée autour de l'ensemble à thé. Même si l'affaire d'Ikebukuro remontait à près de cinq ans, en guise d'introduction, il s'est plu à nous en relater quelques moments savoureux, comme ce rendez-vous avec le souteneur dans une ruelle. Accompagné d'un ami aux allures de fier-à-bras, il lui avait jeté aux pieds vingt-cinq billets de 100 000 ¥ : prends ça, minable, et profite de ta chance. Oublie cette fille, sinon t'es cuit. Son père avait déboursé la grosse somme, autour de 25 000 $. Anecdote à la limite du comique, mais voilà, cinq ans plus tard, étions-nous en présence du même type ? Possible.

Ce serait donc la première étape de l'enquête : où est-il, est-il mort ou vif, qu'est-il devenu. Cela dit, il s'est attardé aux séries de photos, mais surtout aux deux billets. Le libellé du deuxième était plein de sous-entendus, et au froncé de ses sourcils, j'ai bien vu qu'il était déjà au travail. L'air particulièrement songeur, il a posé sa tasse pour me lire en anglais ce message en *kanji* que je traduis ici en français : MADAME L'AVOCATE, VOUS PARLEZ TRÈS BIEN L'ANGLAIS, PRESQUE SANS ACCENT, AU POINT QUE VOUS ÊTES RÉPERTORIÉE SUR UN SITE DU GOUVERNEMENT CANADIEN.

INTÉRESSANT. C'EST BEAU, INTERNET. NOUS SAVONS TOUT. JE NE
VOUS DEMANDE RIEN POUR L'INSTANT. NOUS VERRONS.

Il était bien, son privé, sympathique, le physique de l'emploi. Il
l'avait déjà sortie de l'enfer, et j'avais la conviction qu'il y arriverait
encore. Dans ma recherche du cliché, je l'avais imaginé tout le
contraire de Kindaichi, le détective de manga aux allures d'ado-
lescent, et j'avais visé juste : un gros nounours qui s'est trompé
de zoo. Gabarit de débardeur, mains puissantes, cou musclé,
mais d'une gestuelle étonnamment délicate. Bien étrange, a-t-il
répété, tout ça me paraît bien étrange. Et puis vous, m'a-t-il lancé
comme dans une marque de civilité, vous êtes Canadienne, n'est-
ce pas ? Dans l'affirmative, il a douté fort que ça puisse avoir un
lien, sauf qu'il lui faudrait vérifier certaines petites choses. Ah tiens,
ai-je émis, ça veut dire quoi pour vous, certaines petites choses ?
Je ne voudrais surtout pas que mes patrons soient au courant.
Il a porté sa main au menton : il ne faut pas vous inquiéter,
madame, je travaille dans la plus totale discrétion. Très bien,
monsieur, je compte sur vous. S'adressant cette fois à nous
deux, il a traduit le premier message que nous connaissions
bien : MADAME L'AVOCATE, QUE DIRAIENT VOS PATRONS S'ILS
TOMBAIENT LÀ-DESSUS ? RÉFLÉCHISSEZ, JE VOUS LAISSE ENCORE
UN PEU DE TEMPS. À BIENTÔT.

Papier du type qu'on vend à la tonne, la même police de
caractère. Pour l'instant, a-t-il conclu, tout ce que je peux dire,
c'est que ça me rappelle un autre cas. Nous ne partons pas de
rien. Maintenant, rappelez-moi, madame, le nom du site en
question. Nao s'est éclipsée un moment pour revenir avec un
portfolio aux couleurs de l'entreprise de son père. Il y a tout là-
dedans, a-t-elle admis : le nom du site, le pseudonyme de la dame
avec qui j'étais en contact, nos échanges de courriels, mon
agenda, des notes éparses, tout. J'ai tout conservé. C'était bien
plus que ce à quoi il s'était attendu, il était comblé. Fort de ces
renseignements et du contenu des enveloppes, comme pour
occulter l'enquête, il s'est intéressé un peu plus à moi, très gentiment

d'ailleurs. Il s'est entre autres informé sur ma trajectoire, comment je trouvais le pays. Et puis non, je n'avais jamais entendu parler du site du gouvernement canadien auquel le type faisait allusion. Vraiment, aucune idée.

Comme il semblait être sur le point de mettre fin à l'entretien, Nao a glissé un mot sur son collègue de bureau. Je ne voudrais pas créer de froid, précisait-elle, mais c'est peut-être une piste. Depuis quelque temps, il n'est plus tout à fait le même. Il n'ose plus me regarder, lui qui était si jovial, si attentionné. Intéressant, a-t-il avoué. Il a sorti de la poche intérieure de son veston un bloc-notes. Voyant qu'elle devenait pâle, il lui a rappelé qu'il savait se montrer subtil. C'est une impression, madame, vous n'êtes pas en train de l'accuser, et je ne peux rien prendre à la légère. C'est tout ? Rien d'autre ? Bien, je suis maintenant en mesure de me mettre au travail. Il s'est levé de table et nous avons tous échangé nos cartes. N'hésitez pas à m'appeler, madame, et si besoin était, je sais maintenant où vous joindre.

Après son départ, nous sommes venues nous rasseoir à table. Le thé était devenu froid et Nao me faisait l'effet d'un zombie : moi qui ai cru m'en sortir à bon compte, disait-elle, naïve que je suis. Mercredi, la soirée était encore jeune, pas question de la laisser seule, et j'avais une soif du tonnerre. T'as de la bière ? Elle a dit oui, mais contre toute attente, elle est allée se recroqueviller sur le sofa. Dans le frigo, j'ai attrapé deux cannettes et j'ai trouvé des verres dans l'armoire. Allez, lui ai-je ordonné, redresse-toi. Ne te laisse pas abattre, Nao, prends cette bière, t'en as besoin autant que moi. Tu me fous la trouille.

Nous étions en ville, tout à fait en ville. Elle s'est redressée, mais bien petites étions-nous dans la mégalopole. Tu sais, Nao, je songe au site que Julie et moi avons exploité, et je me dis que ça pourrait très bien m'arriver, que ça pourrait très bien me tomber dessus. Julie l'a fermé, mais des photos de moi, il en circule sans doute encore sur le Web. Pas de prise là-dessus, mais à ce que je sache, Nao, nous n'avons encore tué personne. Elle prenait goût à la bière, elle réagissait maintenant à mon discours. Nous sommes toutes les deux dans la même galère, Nao, nous ne nous laisserons pas abattre. Laissons travailler ton privé, on verra bien. Il t'a déjà aidée à t'en sortir, il y arrivera encore. Il est comme les autres : régler ton problème, c'est déjà pour lui une question d'honneur. Oui, elle avait confiance en lui, mais elle s'en voulait de m'entraîner dans ses histoires. Tu n'avais pas besoin de ça, disait-elle. Allons, Nao, qu'est-ce que tu dis, là !

Elle s'est rapprochée, et nous avons convenu de tenir ça mort, de ne jamais mentionner cette enquête en présence d'Étienne. Nous étions trois à savoir, c'était déjà bien assez. Maintenant, ai-je avancé pour détendre un peu l'atmosphère – je savais qu'elle consentirait à jouer le jeu –, si je ne m'abuse, c'est à ton tour de me raconter un souvenir d'enfance. Oh, le sourire qu'elle m'a adressé, puis elle s'est mise à chercher ! Mémoire vive et mémoire morte, elle a fini par trouver : j'avais quatre ans, je sais, Johanna, parce qu'un an plus tard, nous étions dans notre nouvelle maison. Histoire de pêche à la truite. Ça te va ? Si ça m'allait !

Dimanche en juin, ça se passe très tôt le matin sur les rives de la Shiragawa, à la sortie du village. Toute la semaine, papa m'avait parlé de petits poissons, et tout ce temps, je m'en étais vantée auprès de mes amies de la maternelle : dimanche, moi, je vais pêcher des petits poissons avec mon papa. J'étais toute drôle, juste de m'imaginer avec lui dans mes bottes de caoutchouc que maman m'avait achetées. Pêcher des petits poissons, j'avais si hâte, tu peux comprendre. Papa m'avait dit que dans d'autres villages, très loin vers la mer, on pêchait la nuit à la lanterne, avec des oiseaux. Curieux, mais c'était sérieux. On faisait ça depuis longtemps, depuis très longtemps, mais pas dans notre village. Dans notre village, c'était la truite, oui, la truite, comme chez toi.

Nao était rayonnante. Tous soucis occultés, elle prenait maintenant plaisir à en remettre. Elle en était encore à son introduction que je songeais à toi, papa, à notre première *grande expédition* de pêche à la décharge du lac. On est loin, hein. Mais non, Johanna, c'est à côté, passe-moi ta ligne que j'installe ton ver. T'es capable ? Bravo, vas-y. Ça gigote un peu, hein, mais t'es bonne. Bien meilleure que ta mère. Mais non, on n'est pas loin, je te dis, on n'est pas dans la forêt de grand-père avec ses gros ours noirs et ses orignaux aux panaches énormes. Regarde bien : on voit le chalet, on voit le quai, on voit maman qui se fait bronzer dans son enfer de mouches. Elle va rentrer, ça sera pas long, on gage ? Tu veux de l'huile à mouche dans ton petit cou ? Tiens, mets-en aussi sur tes petits bras. Mais non, on n'est pas si loin que ça. T'exagères toujours, fais pas ton bébé, sois tranquille sinon les poissons vont… ça mord, ça mord ! Eh bien, ma petite fille qui est meilleure que son père, tiens bien ta canne.

Il pleuvait ce dimanche-là, c'était la mousson, c'était bien. Tous les deux en ciré jaune. J'étais fière de mes bottes. Mon père recevait de grosses gouttes d'eau dans ses lunettes. Il râlait comme un gros ours grognon, c'était comique. Nous n'entendions que la rivière et la pluie, j'étais si bien avec lui. J'ai attrapé mon premier poisson, oh, pas très gros, tout petit, mais je criais, je criais. Quand il s'est approché pour le décrocher, j'étais aux anges. Il m'a demandé si je voulais le remettre à l'eau. Oui, mais laisse-moi toucher un peu. À peine dix centimètres, des belles couleurs, tout gluant, il m'a glissé entre les doigts. J'ai dit : encore, papa !

30
ROPPONGI

C'est la première nuit de mes vacances, ai-je joyeusement lancé lorsque nous avons quitté l'*Excelsior Caffe* pour marcher un peu plus haut vers la station Otemachi, demain, c'est tout à nous ! Rien de prévu, sauf une virée sans but précis, peut-être du côté de Nakano ou de la Sumida, je ne savais trop. Nous verrions bien. Je ne l'avais pas volée, cette semaine de congé prévue depuis si longtemps, j'avais travaillé fort. Désinvolte, je me gardais la possibilité de décider sur un coup de tête.

À Paris, un an et demi plus tôt, c'est un peu ce qui s'était passé. Comme s'il eut alors développé au cours de la nuit une nouvelle thématique de la déambulation, dès le premier café, il m'avait proposé d'errer d'une gare à l'autre, tout simplement, pas de grands boulevards, encore moins de musées ou autres sites incontournables. Muséologue opérant un virage vers les études urbaines, il n'était plus question pour lui de musée mais bien de la rue. Notre appartement situé rue Turgot, près du square d'Anvers – une nuit au Hilton Arc de Triomphe pour justifier le titre du roman qui restait toujours à écrire, c'était bien assez –, ça s'était traduit par la gare du Nord jusqu'à celles de Lyon et d'Austerlitz via le canal Saint-Martin et le boulevard Richard-Lenoir, avec des arrêts un peu partout. Le lendemain, ç'avait été de Saint-Lazare à Montparnasse. Le Paris des grandes gares, le Paris des Parisiens, disait-il. Rien de plus mais rien de moins. Pas très glamour, avait-il avoué en levant son demi sur une minuscule terrasse du 10ᵉ arrondissement, on n'est pas aux Champs-Élysées, encore moins à la Défense, mais la vie de quartier, ça me branche.

Le colloque de samedi avait été pour lui épuisant en raison de sa présentation qui s'était, malgré ses appréhensions, très bien déroulée, mais il avait pu relaxer les jours suivants. Très bien, sauf qu'après deux repas gastronomiques en deux soirs, le premier chez Takeo et celui du lendemain au *Cotton Club*, ce mercredi de relâche était pour ainsi dire devenu nécessaire avant le départ pour Kyoto. Grasse matinée, lui avais-je dit lorsque nous avions quitté l'Excelsior, mais aussi tôt qu'à 8 h 30, le matelas était déjà plié et la couette tout bien rangée. Ce que j'aimerais, a-t-il avancé alors qu'il préparait le café, ce serait une journée peinarde. Tu décides et je me laisse guider. C'est parfait!

J'ai songé aux arrondissements de Roppongi et de Minato, quartiers des ambassades, à proximité de Shimbashi et Ginza, au grand cimetière Aoyama, aussi, à la tour de Tokyo. Bon, ce n'est pas la tour Eiffel, mais ce n'est pas rien. Point de vue sur la ville, sur les ponts et sur la baie. À bicyclette, si tu veux. On peut en louer pas très loin d'ici. Bon, c'était à oublier. À la qualité de son regard, j'ai bien vu qu'il n'en était pas question. Vrai qu'il s'était tapé la veille plus de trente kilomètres; fallait pas trop lui en demander. OK, si tu veux marcher d'une façon intelligente, disons anthropologique, j'ai un trajet pour toi : on déjeune dans un café de Shibuya, puis on remonte Aoyama Dori en direction de l'ambassade canadienne et du grand cimetière. Comme au Père-Lachaise, on s'amuse à s'y perdre. Très beau, le cimetière japonais; tu vas apprécier. Après, on casse une croûte dans une venelle située pas très loin des bureaux de la délégation du Québec. Sympathique, dans le style du Petit-Paris. Étienne, ai-je ajouté, tu as fait de moi une littéraire; tu m'as entraînée sur les traces de Tchekhov à Moscou, de Kafka à Prague, de M. Bloom à Dublin, de Chopin, George Sand et du commissaire Maigret à Paris – ça, c'était vraiment bien–, alors aujourd'hui, ce sera le Tokyo de Banana Yoshimoto, de Yukio Mishima et des deux Murakami.

Ça te va comme ça? Appuyé au comptoir, pas tout à fait réveillé, il avait écouté mon topo en se passant parfois la main dans les cheveux, l'oreille désintéressée, m'avait-il semblé, mais bon, il a réagi : ouais, soyons littéraires. Je répondais à une question sur Yoshimoto quand la cafetière s'est mise à siffler.

Dans le *parc du premier café*, sous un ciel pastel et sans nuage du début octobre, j'ai pu lui parler de *Kitchen* et de quelques autres de ses textes au son de l'hélico stationnaire perdu quelque part du côté de l'*Expressway*. Partager ses lectures, c'est parler de soi, et le café faisant enfin son effet, j'ai bien vu que je ne m'adressais plus maintenant à un mur. Ce que j'apprécie chez Yoshimoto, c'est la candeur de ses personnages. En fait, pour être plus précise, je devrais plutôt dire *ce que je prends pour de la candeur*. Le rapport à la mort, à la famille, à l'autorité. L'amitié aussi, la sexualité. Cette façon de voir la vie, avec stoïcisme, je dirais. D'une certaine façon, les personnages de Yoshimoto m'auront permis de saisir avec plus d'acuité la personnalité complexe de Nao. Avant même de l'avoir rencontrée, j'avais lu Nao quelque part.

Cette première semaine d'Étienne en ville avait été aussi intense que la première de mon séjour à Moscou deux ans plus tôt, sauf qu'ici, en raison de mon horaire de travail, je n'y avais été qu'à moitié. Le plus souvent, il avait arpenté la ville en solitaire, mais il avait prévu la chose. Plages consacrées à la recherche sur le terrain, en somme, à la prise de notes et à la lecture aussi de mes blocs-notes. Maintenant, comme à Moscou, cette deuxième semaine s'amorçait par des centaines de kilomètres en train. Pas de wagon-lit cette fois, mais peut-être aurions-nous la chance de voir le mont Fuji.

Déjà dans ce café de Shibuya, ce n'était plus pareil. Comme un air de vacances, juste dans notre façon de voir la ville, avec une certaine distance. Il y avait de la sensualité dans l'air et plein de non-dits ; je retrouvais avec plaisir cette magie des premiers jours qui me rappellera toujours l'automne de l'écriture de son premier roman. Comment oublier. Un roman en train de s'écrire et, à l'étage supérieur, des séances photos *soft porn*, lui au doctorat et moi encore au bac. Côté sexe, ai-je lancé en portant la tasse à mes lèvres, ça va ? À côté, sur les trottoirs de Meiji Dori, tout près du carrefour devenu l'icône de la ville, ce n'était plus la cohue bariolée du week-end mais la mégalopole au travail. Le retour de l'uniforme, espace du prêt-à-porter, jupe droite, costume deux pièces et chemise blanche. Pour nous deux, c'était ce malin plaisir de nous attabler sous une lumière matinale pour se payer une brioche et un café quand tout le monde est au travail. Je n'ai pas à me plaindre, a-t-il avancé dans un demi-sourire, ce n'est pas à Québec l'orgie chaque soir, mais c'est bien. Et toi ?

J'ai pris le temps d'y songer, de dresser un bilan, portant mon regard sur l'ardoise affichant le menu du midi, puis je suis revenue à lui. Il était bien réveillé, absolument, il avait les yeux rieurs. Franchement, Étienne, si j'exclus quelques moments de tendresse avec Nao, les caresses intimes et mon expérience de bondage, c'est le calme plat. Ce n'est pas si grave, je ne suis pas venue ici pour le sexe, ça ne me manque pas vraiment. Je me consacre à mon travail, et tu sais comme moi qu'au bureau, il n'en est pas question, même si je sens qu'il pourrait y avoir une ouverture avec un collègue que j'apprécie au plus haut point. Atsushi, je t'ai déjà envoyé une photo de lui. Il est gentil, attentionné. Ça se résume à de bonnes discussions, dans le parc Hibiya ou au resto, et quelques notions de japonais. Pas envie de me casser la gueule et de mettre Atsushi dans le pétrin ; pas envie de commettre un impair qui me vaudrait un billet sans retour pour Montréal.

Non, comme toi, Étienne, je n'ai vraiment pas à me plaindre, mais je me rince l'œil. Il y a tellement de beaux hommes, de tous les genres et de tous âges. Parfois un sourire, mais jamais d'approche digne de ce nom. Sur les trottoirs et dans le métro, des canons de beauté, à mettre une femme dans tous ses états, particulièrement à Ginza, sauf que je n'ai pas l'esprit à l'aventure. Pas question non plus de recevoir quelqu'un chez moi, et je ne me vois pas encore dans un *love hotel* avec un pur inconnu. Pas encore, ai-je répété hardiment pour susciter chez lui une petite réaction, mais sait-on jamais. La brioche était excellente, dorée à point, tout beurre, juste assez croustillante sous la dent, moelleuse, mais je n'arrivais plus vraiment à décoder son regard. Était-il surpris, racoleur ou bien pervers ? Pourquoi pas, a-t-il fini par laisser tomber en posant les mains sur mes avant-bras, pourquoi ne pas en profiter ? Me semble que ça sert à ça, un *love hotel*. Tu as tant à donner, Johanna, tu as tant à recevoir, me semble que... Bon, il était temps d'aller marcher.

Remontant Aoyama Dori du côté ombragé, nous avons retrouvé notre état d'esprit *Moscou des Moscovites – Dublin des Dublinois – Paris des Parisiens*, l'œil alerte, le pas irrégulier et le discours léger. Vrai, comme tu dis, que c'est conçu pour ça, un *love hotel*, mais tu ne serais pas jaloux ? Moi jaloux ! Voilà, Johanna, un mot que je déteste. Jalousie, ce mot qui a coûté la vie à tant de femmes ! Je t'en prie, tu es trop brillante pour interpréter la jalousie d'un homme comme une preuve d'amour. Je te le répète : si j'étais jaloux, il y a longtemps que ce serait terminé entre nous. *Dring-dring*, tassez-vous, et nous nous sommes tassés. T'es unique, a-t-il ajouté, et je n'ai encore trouvé personne de ton calibre, quelqu'un qui pourrait mettre fin à notre histoire. Encore faudrait-il que je cherche ! Johanna, malgré toutes les distances, tu es nécessaire à mon équilibre, comme je suis nécessaire au tien.

Il venait d'employer le mot : nécessaire. J'ai songé à notre discussion du dimanche au *Hub British Pub* d'Asakusa, à Simone de Beauvoir, au *Deuxième Sexe*, à ses amours nécessaires et ses amours contingents, Sartre à Paris et son amant à Chicago. Étienne avait bien appris la leçon. C'était agréable de marcher comme ça à Tokyo, sans doute Istanbul au printemps, il avait lancé le mot. Le trottoir était convivial, et puis tiens, un boxer en laisse. Quelle bête, et t'as vu sa propriétaire ! Ça, ai-je dit, c'est un vrai personnage de Murakami. Couple doublement racé, question de pedigree. Ils sont si rares en ville, les chiens. Dans mon quartier, il n'y en a que pour les chats. De toute façon, je les préfère. Tu sais, m'a-t-il envoyé alors que nous restions plantés devant la vitrine d'une boutique consacrée aux plaisirs du sexe, moi aussi j'aimerais bien scénariser une vie cachée à cette femme, mais toi, tu es là, avec moi, et je te dis qu'il n'est pas très sain de mettre toute son énergie dans le travail. Face à mon silence dubitatif, il a continué sur un ton posé : tu n'as pas trente ans, Johanna, ne vis pas dans l'attente, conjugue tes attentes. Paroles de romancier, ai-je ironisé.

Belle formule que j'ai tournée en dérision parce que, justement, mes attentes étaient d'un autre ordre et il le savait bien. Le sexe n'était pas ma priorité, mais bon, c'est moi qui lui avais ouvert cette porte et je ne pouvais lui en vouloir. Il ne s'est pas offusqué de ma remarque qui se voulait plus un clin d'œil à son ouverture d'esprit qu'à autre chose, surtout après son topo sur la jalousie. Un peu plus haut, il a convenu qu'il n'avait pas à s'immiscer dans la gestion de mes priorités et qu'il n'avait surtout pas de leçon à donner. Tu sais, Étienne, malgré mon *calme plat* bien relatif, tu n'as rien à craindre, je ne suis pas en train de m'assécher dans cette ville de tous les fantasmes. Rassuré par le ton de ma réplique, il m'a lancé un de ces sourires et m'a demandé s'il était encore loin, mon cimetière. Ça s'en vient, mon grand, ça s'en vient… et nous y sommes arrivés.

C'était bien de nous éloigner du trafic, la venelle de l'entrée principale devenue sas de décompression donnant accès au monde des morts. Tokyo n'est peut-être pas glamour comme Paris, a-t-il chuchoté alors que nous avancions dans cette venelle tranquille que j'aurais bien aimé habiter, mais pour ce qui est des trésors cachés, Johanna, des aménagements et de la convivialité des quartiers, je crois qu'elle est championne toutes catégories. Plus loin, entourés que nous étions maintenant de stèles, il n'a pu s'empêcher d'en rajouter. Toutes ces allées en avril, avec ces troncs noueux et ces branches montées en arche de végétation, ça doit être beau à en pleurer. J'imagine la pluie de pétales au moindre souffle. La perfection jusqu'au cimetière, j'aurais dû m'en douter. Franchement, Johanna, je déménagerais ici demain matin ; je t'envie d'habiter cette ville.

Dans ce grand cimetière, plus que nulle part ailleurs, il était sous le charme. Il comprenait maintenant l'enthousiasme de mes courriels d'avril, il verbalisait ma pensée profonde. Le Japon est une planète en soi, une planète où rigueur se conjugue avec respect de l'arbre et petits bonheurs. Il était particulièrement ému, et j'en ai profité pour lui prendre la main et l'entraîner dans une allée transversale. Nous étions maintenant dans un véritable sous-bois, les stèles en partie recouvertes de mousse, un banc solitaire, là, tout vermoulu. Nous nous sommes assis. Tu sais quoi, a-t-il fini par articuler, ici, dans ce cimetière, ça me saute aux yeux : les Premières Nations d'Amérique sont d'origine asiatique, c'est bien connu, mais nous n'avons vraiment plus à en douter. Allons donc, pourquoi je dis ça ?

Je lui ai passé le bras autour du cou, puis je me suis appliquée à poser mes lèvres sur chacune de ses paupières. Je comprends, ai-je chuchoté, je comprends parfaitement. Tes joues sont à peine salées, ai-je concédé, c'est bon. Il s'est mis à rire. C'était à se statufier sur place, mais la journée était encore jeune. Allez hop, mon Métis des Cantons de l'Est, si on continue comme ça, on va se faire gronder par le méchant gardien à casquette et au bel uniforme azur.

Dans l'allée centrale, en direction sud, nous redevenions littéraires sous les branches tordues, mais cette fois, c'était nous, les personnages. Alors, s'est-il informé, le début de l'écriture de ton roman, c'est pour quand ? Sans aucun doute d'ici la fin novembre, lui ai-je promis. Tu as lu une grande partie de mes blocs-notes, c'est plein de choses là-dedans. J'ai une idée en tête. Ce serait un peu dans le style de ton *Moscou Cosmos*. Une structure qui pourrait rendre plus concrète ma déambulation. Je ne sais trop. C'est en gestation, mais oui, en novembre, je devrais m'y mettre. Peut-être vais-je m'adresser à mon père. Ce serait une belle façon de lui faire vivre après sa mort ce rêve qu'il a toujours caressé de venir au Japon. Qu'en dis-tu ? Que du bien, a-t-il formulé, que du bien.

Un enterrement plus loin. Bizarre, j'ai songé à Mishima, aux deux pages manuscrites que nous avions pu voir chez l'amie de M. Obata. Histoires de tragiques passions et de réincarnations. Dans le cimetière d'Aoyama, peut-être que l'un de nous deux en était à sa quatrième. Un tome à ajouter à la tétralogie. Toi, papa, qu'en dis-tu ? Étienne, je t'ai parlé de *La Mer de la fertilité* de Mishima, tu connais sans avoir lu. La structure dramatique, comment tu la trouves ? Question de romancière, a-t-il ironisé.

C'était bon d'entendre l'ado solitaire massacrer ses gammes au saxo. Adossé qu'il était à un arbre aux branches tordues, il était seul au monde, la ville autour de lui n'existait plus, et c'était pour nous la pause santé, pas très loin du Palais impérial, sur la piste aménagée aux abords de la rivière. Nous avions choisi une table à l'ombre. Pommes, oranges et noix, bouteilles d'eau et de thé glacé, nos bicyclettes un peu plus loin, au repos; on aurait dit une nature morte.

Très tôt en matinée, nous avions loué ces bicyclettes pour pédaler du côté du Chemin de la philosophie. Étienne y avait tenu, et sans trop y mettre d'effort, nous nous étions enfoncés dans la tranquille périphérie, les rues et les venelles convalescentes après la pluie de la veille, aurait-on dit, les arbres et bosquets dans tous les tons de l'ocre. Je l'ai déjà écrit : sous la pluie ou sous un ciel variable, j'aime le son du pneu sur l'asphalte, le macadam et le pavé. Dans les environs dudit chemin, nous étions tombés sur une toute petite terrasse où la patronne était sans doute habituée d'accueillir en haute saison quelques Occidentaux, mais rien en anglais sur son menu. J'avais pris les choses en mains et nous nous en étions honorablement sortis.

De retour au centre en début d'après-midi, nous avions choisi cette fois d'emprunter la piste de la rivière pour remonter vers le nord, et puis voilà, épuisés, fourbus, nous étions maintenant dans les environs de l'hôtel et les vélos seraient bientôt rendus. Mais pourquoi donc ce saxo nous charmait-il autant ? Nous écoutions dans un silence respectueux ses reprises incessantes comme si nous avions été dans une salle de concert, malgré le grondement sourd de la rivière au fort débit d'après la pluie. C'était peut-être aussi cette large zone humide qui coupe la ville avec sa faune ailée, ou bien encore la rumeur du boulevard de la rive opposée, ou simplement la fatigue. Combien de kilomètres avions-nous parcourus ? Les corbeaux se répondaient derrière nous d'une cime à l'autre. Comme à Tokyo : *Rrrah, Rrrah, Rrrah.*

Ces gammes incertaines me rappelaient mes cours de piano. Malgré les exhortations de maman, je n'ai jamais persévéré, mais lui, me disais-je, avec beaucoup d'effort, en y mettant du cœur, il arrivera sans doute à quelque chose de bien. Je croquais ma Golden, et tout autant qu'Étienne, j'étais satisfaite de cette lumineuse journée empreinte de philosophie. Ça m'amusait de voir mon cycliste du dimanche se masser les mollets et les pieds, chaussettes et espadrilles mises de côté. Comme moi, il était fier de sa *ride*, ça se voyait à l'application qu'il y mettait. Je savais. Je savais que nous étions dus pour une stout au pub irlandais que nous avions repéré la nuit précédente dans les environs de l'hôtel.

Nous étions arrivés la veille en début d'après-midi par le rapide Nozomi. Tokyo – Kyoto en deux heures vingt minutes très exactement, avec cette fois Fuji en prime, et on ne peut admirer Fuji pour la première fois sans éprouver une certaine émotion. Dans notre wagon occupé aux deux tiers, surtout par des gens d'affaires, l'espace de quelques kilomètres, ce fut plus un moment de recueillement que de l'émerveillement ponctuel. La rame du Shinkansen devenue temple, tous les regards étaient tournés vers la cime enneigée. Faut dire que les ciels clairs d'octobre ne seront jamais ceux de la mousson de juin ou ceux encore du torride mois d'août propice au smog. Passé Nagoya, ça s'était tout de même ennuagé, et il pleuvait des cordes à notre arrivée. Après avoir quitté la gare, nous avions arpenté le vaste espace commercial et avions déployé nos parapluies pour traverser la rue et gagner la réception de l'hôtel situé juste en face. Chambre au cinquième. Cette chambre avec vue sur la gare et le quai du Shinkansen nous est apparue comme le luxe ultime. *Yeah*, ai-je soufflé en posant mon sac sur le lit, congé de pliable; pas besoin de jouer aux déménageurs. Comme à l'Impérial une semaine plus tôt, tout était propice aux rapprochements, avec cette pluie surtout qui ne semblait pas vouloir cesser.

Il pleuvait comme en juin, un peu tristement, mais nous n'avions pas à nous plaindre. État d'esprit, état de grâce ou état d'urgence? Si les trains me font de l'effet, la chambre d'hôtel redéfinit ma notion du temps et toutes mes audaces, et en cela, mon Étienne n'est pas en reste. Nous nous sommes fait monter une bouteille de saké, et nous avons *profité* de cette chambre aussi vaste que mon studio – état d'urgence ou états d'âme? Bien plus tard, un siècle plus tard, à la nuit tombée, une deuxième bouteille pour relaxer – *arigato gozaimasu* –, la bergère traînée devant la fenêtre, nous nous amusions à prévoir l'arrivée ou le départ d'une rame du Shinkansen, dans un sens comme dans l'autre. Cadence d'une rame toutes les dix minutes, plus ou moins. À Moscou, m'a-t-il rappelé en appliquant une légère pression sur ma hanche dans le but de se repositionner – ces bergères-là ne sont pas configurées pour deux –, c'était la flèche de titane du monument à l'espace érigé devant l'hôtel Cosmos, avec à l'arrière-plan une tour de télécommunication, tu te souviens? Phallique longtemps, alors qu'ici, vois-tu, c'est plutôt une histoire de va-et-vient, de pénétration et de retrait stratégique, d'échange des fluides. Tu ne trouves pas?

La pluie avait cessé, la ville s'était illuminée *en notre absence*, j'avais une de ces faims. Je le sentais calme, à l'abandon… et il l'était. De peur de casser la magie, de peur de perdre une seule seconde de sa chaleur, je n'osais plus bouger. Les corps au repos, j'étais si bien dans ses bras. C'est fou notre histoire, me disais-je alors qu'une rame se mettait lentement à glisser en direction d'Hiroshima. C'est fou, notre histoire. Aimer un homme à ce point et consentir à ne le voir qu'une ou deux fois l'an. Cette nuit, à proximité de la gare, c'était *Kyoto mon amour*. D'une certaine façon, cette histoire n'est pas si unique, surtout en ce pays où, très souvent, la mère vit à Kyoto avec son enfant alors que le père poursuit sa carrière dans la capitale ou dans une autre province. Ne s'apparente-t-elle pas aussi à celle des amants d'Alain Resnais ? Cinquante ans après la sortie du film, nous sommes dans cette continuité. Pas mal. Suite hôtelière pour amours nécessaires. *Port-Alfred mon amour*; *Moscou mon amour*; *Paris mon amour*; *Tokyo mon amour*; *Nomme-la mon amour*. J'ai faim, a-t-il émis en éteignant sa clope.

Nous avons déambulé de ce côté-ci de la gare jusqu'à la première boîte à nous tomber dans l'œil – le pub irlandais –, sauf qu'à cette heure tardive, les cuisines étaient fermées. Pas grave, nous avions toute la nuit, et c'est plus vers le centre que nous avons trouvé. Espace coloré, espace *où il faut se faire voir*. La vingtaine branchée, dans tous les sens du mot, jeunesse fringuée Shibuya, très bien élevée, burgers, frites et bières qualité Montréal. Premier vrai contact avec la ville, nuit rafraîchissante, le plein d'énergie. C'est là qu'il a sorti son iPhone pour voir ce que Kyoto avait de particulier à nous offrir, mais surtout, il avait quelque chose à vérifier. Alors voilà : demain, ce sera 22°, ciel variable. Location de vélos, ça t'irait ? Si ça m'allait ! Pas d'itinéraire précis, a-t-il continué, mais j'irais du côté de la rivière, me semble que ce serait bien. Tiens, j'ai trouvé, regarde : le Chemin de la philosophie. Plus japonais que ça, tu meurs ! Dans l'axe du Palais impérial, il suffit de rouler franc est sur quelques kilomètres. Professeure de philosophie à la retraite, c'est sa mère qui lui en avait glissé un mot. Ça ne se rate pas, Étienne, tu m'enverras des photos. Ce lendemain allait donc être épuisant, mais n'est-ce pas ce que nous avions souhaité ?

Il a fini par remettre ses chaussettes et ses espadrilles, et après une gorgée d'eau, il m'a avoué que s'il habitait Tokyo ou Kyoto plutôt que son Vieux-Québec adoré aux hivers interminables et aux côtes pas possibles si on veut passer de la basse à la haute ville, son rapport au vélo serait sans aucun doute différent. Combien de kilomètres avions-nous roulés ? Difficile à estimer, mais j'ai pu lui confirmer que je venais sans doute de battre mon record, toutes villes confondues.

Nous avons quitté la piste de la rivière pour emprunter une venelle en parallèle et puis, beaucoup plus bas, nous avons repéré deux ou trois restos typiques où on se serait cru à l'époque de Genji. Allions-nous y revenir en soirée ? Ça voulait dire une marche de deux ou trois kilomètres. Alors là, pas question. Taxi-taxi, mais nous verrions bien. Nous avons finalement rendu les bicyclettes à la préposée qui nous attendait avec le sourire, fière de nous avoir pour ainsi dire *prêté* sa ville, puis nous sommes passés à l'hôtel.

Sans grande surprise, au sortir de la douche, je l'ai trouvé à poil et positivement endormi. Mais alors là, il dormait d'un profond sommeil ! Vêtements et chaussures qui traînent partout, j'ai pu vivre la déception de la mère qui entre dans la chambre de son ado. Moment d'attendrissement, tout de même. Couché sur le dos, les bras en croix, la tête penchée sur sa droite, il avait l'air d'un beau crucifié. Je me suis rapprochée. Mon bel enfant, ai-je chuchoté en enfouissant mes doigts dans ses cheveux, t'es canon, ta beauté est unique mais tu dégages comme dix. Les yeux fermés, il a réprimé un grand rire fou avant de m'agripper. J'étais tombée dans son piège.

Nous ne sommes jamais retournés près de la rivière *because the Irish Pub lively atmosphere* et *nos quatre amis* de la table d'à côté qui venaient de se taper une journée de travail. Fin vingtaine, ils se débrouillaient tous fort bien en anglais, même que l'un d'eux n'était pas si mal en français. Vendredi soir, la journée avait été longue au bureau, les cravates étaient dénouées, les sourires, éloquents. Après cette bière que nous venions de leur offrir, leur ferions-nous le plaisir et l'honneur de les accompagner dans un resto où nous en aurions pour notre argent? Comment refuser une offre pareille.

C'était bien, plein de candeur et d'énergie, à me rappeler les folles virées de campus à Nottingham. Ils travaillaient au siège social de Nintendo, oh, pas très loin d'ici, moins de deux kilomètres plus au sud. Développement d'une nouvelle série de jeux 3D inspirée d'un manga. J'étais une bonne adepte, pas une experte, mais j'ai tout de même réussi à les surprendre. Mais il n'aura pas été question pour eux de rompre le secret professionnel. Malgré mes effets de charme, je ne suis jamais arrivée à savoir le titre de la série sur laquelle ils travaillaient. Pas grave, messieurs, et ce vendredi soir à Kyoto en votre compagnie nous fait à nous deux un bien énorme, soyez-en assurés. Nous étions en train de nous embourgeoiser dans notre petit confort hôtelier, n'est-ce pas. Les tapas arrivaient à une cadence régulière, des pâtes italiennes aux sashimis, des moules marinières aux bouchées de bœuf de Kōbe, pas même la peine de commander, des tempuras à la pointe de pizza, on s'occupait de tout, ça parlait de tout, universités du monde, scotch de l'Hokkaido et vodka du Caucase, de proche banlieue et de virées à bicyclette, et le Bordeaux embouteillé à la propriété était bien évidemment excellent.

Nous aimions Kyoto, grande cité universitaire. Ils en étaient fiers, mais l'un d'eux a tout de même exprimé un bémol : nous sommes en octobre, ne l'oubliez pas. En été, c'est torride, c'est le sauna, sauf qu'il y a le lac Biwa. Pas très loin d'ici, en montagnes. Vendredi soir de campus aux discussions entrecroisées, mais oups, passé minuit, il n'était plus question pour nous de payer. Fallait penser vite, réagir avec tact. Très bien, a proposé Étienne à la ronde, *arigatai*[22] – c'est bien ça, Johanna? –, nous acceptons, mais comme je m'y connais un peu en la matière, permettez-moi de vous offrir la vodka. Je sais qu'ici, à Kyoto, il y en a de l'excellente,

---

22. Merci de reconnaissance.

mais nous la boirons à la russe. *How did you say* GARÇON ? Dans le taxi, il dormait comme un soviétique, et cette fois, c'était bien vrai.

32
SHINAGAWA STATION

J'aime ce pays, Johanna, terriblement. Dans le bus pour Nara, nous marinions dans une atmosphère de lendemain de veille. Réprimant un sourire, je l'avais drôlement regardé, bienveillante. C'est le mot *terriblement* qui m'avait fait tiquer. Aimer un pays terriblement! Non, la vodka de la veille n'avait pas été de trop, loin de là, plutôt bienvenue, festive juste à point, assez pour éprouver le besoin de tous nous prendre en photo et d'échanger nos coordonnées. Nous nous étions quittés devant la gare, chacun retournant dans sa banlieue, proche ou éloignée. C'est à se poser des questions, a-t-il poursuivi, nulle part ailleurs qu'ici je me suis senti aussi bien dans ma peau. Vraiment, c'est à se poser des questions. Suis-je sous influence, Johanna, sous ton influence?

Dans une longue bretelle, nous avons quitté le dédale d'échangeurs et de viaducs pour emprunter une route de montagne et les arbres se sont graduellement rapprochés. Après toute une journée à pédaler suivie d'une *virée de campus* avec les gars de Nintendo, c'était bon de m'abandonner, de me laisser porter par la voix de la dame en uniforme qui répondait aux questions posées par quelque passager des premiers sièges, bon de voir alterner les vallées agraires et les agglomérations sans déployer le moindre effort. L'esprit à Gifu, la tête aux montagnes, j'écoutais les réparties des passagers, et je songeais avec une pointe d'amusement à ce que venait de dire Étienne. Il était sous le charme, tout comme j'avais pu l'être dès mon arrivée en mars. J'ai soudain senti qu'il quittait sa léthargie pour revenir à la vie.

Ça tient à quoi, Johanna, tu peux me dire ? Quand on découvre un nouveau pays, même si on est arnaqué par la police ou par une milice, même si on se fait vider les poches dans le train, on est tout de même conquis par la chaleur de ceux et celles qui nous reçoivent. Ici, c'est pareil, mais en plus, il n'y a jamais rien qui cloche, jamais rien. C'est comme qui dirait le paradis du voyageur. Allez, cesse de me regarder de cette façon, Johanna, tu m'intimides. Est-ce parce que ces îles sont volcaniques ? Je ne sais pas, mais dans ce drôle de pays où tout est si parfait, on se croirait dans *Le Meilleur des Mondes* d'Aldous Huxley, et j'aime ça. C'est fou. Jamais je n'aurais cru. Faut dire aussi qu'en Russie, a-t-il ajouté avec une pointe d'humour, c'était plutôt *1984* d'Orwell.

Huxley, Orwell, me suis-je répété, encore des trous dans ma culture, mais vas-y, mon grand, tu peux t'interroger, tu peux délirer. Je me suis moi-même posé ces questions. J'aime quand tu analyses l'écoumène, quand tu remets en cause les pouvoirs, démocraties, oligarchies, monarchies, dictatures, j'aime quand tu poses ton regard sur les façons d'occuper le territoire. Moi, vois-tu, jamais l'expression *emprise de rivière* n'aura pris un sens aussi fort que dans ce pays de mousson et de crues printanières. À Tokyo, c'est tellement visible. C'est le domaine de la rivière canalisée, du contrôle du débit, du rehaussement des berges. Pareil dans le village de Nao. Il a dû s'en produire des catastrophes avant d'en arriver là, elles ont dû se succéder, les inondations meurtrières, avant que les pouvoirs publics ne songent à aménager les lits de torrents et les deltas aux méandres incertains.

Le Chemin de la philosophie, a-t-il poursuivi alors que nous quittions l'autoroute à l'approche de Nara, entre nous, c'est assez fantastique ! J'ai aimé fouler ces pierres, m'asseoir un moment pour remonter le temps. Plus encore qu'aux bois de l'étang du Palais impérial, j'ai senti là la présence de Murasaki Shikibu: Plus de mille ans, tu te rends compte. Pas d'autoroutes ni grands boulevards, que le chant du ruisseau et celui des oiseaux. Je me disais que Genji était passé par là une nuit de pleine lune pour aller dormir chez sa courtisane.

Il avait plu la nuit précédente et l'air était encore chargé d'humidité. Tourisme, tourisme ! On ne s'en sortira jamais, sauf que nous n'étions pas en haute saison et ça se voyait au vaste stationnement pour autobus pour ainsi dire désert. Comme à Hiroshima en juin, il y avait surtout des groupes d'écoliers, et j'ai songé à Nao qui était aussi venue ici. Pèlerinage scolaire. Passé le sas de contrôle, nous longions les boutiques à souvenirs quand une forte odeur a commencé à s'imposer. Bien oui ! Leur présence est stratégiquement mise en évidence sur tous les dépliants, ils font le bonheur de tous, jeunes et vieux, ils sont éminemment photogéniques mais, pour m'exprimer comme Étienne, les daims en liberté n'en dégagent pas moins *terriblement*. Petit zoo, petit zoo, il y en avait partout, et pas farouches pour deux sous. Ils se laissaient caresser, avalaient tout ce qu'on leur offrait – des galettes de céréales vendues à l'entrée –, et les enseignantes perdaient tout contrôle sur leurs élèves. C'était charmant, mais vivement le premier temple.

Comment dire ? Le Daibutsuden et les autres temples, et puis ce paysage aménagé depuis plus de quatre mille saisons. Je l'imaginais en fleurs au printemps, en feu à l'automne, sous la neige en hiver et sous la pluie en juin. Espace de recueillement réservé jadis aux initiés, je me sentais privilégiée. Fallait venir à Nara, a chuchoté Étienne au sortir du Daibutsuden. Nous étions longtemps restés à contempler sous tous les angles le grand bouddha de bronze. Tu vois, ai-je avancé, Nara est en quelque sorte la Mecque des Japonais. Qu'on soit bouddhiste, shintoïste, chrétien ou athée, chacun se promet d'y venir au moins une fois dans sa vie, sauf qu'ici, il n'y a pas de distinction de race, de sexe ou de religion. Ton père apprécierait, j'en suis assurée. Aucune prière ostentatoire ou sermon édifiant, que le recueillement et la paix en chacun de soi. Tu vas rire, Étienne, peut-être même me trouver bien naïve, mais je crois que peu importe son lieu de naissance, tout être humain est bouddhiste par définition.

Affirmation osée, mais je l'assumais. Elle avait à tout le moins le mérite de porter à la discussion. Sans être vraiment ferrée en matière de philosophie et de religion, je n'en étais pas moins sincère. Je l'observais maintenant de biais. Pas de rire, pas même un sourire. Plutôt songeur, disons. Bouddhiste par définition, a-t-il repris en posant ses lèvres dans mon cou, j'aime ta formule. Bouddhiste dans son être le plus profond parce que dès sa naissance, tout enfant est en quête d'équilibre. Il souriait maintenant, et j'ai décidé de forcer la note : entre nous, Étienne, le bouddhisme serait-il l'avenir de la planète ? J'ai lu quelque part que c'est dans la force de l'âge, alors qu'il était comblé par la vie, que le Bouddha a fui tous les pouvoirs. Voilà sans doute le secret de son sourire.

La paix intérieure, c'est ce que nous ressentions sous l'érable, loin de tout conflit, pas loin du paradis, perdus en forêt quelque part sur l'île d'Honsu, entourés de cent millions de gens. Nous nous bornions maintenant à observer l'enseignante qui photographiait ses élèves aux si beaux uniformes en train d'offrir des galettes à un daim. La paix intérieure, oui, certainement, mais un peu lendemain de veille aussi. La visite se terminait par l'allée des lanternes qui mène au sanctuaire Kasuga, et la guide nous avait donné rendez-vous dans le grand stationnement une heure avant le départ. Lorsque nous nous sommes engagés dans le sentier, nous avons compris qu'elle avait gardé le meilleur pour la fin.

Sous le couvert des arbres séculaires, pas le moindre souffle de vent, pas de mots ni de clichés, que le gravier crissant sous nos pas. Dans le sentier en pente douce, des centaines et des centaines de lanternes de pierre figées dans le temps, toutes colonisées par la mousse. Plus de trois mille lanternes, répétait la guide à une dame, mais nous deux, Étienne, étions-nous en 760, en 1008, en 1534, en 1605... ou au début de la première décennie du troisième millénaire ? Difficile à dire si on tient compte de notre seul état d'esprit, mais assez facile à stratifier. Nara comme capitale,

Le Dit du Genji de Murasaki Shikibu, Jacques Cartier à Gaspé, *Don Quichotte* de Cervantès… et nous deux sur le point de quitter`les lieux. En 760, l'Europe était en plein Moyen Âge, et *Don Quichotte* est paru six cents ans après *Le Dit du Genji*. Voyage dans le temps qui laisse songeur quant à la grande richesse de la culture japonaise. Allée des lanternes plus que millénaire, à donner le vertige, mais ce ne fut pas assez déstabilisant pour rater le train de 18 h 29. C'était tout indiqué sur nos billets, à la minute près. Nous entrerions en gare de Shinagawa à 21 h 05, très précisément.

J'aurais maintenant pas mal de questions à poser à Hiroshi, m'a-t-il avoué alors que la jeune fille nous servait bentos et cannettes de bière. Cette courte virée à Nara l'avait rapproché encore un peu plus de lui. Bref, il avait pu vérifier sur place la justesse de son discours sur la gestion du patrimoine. Prédominance du savoir-faire sur le temple en lui-même. Ce serait vraiment bien de se revoir avant mon départ. Demain, Johanna, qu'en dis-tu? Pas de problème, je suis en vacances, sauf qu'il faut lui téléphoner tout de suite. Samedi, 19 h 15, Hiroshi était perdu quelque part dans une grande surface pour choisir son repas du soir alors que nous échangions des makis dans le train du retour. Une rencontre le lendemain serait-elle possible? Évidemment, mais comme il devait rencontrer un étudiant de maîtrise en début d'après-midi, le plus simple serait de se rejoindre à la station de métro la plus rapprochée. C'était réglé : nous serions là sans faute, 14 h, sortie 3B de la station Waseda.

Arrêt furtif à Nagoya, quelques voyageurs sont montés, dont deux jeunes femmes qui sont allées prendre place quelques rangées plus loin. Pour un moment, je nous ai vues, Nao et moi, au retour de chez elle, le dimanche, à pareille heure. Comment allait-elle, ma Nao? Avait-elle reçu des nouvelles de son détective? Tokyo dans une heure, et dans un élan de nostalgie, je me suis mise à parler d'elle et de sa province. La qualité de l'accueil, le travail de son père, les Alpes japonaises, la Shiragawa, son lycée, le temple finissant de pourrir dans les hauteurs. Étienne, pourquoi ne pas l'inviter à se joindre à nous ? Ça lui changerait les idées, ça lui ferait un bien énorme ! Un bien énorme ? Pourquoi, Johanna, elle a des ennuis ? Non, je dis seulement que ce serait bien qu'elle te revoie avant ton départ et qu'elle rencontre un type bien comme Hiroshi. Parfait, texto à Nao !

33
SENGOKU

La queue d'un typhon avait balayé toute la côte sud-ouest du pays, et après trois jours de bourrasques, de forts vents et de pluie intense, ça s'était calmé. Samedi 6 septembre, premier anniversaire de ta mort, papa, le ciel retrouvait ses couleurs. Nous quittions le temple où je venais de me recueillir selon le rituel bouddhique, et je voyais bien qu'Atsushi était encore porté par l'émotion. Dialogue intime avec ses parents décédés ou trop-plein d'images d'une enfance dans ces venelles tout béton de Bunkyo, proche banlieue nord qu'il habitait depuis toujours ? Je n'aurais su dire, mais une chose était certaine : ta non-pratiquante de fille était émue d'avoir vécu cette première. Ne connaissant rien à rien, ne sachant trop comment me comporter, en début de semaine, je m'étais renseignée auprès de lui sur la façon d'agir quand on veut souligner le premier anniversaire de la mort de quelqu'un.

Nous étions au *Doutor* du carrefour Chuo – Harumi, et il avait posé son sandwich pour me considérer avec empathie : *your Dad?* Oui, mon père, ça fera bientôt un an qu'il est décédé. Je vois, je vois ; le mien, tu sais, ça remonte déjà à quelques années. Tu songes souvent à ton père ? C'est là, ai-je dit, la main sur le cœur, ce sera toujours là. Il avait pris le temps de s'essuyer les mains avant d'y aller de quelques explications sur l'ordre des choses, l'encens, entre autres, le don, la gestuelle. Ce n'est pas très compliqué, chacun y va selon son état d'esprit, mais le mieux, ce serait que je t'accompagne. Tu ferais ça pour moi ? Il avait souri en déposant sa tasse ; ce serait pour lui un honneur et un grand plaisir. Samedi, après le travail, ce serait bien. Petit calcul : son épouse avait prévu consacrer l'après-midi à l'initiation d'une nouvelle employée, son abonnement qui venait de se terminer au centre d'entraînement, pas de courses à faire ; il était libre et il songeait déjà à un temple de son quartier.

La veille, tel que convenu, j'avais rejoint maman via Skype à 19 h précises – chez elle 8 h du matin. Visiblement heureuse de constater que son aînée était toujours aussi ponctuelle, elle s'est dans un premier temps inquiétée du typhon qui avait dans la semaine frappé les côtes du sud-ouest. Je l'ai rassurée. C'est planétaire : les images fortes passées en boucle aux informations laissent toujours croire que le pire est arrivé au bout du monde. T'inquiète pas : ici, nous n'avons eu que de grands vents et de la pluie. Suffit de bien tenir son parapluie. Selon notre habitude, nous avons parlé d'un peu de tout, de tout et de rien, ce n'était pas vraiment le paradis à Port-Alfred, mais elle se portait bien, la routine quoi. Pareil pour Julien, début de session à l'université et puis sa musique, toujours, son blues, incontournable, et le pommier qui avait produit cette année comme jamais. Elle donnait des sacs de pommes à ses collègues de l'hôpital, aux voisins, à la soupe populaire, mais oui, faudrait bien qu'un jour ou l'autre tu rencontres la mère de Nao, beaucoup de choses en commun, tu sais, l'humour surtout, et pourquoi pas le printemps prochain, en avril, quand c'est tout en fleurs, si mon contrat à la banque est prolongé, c'est moi qui paie. Eh oui, j'étais allée chez Nao quelques semaines plus tôt, deux jours seulement, beau village, avec sa rivière de galets, comme chez vous, et puis oui, je songeais souvent à papa, surtout cette semaine, et j'allais d'ici Noël me mettre à l'écriture de mon roman. Oui, maman, un vrai roman, j'ai déjà plein de notes et même des haïkus, et puis Étienne qui sera ici dans moins d'un mois, oui, j'ai bien hâte. Plus d'une heure comme ça à survoler les continents et nos priorités, et quand je lui ai annoncé que le lendemain après-midi, avec

Atsushi, un ami du bureau, j'irais me recueillir dans un temple bouddhiste, elle m'a adressé son plus beau sourire.

De fil en aiguille, Atsushi avait tout réglé au cours de la semaine, à la minute près, en y prenant un plaisir évident, sans rien laisser au hasard. Méthodique comme il est, ça n'avait rien eu pour me surprendre. Chaque matin, il m'avait amusée avec une nouvelle demande, questions sur mes préférences alimentaires, ma couleur fétiche, jusqu'à mes heures de sommeil. Mes heures de sommeil ! Bref, j'étais pour ainsi dire devenue le personnage principal d'une nouvelle qu'il aurait très bien pu intituler « Les merveilleuses aventures d'une Montréalaise à Bunkyo », mais voilà, histoire de ne pas lui casser le plaisir, j'avais laissé faire. L'occasion était trop belle de me présenter enfin son épouse, très belle femme que j'avais déjà vue en photo, libraire passionnée dont il me parlait si souvent. Ces six derniers mois, aussi, malgré nos affinités et notre plaisir d'échanger sur l'actualité du pays et du monde en général, nous en étions strictement restés à notre environnement de travail. Tout se passait à la pause du midi ou bien, en de rares occasions, une bière dans les environs de la gare Yurakucho avant de nous quitter dans un couloir du métro.

Au sortir du bureau, nous avions pris le temps d'avaler un *petit rien* avant d'emprunter le métro pour atteindre en un quart d'heure la station Sengoku. De là, un taxi pour rejoindre le temple Kichijoji et puis… comment dire ! Il nous aura suffi de passer le *torii* et de nous engager sous les arbres de la longue allée pour oublier la ville. Sur notre droite, les stèles du cimetière ombragé. Fils unique, Atsushi s'est mis soudain à me parler de son père et de sa mère. J'aimais bien. C'était comme une introduction au quartier, une savante mise en place qui prédispose à la réflexion. Oui, je pouvais imaginer son enfance. Sans doute un petit solitaire accaparé par la lecture de ses mangas, me disais-je, ou bien tout le contraire, leader de son équipe de baseball. Nous avons toujours habité dans les environs. Tu vois, a-t-il précisé, c'était par là-bas, entre la station Sengoku qui n'existait pas alors et la station

Hon-Komagome de la ligne Namboku qui est encore plus récente. Mon quartier populaire d'alors sera devenu un coin recherché. Des tombes maintenant sur notre gauche, mais les cendres de ses parents n'étaient pas ici. Comment en avait-il disposé, je n'ai pas osé poser la question, nous étions sur le point de déboucher sur la grande place.

Il m'avait si bien expliqué le rituel qu'il a pu se retirer de quelques pas. Le bâton d'encens se consumait, je me remémorais ton sourire, papa, ta voix, ta joie de vivre, le chapeau de ton père, ta gestuelle de guitariste. Si je suis ici, à Tokyo, devant ce temple à brûler de l'encens et à déposer cette fleur, c'est à cause de toi. Tu me donnes ton énergie et je me sens bien. Je suis ici depuis six mois, j'en éprouve une grande satisfaction, et tu auras marché avec moi à Hiroshima, comme tu auras vu des images fortes au Musée de la paix. Je suis une feuille de thé et je me sens d'attaque, alors maintenant, donne plutôt ton énergie à maman. Elle semble forte, mais elle en aurait bien besoin.

Atsushi a délaissé le ciel incertain pour pointer du doigt un chaton qui louvoyait entre les hibiscus. Lorsque nous avions quitté les lieux, il avait eu l'idée de remonter à pied vers la station Sengoku en empruntant les venelles. Pareilles à celles de Setagaya, mais beaucoup plus fleuries. Maisons unifamiliales occupant la plus grande partie du terrain, le reste dévolu aux rares stationnements, aux massifs de fleurs surtout, aux arbres fruitiers, haies et kakis chargés de fruits. À l'approche d'une grande artère, des appartements en copropriété sur quelques étages. J'aurais bientôt l'occasion de visiter le sien, d'y passer même la nuit, mais auparavant, il y avait un petit bar d'habitués, du type qui m'intriguait et où je n'avais jamais osé mettre les pieds. Son épouse viendrait nous y rejoindre vers la fin de l'après-midi quand elle en aurait terminé avec sa novice.

Tu sais, Atsushi, je ne pourrai jamais oublier la ville de mon enfance ni mon coin de pays, mais j'aurais bien aimé naître ici, dans ton quartier. Je m'y sens bien, mieux que chez moi, c'est dire. Tranquille, convivial. Tu me croiras si tu veux, ai-je ajouté alors que des étudiantes franchissaient un peu plus loin la guérite d'un lycée, mais via le Web, j'ai déjà acheté un uniforme semblable dans une boutique d'Osaka. Je te crois, Johanna, je te crois sur parole. Mais alors, s'est-il enquis, qu'en as-tu fait ? C'est chez ma mère, il y a tellement de choses qui traînent chez ma mère, il y a même mes uniformes de Nottingham. Pas mal non plus, tu sais.

Il m'a cédé le passage pour me laisser affronter la pénombre. Trois clients et c'était déjà encombré. Je ne savais trop où aller quand il m'a dirigée vers un angle du bar où il m'a présenté la propriétaire. Femme dans la cinquantaine, les manches retroussées sur les avant-bras, les yeux un brin alcoolisés. Tu te trompes, m'a-t-il murmuré alors qu'elle nous préparait nos cafés, elle en aura bientôt soixante-dix. Habitudes de vie, alimentation ou quoi encore, toutes les fois que je me hasarde ici à estimer l'âge de quelqu'un, je me trompe d'une décennie.

Pas si intimidant que ça, son petit bar, parce que j'accompagnais justement un habitué. Hormis la propriétaire qui ne cessait de s'activer comme une grand-mère qui trouvera bien toujours quelque chose à commencer ou à terminer, j'étais la seule femme. Tout en interpellant l'un ou l'autre de ses clients, elle essuyait des coupes et des verres, rangeait une bouteille nouvellement arrivée, préparait une assiette d'amuse-gueules. Ça parlait sans doute de la mort d'un voisin, du pays des origines, du nord ou du sud, de baseball ou de travaux dans le quartier. Parano, parano, parano. Peut-être parlent-ils de moi, ai-je songé, mais Atsushi à mes côtés, ça m'a rassurée. De toute façon, me suis-je dit, ce serait leur droit. Je savais qu'il était amateur de scotch et qu'il tenait bien l'alcool. Il avait beau me vendre le restaurant où nous passerions en soirée, je voyais bien qu'il lorgnait sans cesse une bouteille dans la série doublée par le miroir, celle qu'elle lui avait justement montrée avant de la glisser entre deux autres. La venelle soudain s'est illuminée. Ça se dégage, Johanna, la nuit sera belle, on s'en envoie un petit ?

Il était beau, les yeux rieurs, à la limite du candide. Il était fier de m'avoir plus tôt menée au temple et de me faire maintenant connaître sa place, comment refuser. Le scotch était vraiment bien, j'appréciais, il était ravi, et s'il m'avait demandé un peu plus tôt ce qui était advenu de mon uniforme, c'est que ça l'intéressait au plus haut point. Comme plusieurs, son épouse avait conservé celui de son université. Tu sais, a-t-il avoué, même après douze ans de vie commune, je peux t'affirmer que l'uniforme est toujours aussi érotisant. Je craque quand j'effleure le col de son chemisier, ça me donne des idées, et tu peux me croire, je ne suis pas le seul. Je suis passée bien près de lui parler de notre site fétichiste, de mon rôle de modèle et de notre clientèle japonaise, mais non, Johanna, t'es folle ou quoi? Ne pas jouer avec le feu, rester calme, tenir ça mort, tes patrons pourraient finir par tout savoir. Il était temps qu'elle arrive sinon je ne répondais plus de moi – maudite boisson!

Magique apparition. D'une brillante beauté, elle n'a pas caché son plaisir de me rencontrer. Enfin, son Atsushi s'était décidé. Un mot pour papa, ça s'était bien passé au temple? Le quartier me plaisait? On me traitait bien à la banque? Look de battante, cheveux ramassés en chignon, cette façon toute simple d'interpeller chaque habitué par son prénom. La novice s'était fort bien comportée. Grande lectrice, elle apprendrait vite. Tombée sous le charme, j'étais mieux à même de comprendre les emportements d'Atsushi lorsqu'il me parlait d'elle. Elle a adressé un subtil clin d'œil à la propriétaire et nous nous sommes transportés vers cette table pour ainsi dire vissée sur l'asphalte. Dans la minute, nous recevions nos trois petits verres et une bouteille pas encore entamée de *Lismore Single Malt*. Festive sera la soirée, ai-je songé quand elle a lancé le premier *kampai*[23], et elle le fut.

---

23. Santé!

Dans le train, après que j'eus texté un mot à Nao, Étienne m'avait à demi convaincue qu'Hiroshi ne serait pas incommodé par sa présence. Ça ne valait donc pas le coup de le déranger une seconde fois pour le lui annoncer. Crois-moi, disait-il, tel que je le connais, il sera ravi. Connaissait-il vraiment Hiroshi à ce point ? Bref, j'étais toujours préoccupée le lendemain après-midi lorsque les portes du métro se sont refermées derrière nous. Dans le couloir qui mène à la sortie 3B de Waseda Dori, je me disais que le portrait d'Hiroshi que j'avais sommairement dressé à Nao lui serait sans doute utile et que, dans le meilleur des cas, ils en seraient déjà à se parler avant même notre arrivée.

Comme de fait, nous entendions des voix avant même de franchir l'angle du couloir. Adossé au mur de céramique, le journal replié sous le bras, Hiroshi était déjà sous le charme de Nao, et mon malaise s'est mué en autodérision : pourquoi s'inquiéter pour si peu. Tout se passait comme nous l'avions espéré – tu vois, a chuchoté Étienne alors que nous étions presque arrivés à leur hauteur –, Hiroshi trouvant le moyen de nous présenter *sa nouvelle conquête*. Grand plaisir de tous nous revoir, mais léger flottement, présentations et petites explications, en français entre eux, Nao et moi en anglais. Une belle équipe, et quand nous avons débouché au niveau du trottoir, la chaleur étonnamment persistante en ces premiers jours d'octobre nous est tombée dessus. En face, de l'autre côté de la rue, comme à Setagaya et comme partout ailleurs à la sortie de la station ou de la gare, ils étaient tous alignés là : *Family Mart, Subway, McDonald's, Mos Burger.* Ça s'était bien passé avec son étudiant, et Hiroshi avait songé à un *brewpub* où la bière était excellente, mais comme il désirait profiter de l'occasion pour offrir à Étienne deux ou trois documents, il nous fallait dans un premier temps passer par son bureau. Au quinzième, disait-il, je jouis d'une vue imprenable sur l'est de la ville. Je ne demeure pas très loin d'ici, a-t-il précisé, un tout petit studio du côté de Chiyoda et Bunkyo, dans les environs de l'Institut franco-japonais. Allez, *follow the guide!*

Ils ont pris les devants, et c'était bon de se retrouver entre nous, Nao et moi, de s'abandonner comme des jumelles inséparables dans ce quartier tranquille en pente douce. Elle était arrivée à la station peu de temps avant nous pour trouver Hiroshi en train de lire son journal. Seul homme sur place, ça n'avait pu être que lui. Elle avait eu le temps de tout lui expliquer, textos de la veille, notre amitié, et quand nous étions arrivés, ils étaient justement en train de parler de nous. Timide et réservé, Hiroshi était vite devenu volubile. Belle ouverture d'esprit, un brin séducteur. D'une certaine manière, il lui rappelait cet ami de campus qui lui avait parlé pour la première fois de Sartre et de Beauvoir. Et puis oui, il y avait eu des développements au cours de la semaine, elle pourrait m'en dire plus en temps et lieu.

Au carrefour, histoire de donner quelque précision à Étienne, Hiroshi a marqué un temps d'arrêt devant le *torii* orangé d'un temple shinto qui captait toute la lumière, puis il nous a tous entraînés à sa suite dans une paisible venelle. Je parlais maintenant à Nao du plaisir que nous avions éprouvé à découvrir à bicyclette des quartiers de Kyoto quand nous avons franchi la porte du campus, et il est bien vrai que dans le bureau d'Hiroshi, la vue sur la ville était imprenable. Absolument, tout à fait, sauf que c'était plus étourdissant en pixels qu'en hauteur brute. À perte de vue, un puzzle alu-verre-béton-acier d'une extrême densité, avec la trouée verte des grands jardins du Palais impérial vers le sud. Un peu plus bas, la tour de Tokyo, orangée – comme un *torii* –, qui jure et qui frappe, mais est-ce bien les buildings de Ginza qu'on peut voir sur la gauche ? Exact. Plus loin, tu peux deviner les courbes de la Sumida et de l'Ara-kawa.

Bureau étroit, tout en longueur, bien évidemment bourré de livres, de liasses de papier et de documents à reliures spirales, partout, partout, partout, en japonais, quelques-uns en chinois ou en coréen, en anglais, plusieurs en français. Mais comment font-ils pour se retrouver dans un tel bordel ! Hiroshi a enjambé avec peine une boîte débordante de vieux papiers pour retirer d'un rayon un exemplaire du plus récent numéro de la revue de l'AJÉQ. Voilà, Étienne. Attends un peu, où donc ai-je pu mettre ça ? Oui, c'est ici, un peu plus bas. Deux tirés à part de son essai portant sur les frais cachés qu'un tsunami de force majeure peut engendrer dans l'industrie de la pêche. C'était paru un an plus tôt dans un recueil de textes thématique de la collection « Géorisques » des Presses universitaires de la Méditerranée. Parce qu'il avait étudié là-bas, d'où sa connaissance du français et l'ouverture à tout ce qui touche le Québec. Étienne, je ne savais trop, parce que c'était aux antipodes de son domaine de recherche, mais ce document-là était pour moi d'une grande pertinence. Peut-on compter sur de telles études à la Citi ? Sans doute, mais il fallait poser la question à M. Yasuda. Tu m'en offres une copie, Hiroshi ? Oui, avec plaisir, et puis voilà, dès son retour, c'est-à-dire dans la semaine, Étienne allait lui poster ses bouquins et le plus récent numéro des *Cahiers de l'Institut du patrimoine* qui devrait sans aucun doute l'intéresser.

Bon, c'était bien, tout ça, ce bureau de prof avec vue sur la cité, cet échange d'experts sur la petite histoire des temples, du grand bouddha et des trois mille lanternes de Nara, c'était même très bien, mais de là à y passer tout l'après-midi ! Ils se sont soudain tus pour nous jeter dans un même mouvement un regard coupable, puis Hiroshi y est allé de sa proposition : à moins que l'une d'entre vous n'ait songé à un après-midi terriblement festif, comme visiter le musée de la téléphonie ou se taper une partie des Giants au Tokyo Dôme, je connais un *brewpub* qui vient tout juste d'ouvrir ses portes du côté de Shinjuku. Bien, Hiroshi, très bien !

Déjà dans le taxi, nous formions une bien meilleure équipe, en tout cas, plus unie que celle de là-haut dans son bureau. Le chauffeur aux gants blancs était dans sa bulle, tout à la route et à son écran GPS. Il ne comprenait sans doute rien à l'anglais d'Hiroshi qui nous entretenait sur ses bières favorites, mais c'est au *brewpub* que l'idée de cette rencontre que nous avions programmée dans le train à la va-vite a pris toute sa saveur. Exactement comme nous l'avions espéré, tel que ça s'était passé deux jours plus tôt avec nos *amis de Nintendo*. Le plaisir d'échanger sur à peu près tout et presque rien, chacun autour de la table trouvant son mot à dire. Histoire de ne pas indisposer Nao, ça se passait essentiellement en anglais, mais avec tout de même quelques mots en français ou en japonais.

Hiroshi et Étienne ont désiré en savoir un peu plus sur l'Université de Victoria : cursus, présence des Premières Nations, facilités offertes aux étudiants, vie de campus, comment avait-elle arrêté son choix ? Pourquoi Victoria, précisément, comment avait-elle vécu sa solitude ? Nao se prêtait au jeu, me prenant parfois à témoin quand elle savait que je savais, ou bien quand elle décidait de passer sous silence certaines réalités qu'il n'était pas nécessaire de divulguer et d'étaler au grand jour, et je découvrais un Hiroshi séducteur. Il n'en mettait pas trop, et son intérêt pour Nao n'était pas feint. Cette ultime rencontre me rappelait celle de Moscou en compagnie des colocataires d'Étienne, sa paëlla, la vodka du Caucase, notre longue marche vers l'étang des Patriarches. Cette fois-là, c'est moi qui partais le surlendemain pour Londres, et dans ce *brewpub* de Shinjuku, je retrouvais l'atmosphère de Nottingham. À cinq minutes de la gare, c'était gagnant-gagnant.

Comme je m'y étais attendue – marotte, quand tu nous tiens –, Étienne est revenu sur *Le Dit du Genji*. Il voulait maintenant savoir comment ce texte qui l'avait tant ébranlé était perçu dans son pays d'origine. L'a-t-on déjà mis au programme dans les écoles ? Dans un tel cas, l'est-il toujours, et à quel niveau d'études ? Ni l'une ni l'autre ne pouvait s'avancer sur la situation actuelle, mais oui, ça rappelait à Nao de bons souvenirs d'école primaire, et à Hiroshi des cours de lycée fort ennuyants. C'est partout pareil, a conclu Étienne, si à l'école primaire on aime se faire raconter une histoire, au secondaire, le scepticisme de l'ado et son peu d'intérêt pour les vieilleries prennent vite le dessus. Aussi, plus souvent qu'autrement, on est attiré par des auteurs d'ailleurs, au point d'en oublier sa propre littérature. Normal, le pays des ancêtres manquera toujours d'exotisme. Moi, je lisais les auteurs russes bien avant de connaître Gaston Miron et Gérald Godin. Hiroshi a posé une question sur Miron, et comme ça devenait un peu plus pointu, ils sont passés sans vraiment s'en rendre compte au français, et Nao en a profité pour se rapprocher de moi. Nous pouvions maintenant nous entretenir à voix basse sans crainte d'être entendues, et elle n'a pas été bien longue à me mettre au parfum.

Cette dernière semaine, on les avait tous deux convoqués d'urgence au Centre de la cyber-criminalité du TMDP[24], elle et son détective. L'affaire prenait un tour qu'ils n'avaient jusque-là jamais soupçonné. C'était du sérieux, on parlait maintenant d'attaques ciblées contre la grande entreprise. Sans trop entrer dans les détails, on leur avait proposé une série de photos de prévenus. Une bonne vingtaine, selon ses souvenirs, et elle y avait reconnu deux amis de l'université avec qui elle avait fait la bombe. Ne voulant pas les incriminer, sûre et certaine que ni l'un ni l'autre ne pouvait se commettre dans un coup aussi fumeux, surtout pas eux, si naïfs, si candides, elle n'avait rien dit quand on lui avait demandé si elle avait déjà rencontré l'un de ces types. Cette rencontre avait eu lieu jeudi alors que nous étions en route pour Kyoto, et depuis, elle angoissait, ne trouvait pas le sommeil. Elle

---

24. Tokyo Metropolitan Police Department.

se demandait sans cesse si elle avait bien agi, si elle n'avait pas commis une erreur. Et moi, quel était mon avis?

J'étais sonnée, je ne savais pas comment réagir devant un tel aveu. Je n'osais plus regarder Étienne ou Hiroshi qui nous lorgnaient de temps à autre. Ils marquaient parfois un temps d'arrêt dans leur discussion, bien conscients qu'il se passait quelque chose de grave. Ça dépasse mes compétences, Nao, mais à quoi donc as-tu songé! Pas fière de toi, tu n'avais rien à cacher. Tu ne dois rien à ces gars qui t'auront tout de même entraînée où tu sais. Pour se retrouver dans ce fichier de police, dis-toi bien qu'ils ne sont pas si candides que ça. C'est de toi qu'il s'agit, Nao, tu ne joues rien de moins que ton avenir. Moi, j'aviserais dès demain ton détective.

Un sourire coupable aux lèvres, elle m'a donné sa parole. Demain à la première heure, c'est promis. Soulagée tout autant qu'elle, j'ai pu lancer un regard d'intelligence à Étienne qui laissait entendre que ce n'était rien, une simple affaire de filles. J'aime bien cette stout, a-t-il alors avancé, comment tu la trouves, Hiroshi, et vous, belles dames? Meilleure que la Guinness, ai-je tranché. Un petit signe à la serveuse, et c'était parti.

Elle m'avait texté un bref pour savoir si je voulais bien l'accompagner. Et comment! avais-je répondu. Mercredi, milieu d'après-midi, ça ne pouvait mieux tomber. En toute délicatesse et en toute connaissance de cause, lorsque son privé lui avait proposé deux ou trois dates, elle avait opté pour le mercredi, sachant pertinemment que c'était pour moi jour de congé alors qu'elle, elle pouvait bien évidemment s'absenter en tout temps. Il avait pignon sur rue à proximité de la station Mejiro. En avril, à ma deuxième ou troisième sortie à bicyclette, j'avais exploré le quartier que j'avais apprécié pour ses airs de province et sa moyenne densité. C'est ainsi qu'à sept ou huit kilomètres au nord de Shibuya, j'avais éprouvé cette bizarre sensation de rouler dans une *petite ville* de deux millions d'habitants.

Début novembre, trois semaines après le départ d'Étienne, j'étais depuis longtemps revenue à mes habitudes, entre autres à mes mercredis vélo, mais ce serait cette fois mercredi métro. Nous devions nous retrouver au *Tully's Coffee* situé pas très loin de cette belle station aux lignes arrondies. Bon choix, le Tully. Comme j'ai un faible pour leur variété de sandwiches, je m'y suis présentée une heure plus tôt pour casser une croûte en toute oisiveté. Cette fois, ce fut crevettes et avocat, mais qu'a-t-il donc de si important à lui apprendre? songeais-je en parcourant la section

Business du *Japan Times* – tiens, Ela Bhatt[25] qui reçoit un prix pour l'ensemble de ses réalisations, génial. Où en est-il dans son enquête ? En est-il arrivé à des résultats concrets, a-t-il seulement réussi à trouver et à nommer l'homme... ou la femme ? Tout au long du processus, Nao m'avait tenue au courant. Ils s'étaient rencontrés en deux occasions, la première quand il avait voulu plus de précisions sur le site Internet et sur les lieux des prises de photos. Quant à la deuxième, je savais tout : suite à ma remontrance, tel que promis, elle l'avait contacté le lendemain. Il ne l'avait pas félicitée, mais tout avait fini par rentrer dans l'ordre.

Contrairement à ses habitudes, elle est arrivée avec une dizaine de minutes de retard. Johanna, ai-je entendu derrière moi, et j'ai levé les yeux de mon journal. Bises bien senties, puis elle a pris place. Comme toujours, rien chez elle qui clochait. D'une élégance sans faille. Tailleur de coupe audacieuse sur un chemisier bleu royal aux rayures jaunes à peine décelables. Une compilation jurisprudentielle à remettre en urgence au secrétariat l'avait retenue plus longtemps que prévu, mais nous avions du temps devant nous. Sa place d'affaires n'était pas très loin, pas plus de cinq minutes de marche. Non, elle n'avait pas faim, et non, elle n'avait pas soif. Je pouvais comprendre, elle qui marinait dans cette histoire depuis maintenant plus de trois mois. La situation n'était peut-être pas la même que cinq ans plus tôt où il avait été question de vie et de mort, aux prises qu'elle était avec l'un de ces petits revendeurs particulièrement dangereux, imprévisibles, nerveux, qui agissent souvent sur un coup de tête, mais cette affaire de chantage pouvait avoir des conséquences multiples sur un début de carrière déjà prometteur. Il ne t'a pas donné d'indices ? Non, Johanna, trop compliqué, trop complexe pour en parler au téléphone. Bon, de toute façon, ce n'était plus qu'une question de minutes.

---

25. Instigatrice de la micro-finance en Inde, fondatrice de la Self-Employed Women's Association.

C'était au sixième d'un édifice qui semblait être de construction assez récente. Crèmerie, blanchisserie et *7-Eleven* au rez-de-chaussée, étroit couloir de marbre noir jusqu'à l'ascenseur. Vérification de la raison sociale, c'était bien ça, elle n'avait eu qu'à appuyer sur le bouton pour nous annoncer. Il nous attendait sur le seuil, première porte à droite, le sourire crispé et le bras écarté pour nous inviter à entrer. Face au bureau, les deux chaises à accoudoirs au cuir vert sombre juraient dans le décor, mais c'était bien. Mobilier pas très neuf ni trop vieillot, classeurs de métal beiges couvrant tout le mur derrière nous, avec les cartes de Tokyo et du Japon, fax et photocopieur, écran plat sur son bureau de bois verni, fenêtre donnant sur Mejiro Dori, porte ouverte sur une pièce contiguë. Toilette, antichambre ou cuisinette?

Après tout ce temps, j'étais contente de le revoir. Il était là, bien en chair, pour ainsi dire dans son personnage de manga. Il a pris le temps d'ouvrir son dossier avant de consentir à rencontrer le regard inquiet de Nao. Ne vous inquiétez pas, semblait-il vouloir lui dire dans son langage non verbal. Il lui a adressé quelques mots, puis il a posé les yeux sur moi pour qu'elle puisse traduire. Bonnes nouvelles, a-t-elle articulé en me prenant le bras. Après cette mise en situation destinée à faire tomber le stress, il m'a précisé que j'étais hors de cause. J'étais effectivement Canadienne, Québécoise, a-t-il ajouté à mon grand étonnement en français, j'étais en situation régulière, blanche comme neige, mais comme notre type avait mentionné un site du gouvernement canadien, il avait dû vérifier certaines choses. Une simple formalité, en somme, avec tout le doigté possible. Je pouvais le croire sur parole. Pas le choix, a-t-il avoué dans un sourire enjôleur. J'ai dit *it's ok*.

Dans cette atmosphère moins tendue, Nao prenait plaisir à traduire chaque bloc d'information alors qu'il s'amusait visiblement de la chose. Ce n'était pas tout à fait réglé, il ne fallait pas l'oublier. La police nationale était toujours dans le coup, sauf qu'après trois mois d'angoisse, c'était un baume pour elle de voir poindre ce qui semblait déjà être un dénouement heureux. Je recevais l'information par bribes, synthétisée en quelque sorte par Nao. Il était plein d'attentions pour moi, je l'écoutais avec sollicitude, mais je ne pouvais pas moins m'empêcher de songer que dans le cas contraire, si le problème avait toujours été entier, s'il en avait été à une étape plus sensible de l'enquête ou si encore il s'était trouvé dans une impasse, les choses se seraient passées autrement. Il n'aurait sans doute pas eu alors de temps à perdre avec un élément extérieur à l'affaire aussi passif que moi.

Il a promis à Nao qu'elle ne recevrait plus jamais de tels messages, du moins, pas de la part de cet homme, parce que c'était bien d'un homme qu'il s'agissait, mais l'enquête était loin d'être terminée. Ça, elle savait déjà. C'était passé à un palier supérieur, mais il a tenu à y aller de quelques précisions. Oui, ai-je songé en restant stoïque, pour justifier sans doute vos honoraires. Alors voilà : il avait travaillé un bon moment en solitaire, mais comme il n'allait plus nulle part, il avait pris la décision de rencontrer un inspecteur de ses connaissances basé à Shinjuku et, de fil en aiguille, tout s'était mis en place. Même si elle n'avait plus rien à craindre, Nao posait des questions qu'elle tenait à me traduire, et il en profitait chaque fois pour reprendre son souffle. Non, il ne pouvait en dire plus sur l'homme, quel genre de type était-il, son âge, où habitait-il, sauf qu'il pouvait maintenant affirmer hors de tout doute que nous avions là un crack de l'informatique qui s'adonnait à des activités encore plus incriminantes que le chantage à petite échelle. Chantage à petite échelle, ai-je répété quand Nao m'a traduit ça. Ce qu'il ne faut pas entendre ! Ses victimes étaient toutes des professionnelles qui avaient un jour œuvré dans ce monde parallèle et complexe des sites pornographiques. Documents à l'appui, il a répété que par recoupements, les enquêteurs de Shinjuku en étaient arrivés à tisser des liens avec le dossier pas encore résolu d'un expert en attaques informatiques qui opérait contre de grandes sociétés du pays. Quel genre de sociétés ?

Désolé, il en avait déjà trop dit. Or donc, comme le prévenu n'avait jamais dépassé l'étape des photos accompagnées de messages intimidants, il conseillait à Nao d'en rester là. Aussi, le TMDP était en train d'étoffer sa preuve, et il était hors de question pour l'instant d'entamer des poursuites au criminel. Après m'avoir traduit ce bloc, elle m'a avoué sa grande fatigue, son énorme soulagement, son désir de tenir ça mort et d'en finir au plus vite avec cette affaire, puis elle lui a tout répété. Parfait, bonne décision, madame, mais jusqu'à nouvel ordre, vous êtes tenue de rester à la disposition de la police. Bien, a-t-il conclu en refermant son dossier d'un geste théâtral, j'ai le plaisir de vous confirmer qu'en ce qui nous concerne, l'affaire est classée. Avez-vous d'autres questions? Votre collègue de travail? Ah, je vois, ce jeune avocat timide. Entre nous, vous êtes-vous déjà demandé si ce jeune homme n'était pas tout simplement un amoureux maladroit?

Dans l'ascenseur, les bras croisés, elle fixait le plafonnier. Je la sentais rageuse, je n'ai pas osé m'approcher. Trois mois d'angoisse, de culpabilité, de remises en question, et ça venait de se régler en moins d'une heure. À son avantage, bien entendu, mais tout de même. À quoi pouvait-elle bien songer? Était-elle en train de visualiser une partie de sa vie en accéléré? Songeait-elle à son père, à Keven de Victoria, à Takeo de Gifu ou à son timide collègue? Remettait-elle en question cette décision qu'elle venait de prendre deux semaines plus tôt de quitter son étude? Oui, en finir avec l'incertitude pour s'engager à fond dans l'entreprise de son père. Elle a fermé les yeux avant de me demander si je lui en voulais. Quoi, Nao, t'es sérieuse, là?

La porte s'est ouverte sur une mère impassible et son fils d'une dizaine d'années qui se tenait la joue. Les yeux dans l'eau, pauvre petit, grande douleur ou peur du dentiste? En direction de la station, je me suis appliquée à remettre les choses en contexte: c'est de toi qu'il est question, Nao, pas de moi, et je ne vois vraiment pas pourquoi je t'en voudrais. Mes patrons n'ont jamais rien su, mais dans le cas contraire, je n'aurais eu qu'à m'expliquer. Devant la vitrine d'un *Subway*, elle s'est soudain arrêtée pour me serrer dans ses bras. Nous sommes restées comme ça, coupées du monde, à ne plus nous regarder que dans le fond des yeux. Tentant, très tentant, trop tentant.

Un peu plus loin, elle m'a avoué que jamais elle n'avait ressenti une telle soif. Pareil pour moi. Il y avait justement des machines distributrices devant la crèmerie. Deux bouteilles de thé glacé, *CLAC, CLAC*. Il me vient une idée géniale, ai-je lancé comme ça, mais je ne t'en dis pas plus. Surprise, à toi de deviner. Elle avait les yeux en interrogation, j'avais atteint mon but, et à l'entrée de la station, nous nous sommes départies de nos bouteilles.

Ligne Yamanote, c'était direct, une dizaine de stations. Nul besoin de se taper les couloirs de Shinjuku ou d'ailleurs pour une correspondance. À Shibuya, elle s'apprêtait à sortir quand je l'ai retenue par le bras. Eh non, pas ici. Alors, ai-je demandé quand ça s'est remis à rouler, t'as une idée? Négatif. Et si je te disais Shimbashi? Toujours et encore négatif. Lorsque nous avons quitté la station, j'ai songé à la somme de travail qui m'attendait au bureau le lendemain, pas grave, pas grave, je suis très bien payée pour ça. Direction Shiodome City Center. J'y étais presque, mais elle, pas vraiment. Au feu de circulation planté sous l'*Expressway*, nous pouvions déjà entrevoir les guichets du Hama-Rikyu Garden. Quand j'ai sorti de mon portefeuille un billet de 2000 ¥ pour le présenter à la dame, j'ai bien vu qu'elle arrivait à peine à contenir son émotion. Elle était si heureuse d'être là, quelle bonne idée avais-je eue, merci d'y avoir songé. Elle aimait ce parc bien situé à l'embouchure de la Sumida, entouré de buildings étincelants, mais c'est lorsque nous sommes arrivées beaucoup plus loin au guichet de l'embarcadère qu'elle a compris. Alors là, Johanna, la navette de la Sumida, c'est plus que génial.

L'idée avait été de prendre de la distance, et je pourrais lui pointer du doigt dans moins d'une heure la Flamme d'Or dans toute sa beauté. Ce n'était pas le grand large, loin de là, mais c'était déjà bien assez pour s'aérer l'esprit, bien assez pour songer à une vie plus joyeuse et pleine d'avenir. Il y avait aussi mon bar à sushis favori d'Asakusa. Génial, oui, se changer les idées, peut-être bien, mais nous n'avions pas encore croisé le premier pont que nous nagions déjà dans le roman noir. Au grand soleil, les cheveux au vent, nous nous amusions maintenant à tracer le profil du petit maître chanteur qui se prend pour un grand justicier, à scénariser la fin tragique d'un crack informatique gobé tout rond par son supervirus.

É tienne, tu n'auras pas attendu bien longtemps pour amorcer l'écriture de *Moscou Cosmos* au parc Gorki. Deux semaines seulement après mon départ pour Nottingham. Moi, vois-tu, je vais me donner un peu plus de temps. Peut-être même jusqu'à deux mois, fin novembre, début décembre, et c'est ici même dans ce parc Hibiya que je vais m'y mettre. Parce que c'est ici que tout a commencé, parce que c'est ici que j'ai découvert le plaisir d'écrire, celui de noircir les pages de mes blocs-notes de mes états d'âme et petites observations.

Le regard ailleurs, les avant-bras appuyés sur les genoux, il tirait sur sa clope, l'air faussement détaché du directeur littéraire, me semblait-il, celui qui laisse se prononcer dans toute sa candeur l'auteur en devenir. Parce qu'il sait en son for intérieur, lui, que tout reste à accomplir. Mais j'étais capable de vivre avec. Allez, aurait-il pu me lancer sans même que je ne songe à réagir, écris ce que tu as dans le ventre, la femme au chapeau melon, on verra bien.

Dans l'ombre des grands arbres, dense forêt au cœur de la ville, nous prenions place à la dernière rangée de l'amphithéâtre de type gréco-romain. Un peu plus tôt, nous errions sans but précis dans Roppongi et Minato quand j'ai ressenti le besoin de me retrouver seule avec lui. Seuls tous les deux, c'est tout ce que j'avais voulu et il n'avait pas dit non à ma proposition d'un repli intime. En cette dernière journée, histoire de me coller contre lui en toute impunité, je lui avais proposé ce coin tranquille que je connaissais bien pour m'y être souvent perdue le dimanche. Le grand bazar du week-end en famille avec tous ses kiosques à bière, nouilles et riz, frites et grillades, sucreries pour tous et mille vélos était chose du passé, c'était le calme absolu. Outre nous deux, il n'y avait que cinq lycéens en bas sur la scène. Deux gars et trois filles, chacun et chacune son texte à la main. Répétition de théâtre en plein air, leur lycée ne devait pas être très loin. Nous entendions des éclats de voix par vagues successives.

Je me sentais bien dans le rôle de celle qui devrait bientôt se mettre à l'ouvrage, dans la peau de la banquière qui choisirait bientôt le mode écriture intense et puis, malgré son silence obstiné, il me plaisait de prendre position de la sorte devant un véritable romancier. N'avait-il pas deux romans à son actif? Malgré son mutisme, je savais qu'il m'écoutait avec intérêt, mon professeur en début de carrière un peu trop coincé par le temps et talonné par sa directrice littéraire. Ce sera beaucoup plus une question de structure qu'autre chose, Étienne. Du moins, dans un premier temps, c'est à ça que je vais m'atteler. Jongler avec la temporalité, casser la chronologie, passer d'octobre à juin, comme ça, puis revenir en août; comment présenter Nao et Atsushi, à quel moment du texte arriveras-tu; où intercaler mon séjour à Hiroshima, ce week-end chez les parents de Nao; conserver le nom véritable de mes personnages ou en créer de toutes pièces. Les titres. Y aura-t-il des haïkus, est-ce vraiment pertinent? Si oui, comment les insérer pour rendre l'instantanéité?

En bas, sur la scène, ils semblaient s'amuser comme des enfants, mais quelle était donc cette pièce qu'ils allaient bientôt jouer devant leur classe ou dans la grande salle pour l'ensemble des parents et élèves? La jeune fille de droite se trompait toujours au même endroit, butant toujours sur la même syllabe, mur infranchissable ou murmure de coquetterie, les autres en riaient, bien amicalement, il faut le dire. Ils se redressaient avec obstina-tion, face aux degrés vides de l'amphithéâtre, le torse bien droit, reprenaient leur sérieux et se remettaient hardiment à l'ouvrage. Étienne enregistrait là de bien belles images. C'était sympathique, absolument charmant, un brin militaire, surtout lorsqu'ils se sont mis à déclamer en chœur une longue tirade. C'était de l'anglais. Jouaient-ils un grand classique à la manière orientale ? Vestons marine, pantalons gris ou jupes tartan dans les tons de vert, les cravates dénouées, les filles en manches de chemise, c'était beau à voir, rafraîchissant, j'aurais bien aimé en être. Cette fois-ci, personne n'a buté, ça coulait, et ils se sont ainsi rendus jusqu'à la fin de la tirade. Ils étaient fiers du résultat, nous les avons applaudis, ils ont fléchi le torse.

Dis-moi, Johanna, est-ce pareil à la grandéur de l'île ? Regarde-les, comme ils sont beaux ! Est-ce pareil à Hiroshima, dans les archipels du sud, à Nagoya, en Hokkaido ? Nous sommes en Asie, oui, mais comment c'est à Séoul, en Corée du Sud, au Viêt Nam, dans les mégalopoles chinoises ? Nous entrons dans une hégémonie asiatique, c'est la peur de l'Occident, mais ça me plaît. Écoute : l'espace de cinq mille ans, comme un gros nuage semant partout la mort et la terreur, la puissance hégémonique qui aura trouvé racine et puisé sa force dans les cultures asiatiques aura lentement migré vers l'ouest du continent européen, puis elle a traversé l'Atlantique, restant stationnaire un bref instant sur le continent américain. Elle franchit maintenant le Pacifique pour revenir à son point de départ : l'Empire du Milieu. Cinq mille ans, Johanna, une fraction de seconde en temps géologique.

J'aime quand il me parle de cette façon, quand il s'emporte et y va de ses folles hypothèses et belles métaphores. La veille, à la sortie du restaurant, nous nous étions retrouvés tous les quatre au Shinjuku Central Park pour étirer la soirée au son de l'imposante cascade d'eau. Petit Niagara de ville. Nous tenions sensiblement le même type de discours. Tokyo était-elle la même ville pour la fille unique du riche industriel provincial que pour ce fils aîné du guichetier de la *Japan Railways* qui a vécu toute son enfance dans le quartier Sumida ? Nul besoin d'être sociologue pour comprendre, et c'était bon d'entendre Hiroshi nous raconter de beaux moments de son enfance, mille petits travaux et emplois à temps partiel dans le but de se payer plus tard des études universitaires.

Ils étaient en pause en bas sur la scène, discussion en cercle fermé. D'un seul regard, nous nous sommes mis d'accord, puis nous nous sommes redressés dans le but de nous rapprocher. Nous avions à peine descendu une dizaine de marches qu'ils se retournaient pour nous observer, le sourire bien accroché. On nous attendait. *Kon'nichiwa! Hello!* Comme si elles s'étaient donné le mot, deux filles ont fouillé dans leur sac pour nous offrir des bouteilles de thé glacé. Quelle gentillesse, pas question de refuser, mais chacun et chacune voulait maintenant essayer mon melon. Ils n'étaient pas mauvais en anglais, et pour cause. Au lycée effectivement situé pas très loin, dans le cadre de leur cours d'anglais, ils bossaient depuis plusieurs semaines sur *L'Assemblée des femmes* d'Aristophane. Les gars tenaient le mauvais rôle, mais ils y prenaient un plaisir évident. Classique grec traduit en anglais et joué à la manière japonaise, nous avions visé dans le mille. Mais pourquoi donc une pièce d'Aristophane, et plus précisément *L'Assemblée des femmes*? Choix imposé par leur professeur, un Américain de la région de Minneapolis. Pièce féministe grecque deux fois millénaire jouée au Japon sous la férule d'un Américain. Histoire des civilisations, voyage en hégémonie variable ou géopolitique féminisante?

Étienne, ai-je avancé alors que nous venions de les quitter, tu pourras rassurer ta directrice littéraire. Ce sera sans doute ardu, mais je crois que mon roman pourrait très bien être terminé avant Istanbul. Ça veut dire au plus tard à la fin d'avril, mais est-ce vraiment réaliste? Parce que je n'ai aucune idée de l'endroit où je vais me retrouver à la fin de ce contrat. Toronto, Vancouver, Seattle? Je serai fixée à la mi-décembre. Au printemps, je serai peut-être de retour à Montréal, ou bien on m'aura proposé une succursale en Europe. Mais c'est une année de plus à Ginza qui me comblerait. Je me sens si bien ici, mieux que partout ailleurs. J'y gagne très bien ma vie, j'ai mes petits rituels, mes habitudes et jamais l'ennui. C'est comme si je jouais à la vie. Étienne, Étienne, Étienne, mon bel amour nécessaire, je nage dans l'incertitude.

Il a tourné la tête pour mieux me dévisager, puis il m'a entraînée vers ce premier banc adossé à un massif d'hibiscus. Pas le moindre souffle de vent, le parc pour ainsi dire rien qu'à nous deux, nous nous sommes regardés sans mot dire un long moment, conscients comme des Sartre et de Beauvoir d'Amérique qui tiennent tellement à leur indépendance que son départ était imminent. Étions-nous plus près des larmes que du sourire ? Tes yeux d'ébène, Étienne, ta force tranquille, tes cheveux sans allure et tout ébouriffés, je me sentais toute enveloppée. Johanna, a-t-il articulé d'une voix cassée, je t'imagine tellement à l'ouvrage, dans ce parc qui n'a vraiment aucun rapport avec la désuétude du parc Gorki. Je te sens pleine, sur le point d'accoucher de quelque chose de beau qui te ressemblera, qui portera ta fougue. Je te sens prête à écrire. J'ai hâte de relire ces bribes d'intensité que je n'ai pu qu'effleurer en diagonale. J'y ai vu ta force, Johanna, et je côtoie ta puissance. Je sens donc que cet hiver, je vais m'ennuyer de ton melon.

Mon melon ? Je ne comprenais plus, mais jamais je ne l'avais vu si ému, les yeux si brillants. Non, Étienne, *L'Insoutenable Légèreté de l'être*, jamais vu ce film. Ça aussi, ça manque à ma culture. On est au printemps de Prague, en 1968, a-t-il précisé en retrouvant du coup son assurance de pédagogue. *Je vais m'ennuyer de ton melon*, c'est ce que dit Tomas à Sabina après qu'elle lui a appris qu'elle quitterait bientôt l'Europe pour migrer en Californie. Tomas prend alors conscience qu'ils viennent de faire l'amour pour la dernière fois, qu'ils ne se reverront plus et qu'elle est bien terminée, leur si belle légèreté. C'est la fin, c'est un peu la mort, et c'est tout ce qu'il trouve à lui dire : *je vais m'ennuyer de ton melon*.

Sabina portait si bien son melon, Johanna, comme toi. C'était celui de son arrière-arrière-arrière-grand-père. Dire qu'à

Prague, pour une question d'argent, tu n'avais pu te le payer. Tiens, quand tu te le ramènes comme ça à la hauteur des sourcils, tu es ma walkyrie d'Hibiya. Tu es mon équilibre, Johanna, mon héroïne, ma seule puissance.

Ses paroles me tiraient les larmes et je me jouais dans la tête cette *Sabina au melon* que je ne connaissais même pas. Écoute-moi bien, a-t-il ajouté, ici, à Tokyo, je serais capable de vivre une vie de couple avec toi. Tu te rends compte, vivre en couple, moi qui ai toujours soutenu que la vie à deux était la meilleure façon de tuer l'intensité. Sidérée, sonnée, j'étais sans mots. Avais-je bien entendu ? Je me suis contentée de fermer les yeux. Vivre ici la vie de couple, avec toi, mon Étienne. À l'aide, madame Simone, aidez la solitaire que je suis, aidez la banquière à tout prix. Mon beau Jean-Paul est en train de se dérégler, mon amour nécessaire me fout le vertige !

37

YOKOHAMA STATION

Histoire de retrouver au plus vite mon *beat Tokyo*, au lendemain du départ d'Étienne, je me suis résolument investie dans ce rôle que j'aime par-dessus tout et que j'ai choisi en toute connaissance de cause, celui de la *banquière efficace*. C'est la vie que tu as embrassée, m'étais-je dit sous la douche, c'est la trajectoire que tu t'es donnée, alors assume. Istanbul et le Bosphore en mai prochain, ce n'est pas rien, côté Europe ou côté Asie, mais où habiteras-tu en mai prochain, justement, dans quelle ville, sur quel continent?

En route vers la station Ikejiri, j'ai rencontré ma grand-mère à la casquette orangée. Même heure, à peu près au même endroit. Elle dans son ensemble de jogging et moi en costume trois pièces, le porte-documents léger, boutons de manchette d'ambre de la Baltique qu'Étienne m'avait offerts deux ans plus tôt dans un café de Saint-Pétersbourg. Est-elle réglée sur ce rythme depuis l'enfance ou joue-t-elle seulement son rôle d'*horloge grand-mère détraquée*? Madame, vous avez tout ce matin pour m'insuffler du courage : *ohayô gozaimasu!* Il n'avait pas été question non plus de rentrer la tête basse, l'air contrit de la femme en peine. La liftière et la réceptionniste du dix-huitième qui m'offraient chacune son gentil sourire ne méritaient pas ça : *ohayô gozaimasu!* Non plus M. Yasuda que je devinais en train de petit-déjeuner en compagnie de son épouse, encore moins mes collègues et Atsushi : *ohayô!*

La veille, Étienne avait tenu son bout et j'avais fini par céder : pas question de le raccompagner jusqu'à l'aéroport. Au sortir du café de Shibuya où nous avions avalé des brioches, c'est à regret que je l'avais laissé franchir seul la guérite donnant accès aux quais. Je m'étais fait violence, mais il avait tellement raison. C'était quoi l'idée de vouloir partager dans le *Narita Express* un interminable spleen de soixante-dix minutes pour revenir à la maison en lectrice solitaire levant sans cesse les yeux de son bouquin. Retrouve au plus vite ton intensité, disait-il, c'est ta recette depuis toujours, c'est la meilleure et elle te va bien. Rappelle-toi Prague, rappelle-toi Moscou. Allez, répète après moi : Shibuya, Shibuya, Shibuya. Craquant. Il me quittait encore une fois de la plus belle façon, pas très loin de la dérision.

Le sac de voyage à ses pieds, appuyés contre le mur, nous nous tenions collés serré en retrait du flux des voyageurs, et au cœur de cette foule policée, civilisée et bien-aimée, je m'étais exécutée : Shibuya, Shibuya, Shibuya ! Et puis Shibizou, shibizou, shibizou ! Ô toi ! Solitaire endurci qui te seras tapé au début de la vingtaine le transsibérien en plein hiver. Gagner de bon matin la gare de Kazan pour te rendre comme ça jusqu'à Irkoutsk. Faut-il aimer le pays, faut-il estimer l'Homme et vénérer la babouchka ! Ô lui ! Je suis sortie de la gare du côté de l'espace réservé au bronze d'Hachiko. Petit Hachiko, bravoure et fidélité, toi qui venais chaque soir attendre la sortie de ton maître, tu ne pouvais savoir qu'il était mort depuis des jours. Crise d'angine au travail ou heurté par le train ? Shibuya, Shibuya, Shibuya, me répétais-je en posant mon regard sur la foule indifférente à la pub des grands écrans. Beauté, jeunesse et énergie, disais-tu encore hier.

Retrouver au plus vite mon intensité, venait-il d'affirmer, une recette qui me va bien. Pourquoi pas alors Yokohama, il y a si longtemps que je remets ça. À côté, un père levait sa petite à bout de bras pour qu'elle dépose sa rose blanche sur le flanc d'Hachiko, oui, allons nous perdre à Yokohama. Environs-nous de grande gare, rapprochons-nous de la grande baie, allons voir les bateaux et humer l'air salin. La foule sera-t-elle aussi dense à la gare de Yokohama ? La baie sera-t-elle grise ou bleue, à Yokohama ?

À la pause de midi, nous déballions nos bentos dans le parc Hibiya quand Atsushi s'est intéressé à notre virée à Kyoto. Un rêve, ai-je reconnu en portant mon regard vers les étages supérieurs de l'hôtel Imperial, Kyoto comme dans un rêve. Remonter le temps sur la grande place du Palais impérial, démesurée, tu dis, à accueillir toute une armée, petits coups de sonnette dans les venelles et sur la piste qui longe la rivière, le Chemin de la philosophie. Vraiment bien, aucun stress, et puis les lanternes de Nara. Savais-tu, toi, que le siège de Nintendo était situé à Kyoto ? Il m'a adressé un sourire entendu ; savait-il ou ne savait-il pas ? Je n'ai pas insisté, me bornant plutôt à lui narrer quelques détails de la déchirure du vendredi soir. J'ai plus tard glissé un mot sur *Le Dit du Genji*, la marotte d'Étienne. Lui, c'était plutôt les contes d'un grand auteur du début du vingtième siècle. Il a dû me répéter son nom par deux fois, mais au cas où, je lui ai demandé de l'écrire dans mon bloc-notes. En *romaji*, s'il te plaît. Voilà : Akutagawa Ryûnosuke. Les contes d'Akutagawa et de plusieurs autres sont en partie inspirés de contes anciens eux-mêmes issus de contes chinois ou indiens, précisait-il. Lorsqu'ils sont illustrés, c'est absolument magique. Tu sais, Johanna, plusieurs séries de mangas y trouvent leur source.

C'était bon de l'entendre me parler de ses lectures, sa préférence pour les contes tristes. Ça ne m'étonne pas, Atsushi, alors là, pas du tout. Il m'a regardée de biais, l'air du gars qui vient de perdre son armure. C'était bon de nous retrouver là, dans mon parc Hibiya. Son discours rigoureux me replongeait dans l'esprit des deux dernières semaines. Même tonalité, même délicatesse, je croyais entendre Hiroshi. Parle-moi de ton ami, Johanna, parle-moi de lui. Ah, Étienne ! C'est un être d'exception, pas rasant pour deux sous, au discours articulé. J'étais encore au bac et je n'avais pas encore quitté ma région qu'il me transportait déjà au bout du monde. Tu sais, Atsushi, vous êtes un peu du même type. J'aurais aimé te le présenter, vous vous seriez bien entendus. Si je n'ai pas osé me présenter avec lui au bureau, c'est que ça ne se fait pas. Tu nous vois arriver au dix-huitième ? J'aurais pu te texter un rendez-vous ici même, nous y étions encore avant-hier, mais tu sais. T'en fais pas, Johanna, je comprends. Pas envie de rentrer tout de suite, m'a-t-il avoué en posant ses baguettes, le travail peut bien attendre, n'est-ce pas. Je prendrais bien un café. Pas toi ?

La veille, sur le quai de la ligne Tokyu Toyoko, je n'ai pas attendu bien longtemps avant de voir se pointer la rame qui me mènerait à Yokohama. J'avais décidé d'aller me perdre dans l'ouest alors qu'Étienne roulait franc est en direction de Narita. Sur la carte du grand Tokyo, deux voyants lumineux qui s'éloignent, qui s'éloignent, qui s'éloignent. Géographique, cartographique, topographique. Me situer dans l'espace pour savoir où je suis, pour savoir où je vais, sinon c'est l'enfer bordélique, le bordel infernal. Renouer dans ce train de banlieue avec ma solitude, me réinsérer dans ma bulle Tokyo, vraiment pas la même que la bulle Nottingham ou Montréal. Je laissais errer mon regard sur des sentes encore jamais vues, sur ces quartiers en tout point semblables au mien. Trente-huit millions de feuilles de thé, chacune ses peines et ses angoisses, chacune ses joies et ses audaces. Dis, papa, où serai-je l'an prochain à pareille date ?

Ce n'était pas l'heure de pointe à la gare de Yokohama. Tout aura commencé par ici en 1853, me suis-je dit en analysant le plan de l'arrondissement, l'ouverture du port aux vaisseaux américains et du pays tout entier à l'Occident. Sortie ouest, j'ai sauté dans le taxi en tête de queue pour m'adresser au chauffeur qui n'a pas caché son étonnement : *Yamashita Koen it-te kudasai.*

Hier, ai-je confié à Atsushi alors qu'il versait un peu de crème dans son café, après avoir laissé Étienne à Shibuya, je suis allée me perdre à Yokohama. Tu m'épates, a-t-il laissé tomber. Il s'en est allumé une et m'a lancé un gentil regard. Il n'avait jamais mis les pieds au port de Yokohama, lui, le très sérieux Tokyoïte beaucoup trop pris par son travail. Le grand bouddha de Kamakura, oui, bien évidemment, mais le port de Yokohama, connais pas. C'est une bonne idée, a-t-il concédé, faudrait bien y aller un de ces quatre. C'est à voir, Atsushi : le parc Yamashita qui ouvre sur la rade, les édifices futuristes, l'horizon fermé au loin par les ponts interminables. Et les bateaux ! Ça m'a donné de l'air, si bien que dans un resto avec vue, j'ai sorti mon bloc-notes pour tracer des croquis et écrire quelques lignes.

> Parc Yamashita
> me pose la question
> des intensités

Les bateaux de la marine marchande, ça indiffère la plupart des gens alors que pour moi, ils sont gages d'ouverture. Le port de Yokohama m'a redonné de l'énergie. Je me remplissais les poumons de l'air du large. Les coudes sur la rampe, les cheveux au vent, j'étais à des années-lumière et à la fois si près de ma petite ville portuaire. En hiver, j'aimais regarder le brise-glaces de la Garde côtière canadienne. De janvier à la fin mars, il restait en permanence dans la baie pour ouvrir la voie aux bateaux chargés de bauxite, d'alumine et de tout ce qu'il faut pour nourrir les alumineries. Sous la neige de décembre, le froid de janvier, le soleil de février ou les vents de mars, le port me parlait de Port-Saïd, de Jamaïque, d'Afrique et d'Australie.

> À Yokohama
> Port-Alfred ou Port-Saïd
> tous ces cumulus

Quand ça allait couci-couça, peine d'amour, mauvaises notes à l'école ou vague à l'âme, j'avais toujours mes bateaux dans la grande baie. Les nuits d'été, il m'arrivait d'entendre la sirène d'un remorqueur répondre à celle d'un cargo en partance ou à celle d'une locomotive. Je pouvais alors dormir en paix. Je me disais qu'un jour, moi aussi je partirais pour aller au bout du monde, et je me confie ce midi à toi. J'ai continué : Johanna, se plaît à répéter maman à ceux et celles qui s'intéressent un peu à moi, elle est heureuse, elle bosse dans ses antipodes. C'est fou, tu ne trouves pas ? Pas du tout, chère amie, c'est une belle histoire que la tienne. J'aime quand tu me parles de toi, quand tu me parles de tes parents et de ton enfance. Ça t'arrive si peu souvent. Devant nous, le carrefour grouillait de piétons. Je n'ai su résister. C'était une première, un brin d'anxiété, tout de même. À cet expert qui connaît si bien la chanson, je me suis mise à traduire en anglais quelques haïkus. Façon de lui exprimer mon plaisir d'être là avec lui, façon de le remercier pour son écoute.

38
HAMADAYAMA

Fouettée par un vent instable, la pluie frappait le bas de la fenêtre de façon irrégulière. Sans doute avait-il plu toute la nuit, et ce morne dimanche de novembre me ramenait à la grisaille de la mousson. Au *Denny's*, la veille au soir, j'avais espéré une éclaircie pour une virée à bicyclette du côté de Mitaka, mais bon, soyons positive, ce sera une journée d'écriture. Toute la semaine, pourtant, le ciel avait été d'une limpidité telle que de la tour de Tokyo et des étages supérieurs de certains édifices on avait pu entrevoir la cime enneigée du mont Fuji.

Dans mon *parc du premier café*, je suis tombée pile sur une nouvelle locataire de Casa Aregle. Bon ! J'ai songé pour un moment à passer mon chemin, mais avec ma tasse brûlante et mon parapluie dégoulinant, je n'avais nulle part où aller. De toute façon, elle me semblait sympathique, réduite elle aussi à boire son café à petites doses sous son parapluie. *Hello !* Bellement volubile, ce ne fut pas bien long avant qu'elle ne prenne toute la place, mais son personnage était si beau que je n'aurais pu me plaindre. Sans doute n'avait-elle pas parlé pour la peine depuis des lunes. Arrivée trois jours plus tôt, elle appréciait ces venelles tranquilles malgré le ciel plombé à faire regretter à n'importe quelle femme normalement constituée le choix de sa destination vacances. Cette pluie monotone qui lavait l'asphalte n'était pas un problème, loin de là, parce que chez elle aussi, et je l'aurai su assez vite, l'intérêt pour le Japon remontait à l'enfance. *Tokyo Story*, a-t-elle précisé, film en noir et blanc qu'elle avait visionné un soir à la télé. Un classique, avait-elle appris plus tard à l'université, d'une lenteur, d'un stoïcisme. Au lendemain de la guerre, la mort de la grand-mère dans une famille japonaise semblable à la sienne. Non, je ne connaissais pas. Moi, vous savez, c'est plutôt les mangas que mon père m'achetait en séries, et bien plus tard *Hiroshima mon amour*. Elle est devenue songeuse : c'est incroyable, n'est-ce pas, la résilience des images et des sons de l'enfance.

Je n'aurais pu mieux tomber. Cette femme avait longtemps étudié à Paris. Elle s'exprimait donc parfaitement en français et traduisait des essais pour des revues littéraires. Elle devait chaque fois poser sa tasse sur le banc de granite et se débarrasser de son parapluie pour sortir son paquet et s'en allumer une du bout de son mégot. Berlinoise née dans un faubourg de l'ouest, la cinquantaine avancée, elle avait vécu la partition et la réunification, de l'apparition du mur à sa chute festive. Ayant déjà publié huit romans, elle était ici pour s'imprégner de la ville, pour vivre au rythme de la classe moyenne japonaise. Projet de roman ? Oui, absolument. Un texte intimiste qui serait inspiré d'un fait divers. L'histoire d'un vétérinaire japonais et d'une graphiste allemande, coopérants qui se seront connus en Afrique pour venir ensuite s'installer à Tokyo avec leurs deux enfants. En ce maussade dimanche matin, moi qui avais appréhendé cette rencontre, moi qui venais d'amorcer quelques semaines plus tôt l'écriture de mon *roman de Tokyo*, je buvais mon premier café en compagnie d'une professionnelle de la langue et romancière accomplie. Eh non, malgré d'excellentes critiques, ses romans n'étaient pas traduits en français, encore moins en anglais. Des histoires sans doute trop intimistes, mais un jour peut-être. C'était assez comique : lorsqu'elle voulait se débarrasser de son mégot, elle le dressait comme s'il eut été un stylo vide, et je n'avais plus qu'à lui ouvrir d'un coup de pouce mon cendrier. Belle invention, répétait-elle. Où avais-je trouvé ça ? Elle allait sans faute s'en procurer un.

Ayant toujours cultivé la distance envers les autres locataires, histoire de ne pas me retrouver un bon matin avec un raseur qui vous colle aux baskets, malgré tout le respect que cette femme m'inspirait, malgré le fait qu'elle était romancière et qu'elle aurait pu répondre à deux ou trois questions d'ordre technique qui me taraudaient l'esprit depuis un moment, quand nous nous sommes quittées, je me suis bien gardée de lui avouer que je me consacrerais dans l'heure à l'écriture. Subtil mélange de respect et d'humilité, mais avec son addiction au tabac et l'assurance qu'elle serait ma voisine jusqu'à la fin janvier, je savais que ça viendrait un jour ou l'autre. De retour à mon studio, j'étais gonflée à bloc. Ma petite tortue verte à picots orange et un deuxième café pas très loin, la carte du centre-ville d'Hiroshima étalée sur le futon, je jonglais avec des textes longs déjà entrés à l'ordinateur, quelques notes éparses et des tentatives de haïku, mais j'étais tout de même dans l'expectative : serait-il plus pertinent d'illustrer mon séjour à Hiroshima en deux chapitres plutôt qu'en un seul ? Parce qu'Hiroshima, c'est un peu le début de tout. Parce qu'Hiroshima, c'est aussi toi, papa. Première fenêtre ouverte sur la ville, fenêtre sur toi, ton intimité, ton imaginaire. Mais dis-moi, pourquoi cette ville du bout du monde et pas Vancouver, Albuquerque ? Ton amour inconditionnel pour cette ville me restera à jamais inexpliqué, et ça pourrait déjà être l'objet d'un roman. Pourquoi pas ? Mon cellulaire que j'avais laissé dans ma bourse s'est mis à émettre sa ritournelle. Ah tiens, ça, c'est Nao !

Je ne me suis pas trompée et ce fut si bon d'entendre sa voix. C'est réciproque, a-t-elle avoué. Ça remontait aussi loin qu'au dénouement de l'enquête et à notre virée sur la Sumida. Ça expliquait le choix du téléphone. Pas question de se contenter du texto. Sans plus attendre, elle m'a annoncé comme ça qu'elle s'était enfin décidée, qu'elle avait changé d'idée : non, elle ne quitterait pas son étude, du moins, pas dans un avenir rapproché. L'auteur de l'arnaque était maintenant sous les verrous, et la suspicion envers son collègue était tombée d'elle-même. La vie au bureau était toujours aussi difficile, mais ce collègue plus jeune qu'elle et nouvellement arrivé dans la boîte avait fini par vaincre sa timidité pour l'inviter au resto. Il est bien, a-t-elle précisé, mais sans plus. Mais voilà, le plus important, et c'est pourquoi elle avait tenté cet appel sans trop savoir si elle allait me déranger, ça s'était bousculé en cours de semaine du côté de l'entreprise de son père. Elle avait plein de choses à me raconter, des propositions à me faire, mais pas au téléphone. Pouvais-je me libérer vers la fin de l'après-midi ? Bien sûr, Nao ! Alors écoute : viens chez moi à ton heure, je t'invite ce soir au resto.

Après avoir raccroché, j'ai voulu me remettre au travail pour encore une petite heure, mais j'avais bien évidemment la tête ailleurs. Je n'arrivais plus à me situer. J'hésitais entre le bus de la ligne 29 qui me mènerait dans un quartier périphérique d'Hiroshima ou le taxi vert et jaune direction Meguro ; je ne faisais plus rien de bon. Ça ne servait à rien, je n'y arrivais pas, j'ai fermé la session. Leçon numéro un : l'écriture du roman ne souffre pas l'éparpillement. Pas mal comme formule. C'est du sérieux, mon affaire. À vérifier auprès de ma romancière allemande qui doit présentement en griller une.

Tout de même, je n'avais pas perdu mon temps. J'avais tenu un peu plus de trois heures au clavier. Dans le taxi roulant en fin d'après-midi vers Meguro, je me retrouvais dans un tout autre monde que celui dans lequel j'avais jusque-là pris plaisir à me fondre. En pleine possession de mes moyens, avec la satisfaction du devoir accompli, j'entrais dans mon espace romanesque. Tout y était : *7 Eleven* sur ma droite, *Tully's Coffee* au prochain carrefour, quelques rares cyclistes et piétons en imper sur les trottoirs mouillés. Chauffeur ganté de blanc, musique d'ambiance à peine audible, à vous téléporter dans un hall d'hôtel ou un ascenseur, de temps à autre la voix posée du répartiteur, mais qu'avait-elle donc de si important à m'annoncer ? Après avoir réglé ma course, j'ai déployé mon parapluie tout juste devant la pâtisserie de Nao, *Les bons matins*, et je me suis prise à sourire dans cette grisaille mur à mur que j'aime tant. Je visualisais le parfait stéréotype de la solitaire au parapluie, manga monochrome vendu à des millions d'exemplaires. *Buzz...* Nao, c'est moi.

Ouverture de porte au cinquième palier, bizou, bizou. Sous son tendre regard, j'ai chaussé une paire de mules et suis allée prendre mes aises sur l'une des deux causeuses, mais pas trop quand même. Comme c'est beau, les buildings de Shibuya sous la pluie. C'est à combien de kilomètres d'ici? Comme ça, en ligne droite, je crois que c'est moins de deux. Thé, café, bière ou dry Martini? Comme toi. Chacune sa causeuse, la sienne face à l'œuvre d'une graphiste tenant boutique tout près d'ici, c'était bon d'étirer nos bières.

Dans la dernière semaine, son privé lui avait donc donné rendez-vous dans un *Ko-hi-kan* situé à deux pas de son étude pour parler des derniers développements. Le type était désormais épinglé, et ce n'était pas l'un ou l'autre des deux étudiants qu'elle n'avait pas voulu mettre en cause. Par de savants recoupements, on avait fini par cerner de toutes parts ce crack informatique. Jeune homme effacé, du type à se fondre dans la foule, mû par des valeurs d'extrême droite ou d'extrême gauche, les enquêteurs n'étant pas arrivés à le déterminer tellement son discours était bardé d'incohérences. Un asocial déconnecté de la réalité qui négociait jusqu'à tout récemment encore de lucratifs contrats pour le développement de nouvelles plateformes, mais avec qui, croyez-vous? Parmi ses clients, il y avait l'exploitante du site Internet où elle avait *travaillé*. Il avait donc accès à tous les dossiers de l'entreprise, et ce fut pour lui un jeu d'enfant de se procurer toutes les coordonnées dont il avait besoin.

Ç'aura été son erreur, et il devra bientôt répondre à des accusations autrement plus graves que le petit chantage tordu auquel il s'est adonné auprès d'elle et de trois autres modèles. Petit chantage tordu, a répété Nao, c'est la formule exacte qu'il a employée. Il est bon, lui, ai-je sifflé, mais qu'est-ce que ça lui prend! Ma remarque aura eu le don de l'amuser. Pour un moment, nous nous sommes payé la tête de son sympathique *baby face* devenu expert en banalisation délictuelle. Petit chantage tordu, pas grave ! Vol d'identité, pas grave ! Viols en série, pas grave ! Voiture piégée, pas grave ! Deux balles dans la tête, pas grave ! Et quoi encore, mon bon monsieur. Elle s'est levée pour revenir avec deux autres cannettes, et le temps de remplir son verre, elle est entrée dans le vif du sujet. Alors voilà, c'est réglé. La transaction immobilière est maintenant chose faite, le terrain sera bientôt libéré et mon père débutera sous peu la construction de sa maison modèle dans le quartier Suginami.

Elle était rayonnante, un brin attendrissante. J'avais devant moi une jeune femme qui était passée par mille émotions. Elle ne l'avait pas eue facile, la fille à papa, et c'était beau de la voir émerger avec tant de grâce. J'ai levé mon verre à son bonheur. Je la voyais déjà dans un tout autre monde, je nous voyais déjà toutes les deux dans cet autre monde. Projet commun, équipe du tonnerre, elle avocate en droit des affaires et moi experte en gestion financière. Développer des projets de micro-entreprise pour les femmes quelque part en Indonésie.

Hier, a-t-elle continué, nous sommes allés voir le terrain, mes parents et moi, et nous avons longtemps marché pour découvrir les environs. Vraiment bien situé, à mi-chemin entre la Kandagawa et la station Hamadayama, à proximité des services et d'un grand parc. Tout pour mettre en valeur la maison de bois, c'est plein d'avenir. Selon l'échéancier, je pourrai l'habiter en avril. Fantastique, Nao. Je connais un peu le coin, tu sais. J'y suis passée au printemps en me rendant à Nakano. La piste cyclable qui longe la rivière, les corbeaux qui gueulent, qui jasent et qui racontent : Rrrah, Rrrah, Rrrah.

Attends, Johanna, ce n'est pas terminé. Nous prenions le thé dans un restaurant des environs de la station quand ma mère a parlé de mon appartement. Pas question pour mon père de se départir d'un appartement qui ne cesse de prendre de la valeur. Elle y est alors allée d'une proposition qui nous a tous ravis :

pourquoi ne pas l'offrir gracieusement à Johanna ? Johanna, je ne pouvais te parler de ça au téléphone. Tu comprends ?

Aïe, aïe, aïe, si je comprenais ! Le verre en suspens, le regard perdu quelque part vers Shibuya, je suis restée sans mots et ça s'est soudain mis à scintiller. J'étais vraiment en état de choc. Elle a attendu un peu, puis elle a continué sur un ton plus posé : je savais que tu réagirais de la sorte, Johanna, je te connais. Je ne veux surtout pas te heurter, je ne te demande pas de réponse dans l'immédiat. Prends le temps d'y réfléchir. Ce que nous souhaitons tous, mon père, ma mère et moi, c'est que ton contrat soit prolongé. Mes parents t'apprécient au plus haut point, tu sais. Tu es beaucoup plus que ma seule amie, Johanna, tu es cette grande sœur que je n'ai jamais eue, et ça, ils le savent très bien. J'étais touchée au plus profond, que pourrais-je ajouter de plus. Oui, une seule petite chose : le restaurant où elle m'invitait était situé à deux pas de chez elle.

Depuis quelques jours, sachant que mon avenir à moyen terme se jouait quelque part en haut lieu, j'essayais de ne pas trop y songer, mais voilà. On en était à l'analyse de mon dossier, et la qualité de certains sourires que m'envoyait parfois Atsushi ne pouvait que me le rappeler ponctuellement. Il est dans le secret des dieux, me disais-je, et je me replongeais dans la lecture de mon bilan ou d'un quelconque mémo. Il ne peut rien dire et ça peut se comprendre. Je me consacrais donc à mes dossiers-clients sans jamais rien négliger ni trop en remettre question zèle, et personne dans la place n'aurait pu déceler le moindre changement dans mon comportement ou dans ma façon de gérer un problème. Bref, je me trouvais pas mal du tout. En moins d'un an, j'avais donc acquis ce degré de stoïcisme nécessaire à la vie en société. Étais-je en train de virer Japonaise ? Ça m'a tiré un sourire. La stoïque souriante, paradoxe ou oxymoron ?

Stoïque mais anxieuse, assurément, parce qu'ayant encore plein d'expériences et d'intensité à vivre ici, aussi bien dans l'optique de la carrière que sur un plan personnel, comme je l'avais maintes fois répété à Étienne, je désirais ardemment ce prolongement de contrat. Un peu comme M. Carpentier rencontré un jour de pluie à Harajuku, j'appréhendais le grand départ. L'article concernant cette opportunité qu'on nous fait miroiter à la signature du contrat comporte une bonne dizaine de clauses que j'avais bien soupesées, et dans le délai qui m'était imparti, j'avais signifié par écrit à M. Yasuda mon désir de prolonger mon séjour d'un an. La direction de la succursale avait accusé réception de ma lettre et m'appuyait sans réserve, mais qu'allait-on décider quelque part à Manhattan ou à San Francisco ?

Dans la perspective d'un départ prochain, Nao et moi avions resserré les liens. Nous passions maintenant tous les samedis ensemble. Nous nous donnions rendez-vous quelque part à Ginza à ma sortie du bureau – je lui avais une fois présenté Atsushi, et nous nous étions tous les trois rendus au *Pronto* de la station Yurakucho –, ou bien au *Dubliners* de Shibuya où nous étions en passe de devenir des habituées. J'avais éprouvé un jour le désir de lui montrer mon studio et lui avais cette fois donné rendez-vous sur la grande place de la station Sangenjaya. Vingt mètres carrés, ce n'était vraiment pas son appartement lumineux de Meguro, mais j'avais su aménager mon manque d'espace avec goût. Tu vois, lui avais-je dit, c'est mon univers. Ça se résume à bien peu de choses, mais ce dénuement ajoute au plaisir de vivre.

Oui, j'éprouvais un réel plaisir à habiter dans ce quartier qui était devenu mon quartier, là où je me sentais terriblement Tokyoïte. Cela dit, je ne m'étais pas perdue pour autant en longues réflexions, et j'avais accepté l'offre généreuse de ses parents. Parce que la construction avait débuté et les échéanciers étaient respectés. Tout se déroulait comme prévu, et je n'étais donc plus seule maintenant à attendre cette réponse de la haute direction.

Un certain mardi de la mi-décembre, à la limite du délai qui leur était imparti, je m'apprêtais à adresser à la réceptionniste mon habituel *ohayô*, mais quand j'ai émergé du couloir des ascenseurs, elle a quitté son poste pour prendre les devants : *Ohayô gozaimasu!* J'ai répondu sur le même ton, et sans rien laisser paraître de mon haut degré de stress, j'ai *cueilli* l'enveloppe bleue au cachet doré qu'elle me présentait comme un objet précieux. *Arigatai,* ai-je réussi à articuler dans un souffle, puis j'ai gagné avec tout le stoïcisme possible mon poste de travail : *Ohayô!*

Avant toute chose, Johanna, prendre le temps de s'asseoir et de bien respirer. Surtout, ne pas interroger du regard Atsushi qui semble plongé jusqu'au cou dans l'analyse d'un projet d'investissement. L'attente était bien terminée, sauf que posée comme ça sur mon bureau, cette enveloppe bleue au cachet doré m'inspirait la crainte. Alors, ouvrir lentement le tiroir, tâtonner sans trop de bruit pour saisir le coupe-papier. Et si c'était négatif ? Si c'est négatif, pas compliqué, en bonne Tokyoïte que tu es devenue, sois stoïque. On n'en meurt pas, il y a plein d'autres villes fascinantes sur cette planète, peu importe le continent, et ne te mets surtout pas à pleurer. Allez, tu ouvres ou tu n'ouvres pas ? J'ai glissé la pointe du coupe-papier entre les feuillets.

Dear Madam, we are pleased to inform you that...

Je suis longtemps restée sans voix à lire et à relire cette seule première phrase, puis les larmes aux yeux, j'ai fini par me tourner vers Atsushi : c'est oui ! Lui aussi dans l'attente depuis longtemps d'une réponse officielle qui tardait à venir, il a quitté son poste pour venir entrer dans ma bulle. Une grande première. Je l'ai serré si fort, il me serrait si fort, nous étions si heureux. Témoins de cette rare effusion de sentiments, les collègues se sont tous rapprochés pour nous applaudir. Sympathique. Tu savais, Atsushi, dis-moi que tu savais. Dites-moi, ai-je demandé à la ronde, dites-moi que vous saviez. Personne ici n'en savait plus que toi, Johanna. Que de l'espoir, parce que tout le monde ici t'apprécie. Que de bonnes ondes, parce qu'un dossier sans tache comme le tien se présente tellement bien. Ce n'est jamais gagné, tu sais, il est déjà arrivé que...

Ce midi-là, nous sommes tous allés dîner dans ce restaurant des environs de la gare Shimbashi où j'avais entraîné Étienne au lendemain de son arrivée. Groupe de huit personnes, nous étions particulièrement bruyants, et de l'endroit qu'on nous avait assigné vers l'arrière, je pouvais entrevoir la table que nous avions occupée deux mois plus tôt. Un an de plus à Tokyo ! J'avais peine à le réaliser. Quel bonheur, quel soulagement, et j'ai pu prendre la mesure de l'intérêt que me portaient mes collègues, même ceux que je côtoyais beaucoup moins, l'un d'eux me proposant même un week-end en avril chez ses parents qui habitent le Kanto. Profondément touchée par tant d'attentions, je flottais, je rayonnais. Je reste, Atsushi, et demain c'est congé. Mercredi vélo, mercredi écriture, mercredi Yokohama? JE RESTE, ai-je texté à Nao alors qu'il me versait plus tard du saké, trop heureuse que j'étais de la mettre au courant. *YEAH!* ai-je reçu dans la minute, elle me téléphonerait en soirée.

Après avoir laissé passer l'heure de pointe, j'ai quitté le bureau sous le sourire complice d'Atsushi et des collègues qui avaient le même horaire que moi. Tout l'après-midi, la tête ailleurs et les colonnes de chiffres transformées en signes incompréhensibles, j'avais résolu de communiquer la nouvelle à maman et à Étienne une fois seulement rendue à la maison. Très bien, sauf qu'au *Denny's*, dans l'attente de ma bière et du steak frites, j'avais beau m'investir dans la contemplation des badauds qui erraient d'un étal à l'autre sur la grande place, incapable de résister, j'ai sorti mon cellulaire pour l'annoncer à Étienne : 6 h 30 à Québec. Pour lui aussi, c'était mardi, mais il en était à son premier café. Ému, sincèrement ému, si heureux pour moi, mais pas surpris pour deux sous. Pas surpris mais soulagé tout autant que moi. Avec mes états de service, une réponse négative de la banque l'aurait tout simplement révolté. C'était réglé, je prenais du galon. J'étais maintenant Tokyoïte, comme il avait été pour un temps Moscovite, et peut-être reviendrait-il l'automne prochain. Le jour se levait sur les plaines d'Abraham, il n'avait pas encore terminé ses corrections de fin de session, mais la journée serait belle.

Au studio, j'ai enlevé mes bottillons et posé mes affaires avant de faire de la lumière. Adossée au comptoir, j'ai croisé les bras de contentement, et je me suis pour un temps perdue dans l'analyse des icônes sur la marche à suivre pour disposer des ordures ménagères. Quasiment un message de bienvenue. Puis j'ai jeté un regard attendri sur mon petit univers. Je me revoyais le jour de mon arrivée, premier contact avec cette ville que j'avais tant espérée, enthousiasmée à la seule idée d'insuffler un peu d'âme à ce banal petit cube. J'y étais arrivée, on y arrive toujours, campus ou pas campus, dans le plaisir de la mise en place, mais je me voyais maintenant migrer vers Meguro. Comme toujours, j'aurais un pincement au cœur à quitter l'endroit, c'est sûr et certain, mais une seule course en taxi suffira pour tout emporter. Noël dans une semaine! J'avais même oublié ça, Noël dans une petite semaine. Allez hop! Prépare-toi un café, elle est levée à cette heure, c'est certain, il est temps d'appeler ta mère. Elle aurait préféré me voir à Montréal, mais bon, c'est ma vie. Pour tout dire, j'ai réussi cette fois à lui vendre l'idée d'un séjour en avril. Tu t'organises pour tes vacances, je prends tout en charge. Je m'occupe de tout, c'est ton cadeau de Noël, et s'il neige cette semaine, je t'envoie des photos.

Nao était tout sourire quand elle a déposé son cappuccino sur la table pour retirer son manteau. J'ai vite replié mon journal. J'avais déjà une petite idée en tête pour le reste de l'après-midi et la soirée, j'ai songé à lui en parler tout de suite, mais non, pourquoi brusquer les choses. Je l'avais précédée de quelques minutes au nouveau Veloce qui venait d'ouvrir ses portes dans les environs du bureau. Ça s'était précisé au cours de la semaine, surtout par échange de courriels. Il y aurait la signature d'un *contrat de location* en bonne et due forme vers la fin mars, donc rien qui presse. Mes parents sont si heureux, répétait-elle comme un mantra.

Comme moi, elle a choisi les pâtes, et après être allées commander au comptoir, nous sommes revenues à table avec nos numéros d'ordre, et j'ai pu lui parler de Mme Herlinger. Quelle chance avais-je de côtoyer cette femme qui me parlait de l'art du roman et qui me faisait surtout prendre conscience de l'ampleur de ma tâche. Depuis son arrivée, nous nous étions rencontrées dans des cafés de Sangenjaya et elle avait répondu à toutes mes questions, mais vouloir écrire un roman en six mois alors que je travaillais à la banque, c'était m'en mettre beaucoup trop sur les épaules. Mais allez-y, écrivez dans le plaisir, utilisez vos mercredis à bon escient, vous verrez bien. Le plus important, c'est d'y croire et d'agir. Nao était fascinée par mon discours qui n'était en fait que la synthèse de celui de Mme Herlinger. Ça l'amusait de voir que la gestionnaire qu'elle avait connue jusqu'alors s'investissait maintenant dans un projet d'écriture où elle tiendrait elle-même un rôle important. Samedi ensoleillé, 14 h 30, il y avait foule sur les trottoirs. Mes pâtes terminées, j'ai déposé ma fourchette : que dirais-tu, Nao, si on remontait Chuo Dori jusqu'à Akihabara. Oh oui ! On va jouer au *pachinko*. Plus de quatre kilomètres, Noël dans cinq jours et j'espérais les flocons. Tous ces arbres décorés. Ce sera magique à la tombée du jour, à retomber en enfance. Comme si Chuo Dori n'était pas déjà assez lumineuse.

40
Ebisu

Il s'était mis à neiger en fin d'après-midi, et comme la journée avait été particulièrement harassante, je me suis arrêtée au *Seiyu* de la station Sangenjaya pour un *pack* de bières et un bento. Gyoza, riz et crustacés. Je m'apprêtais à sortir mes clés dans la pénombre quand j'ai vu qu'on avait scotché une petite enveloppe sur ma porte. Ah tiens ! J'ai pris le temps d'entrer pour poser mon barda sur le comptoir avant d'y mettre la main. Je me doutais bien de qui c'était, mais sait-on jamais. Eh oui, me suis-je dit en voyant sa carte professionnelle, ça ne pouvait être qu'elle. Après toute une journée consacrée à une réunion d'équipe devenue nécessaire à la suite d'une forte chute boursière sur les places européennes, histoire d'en mesurer l'impact potentiel sur certains de nos clients et d'étayer un début de stratégie, cette carte m'a réconfortée. Au verso, son message allait droit au but : Pourrions-nous dîner ensemble demain ? Au Globe, 19 h.

C'est sûr, Mme Herlinger, que nous dînerons demain ensemble. Pour vous, je quitterai le bureau deux heures plus tôt, je peux me le permettre. Près de deux mois maintenant qu'elle habitait Casa Aregle, et je savais qu'elle était à la veille de son départ. Sur l'ensemble de son séjour, nous nous étions rencontrées à quelques occasions pour échanger essentiellement sur la littérature en général, les stratégies d'écriture et la structure d'un roman. Elle jouait pour moi le rôle de directrice littéraire, j'étais comblée. Un échange de courriels et nous nous retrouvions le lendemain ou le surlendemain à l'heure dite dans un café ou un resto des environs. C'était fantastique, d'autant plus que chacune avait tenu à respecter scrupuleusement l'indépendance et l'intimité de l'autre. Rien de rasant, le plaisir toujours renouvelé. Nous parlions de nos projets respectifs, de choix narratifs et de plein de subtilités, et chaque fois, notre rencontre prenait des allures d'atelier littéraire, chose que je n'avais bien évidemment jamais pu expérimenter à l'université.

Pleine d'estime pour celle qui était devenue ma marraine d'écriture, j'étais profondément touchée par cette ultime invitation. Je suis revenue à la vie, et j'ai retiré mes chaussures pour aller accrocher mon foulard et mon manteau dans l'espace rangement que j'ai toujours nommé mon nécessaire bric-à-brac. Selon mon habitude, j'ai ouvert une fenêtre sur une Web radio jazz, je me suis servi une bière et j'ai disposé le tout dans mon assiette de porcelaine pour la passer au four à micro-ondes. Le Globe demain soir, excellente idée. Voyons maintenant ça de plus près : Marta Herlinger, Docteure en littérature, université d'attache et adresse à Berlin, site Web et courriel. Au verso, sous le message, elle avait ajouté son numéro de cellulaire. Tiens donc.

Sans plus attendre, j'ai appelé pour lui confirmer que c'était parfait, que j'allais y être sans faute, et elle s'est réjouie de ma promptitude à réagir. Elle pouvait maintenant respirer. Son vol était programmé pour jeudi, c'était donc le mardi de la dernière chance. Vous ne pouviez pas savoir, s'est-elle amusée, mais je viens à peine de mettre l'invitation sur votre porte. Une question de minutes. Avec un peu de chance, nous nous serions rencontrées dans la venelle. Volubile et à bout de souffle, Mme Herlinger, comme toujours, et je pouvais entendre en arrière-plan la ritournelle de la station où elle était. Vous êtes bien à Shibuya, là ? Euh, oui, comment savez-vous ? Je vous expliquerai. Demain, 19 h, au Globe.

La coïncidence est belle, lui ai-je avoué alors que la jeune fille en noir nous servait notre première bière, Kirin pour elle et Ebisu pour moi, c'est ici qu'Étienne avait choisi de venir la veille de son départ. Parce qu'elle connaissait Étienne, en tant que personnage. Un peu après Noël, je lui avais proposé deux chapitres qui le concernaient et elle m'en donnait maintenant une critique. Pas trop sévère, disons généreuse. Plume alerte, les personnages en action, elle aimait bien. Sa grande surprise aura été de lire que dans les environs de l'Université Meiji, dans un club privé, on pouvait voir deux pages manuscrites de l'œuvre ultime de Yukio Mishima. Réalité ou bien fiction ? a-t-elle demandé. C'est la pure réalité, madame Herlinger, la pure vérité. J'ai fouillé dans mon sac pour saisir mon porte-cartes et lui ai offert celle du club en question : voilà. C'est précieux ; merci, Johanna.

Vous savez quoi, ai-je avoué plus tard alors que nous en étions au plat principal, Étienne a calqué la structure du premier tome de la *Suite hôtelière* sur le roman d'un auteur allemand. Un roman basé sur des documents d'archives. Attendez que je me souvienne… oui : *Toute une histoire*. Tout à fait, a-t-elle confirmé, un grand roman de Günter Grass. C'est paru quelques années après la réunification, comment ne pas m'en souvenir, et quel scandale ! Comme je ne saisissais pas trop, elle m'a raconté dans le détail ce qui s'était passé à la sortie du livre. Elle était fascinante, encyclopédique, et son humour incisif lorsqu'elle prenait position sur les petitesses et la grandeur de la littérature allemande me la rendait si attachante. Il faut savoir, a-t-elle avancé doctement, il faut savoir que le petit monde de la littérature est un panier de crabes.

Elle a remarqué que j'étais sensible à la temporalité et à la géographie des lieux. C'est plutôt rare chez les romancières, disait-elle, sauf bien sûr celles qui exploitent le roman historique. Vous êtes tout le contraire de moi. Ça tiendrait à quoi, selon vous, en avez-vous une petite idée ? Par hasard, en plus de la gestion, auriez-vous étudié la géographie ? Ne sachant trop quoi répondre, j'ai laissé ma fourchette en suspens, et puis oui, c'était simple : si je suis si sensible à la géographie des lieux, comme vous dites, c'est que je suis géographique, cartographique, topographique.

Jaugeant son degré d'étonnement, j'ai ajouté que je tenais ça de mon père, et son sourire dubitatif s'est transformé en rire d'adhésion.

Cette complicité, nous la nourrissons maintenant via les courriels, avec en pièces jointes ses textes ou les miens, via aussi le téléphone. Berlin Plaza un jour ? Et pourquoi pas. Je dois avouer qu'en tant que romancière expérimentée, Mme Herlinger avait visé juste lorsqu'elle avait affirmé que je me mettais trop de pression en voulant compléter mon *roman de Tokyo* en six mois. Elle avait tout à fait raison, et je mets ce soir la dernière main à mon *roman de ma première année à Tokyo*. À défaut d'être subtile, la nuance est éloquente. Un peu moins d'un an, tout de même, Étienne sera bientôt de retour. Ce n'est pas si mal, alors que le sien avance toujours à pas de tortue. C'est son expression.

Pas d'ordre chronologique dans mon roman. Je l'ai voulu ainsi parce que j'y trouve ma cohérence. Le maniaque de la dynamique du temps retrouvé pourra toujours s'y mettre. Joli puzzle, ça lui fera deux romans pour le prix d'un. Moi, je ne suis qu'une feuille de thé dans la grande plantation, ça me plaît, j'aime l'image. Un violent typhon a balayé dernièrement les côtes sud-ouest d'Honsu. Les vents en rafale ont fini par tomber, mais il pleut toujours sur les buildings de Shibuya. C'est beau, Shibuya sous la pluie. Vraiment rien pour me rebuter, c'est ma ville en manga monochrome. Demain, c'est mercredi vélo. *Dring-dring*, tassez-vous, j'arrive, et je compte bien aller cette fois du côté de la Sumida.

Alors, papa, qu'est-ce que tu penses de ta fille ?

PLAN DES SERVICES DE TRANSPORT DE TOKYO ET SES ENVIRONS

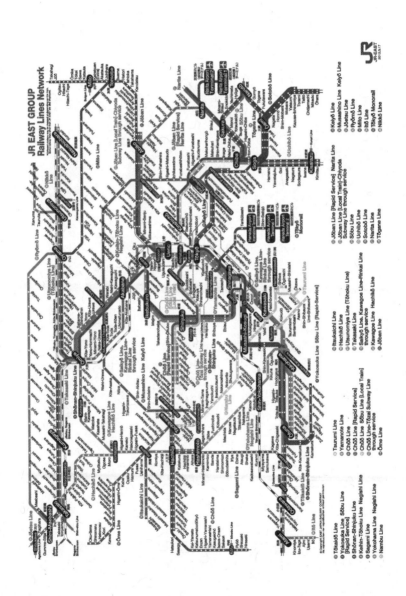

Liens des codes QR

Page 13
http://www.globe-antiques.com/cafe/

Page 56
http://www.youtube.com/watch?v=Ny5lpk6oJ-k&feature=related

Page 97
http://www.air-tokyo.com/index.html

Page 98
http://www.katmusic.jp/

Page 99
http://www.daishidance.jp/indexs.html

Page 118
http://www.historicplaces.ca/en/rep-reg/place-lieu.aspx?id=12461

Page 148
http://www.cottonclubjapan.co.jp/en/

Page 186
http://andregagnon.net/tokyoimperial/commeaupremierjour

Page 195
http://www.youtube.com/watch?v=NtiwmahtEkU

Page 196
http://www.montrealjazzfest.com/program/concert.aspx?id=5820

Table des matières

STATION *[LIGNE → CORRESPONDANCES]*